William
FAULKNER
TRIUKŠMAS IR ĮNIRŠIS

romanas

William Faulkner

TRIUKŠMAS IR ĮNIRŠIS /romanas

IŠ ANGLŲ KALBOS
VERTĖ
VIOLETA TAURAGIENĖ

LIETUVOS
RAŠYTOJŲ SĄJUNGOS
LEIDYKLA
VILNIUS

KNYGOS IŠLEIDIMĄ RĖMĖ
KULTŪROS IR SPORTO RĖMIMO FONDAS

Versta iš:
William Faulkner
The Sound and the Fury.
Vintage Books.
A division of Random House, Inc. –
New York, 1990.

ISBN 9986-39-265-9
UDK 820(73)-3
Fa519

1928, balandžio septintoji

Pro tvorą ir susiraizgiusias gėles mačiau, kaip jie smūgiuoja. Jie artinosi prie vėliavėlės, o aš ėjau palei tvorą jiems iš paskos. Lasteris ieškojo kažin ko žolėje prie to žydinčio medžio. Jie ištraukė vėliavėlę ir smūgiavo toliau. Paskui vėl ją įbedė ir nužingsniavo prie plokštumos, tada jis smogė, o paskui smogė tas kitas. Po to jie patraukė tolyn, o aš ėjau palei tvorą jiems iš paskos. Lasteris pasitraukė nuo žydinčio medžio, ir mes ėjome palei tvorą, jie sustojo, ir mes sustojom, aš žiūrėjau pro tvorą, o Lasteris tuo tarpu ieškojo kažin ko žolėje.

– Paskubėk, kedi*. – Ir smogė. Jie nužingsniavo tolyn per ganyklą. Įsikibęs į tvorą stoviu ir žiūriu, kaip jie tolsta.

– Ir vėl dūdos, – tarė Lasteris. – Kurgi matyta šitaip elgtis trisdešimt trejų metų vaikiui. O aš dar sukoriau visą tą kelią iki miesto, kad nupirkčiau tau tortą. Liaukis šitaip vaitojęs. Verčiau padėtum man surasti tą ketvirtį dolerio, kad šįvakar galėčiau nueiti į vaidinimą.

Jie iš lengvo smūgiavo žingsniuodami per tą ganyklą. Palei tvorą vėlei grįžau prie vietos, kur buvo vėliavėlė. Ji plazdeno žvilgančioje žolėje ir medžiuose.

*Kedis (caddie) – patarnaujantysis žaidžiant golfą.
Čia ir toliau vertėjos pastabos.

– Eikš, – pašaukė Lasteris. – Čia jau žiūrėjom. Jie negreitai sugrįš. Leiskimės prie upelio ir suieškokim tą pinigą, kol juodžiai jo nesurado.

Ji raudona, plazdena pievoje. Paukštis tūptelėjo ant jos, ir ji pasviro. Lasteris sviedė. Vėliavėlė tik plast į žvilgančią žolę ir medžius. Laikausi įsikibęs į tvorą.

– Liaukis vaitojęs, – tildė Lasteris. – Aš nepriversiu jų sugrįžti, jei jie negrįžta, supranti? Jei nenutilsi, mamutė tau gimtadienio nesutaisys. Žinai, ką padarysiu, jei nenutilsi? Visą tortą suvalgysiu. Su visomis žvakutėmis. Visas trisdešimt tris žvakutes surysiu. Leidžiamės greičiau prie upelio. Turiu surasti savo pinigą. Gal dar kurį iš jųjų kamuoliukų rasime. Ana. Ana jie kur. Ana tenai! Žiūrėk! – jis priėjo prie tvoros ir parodė ranka. – Matai? Jie nebegrįš pro čia. Eime.

Nužingsniavome palei tvorą ir priėjome sodo užtvarą, kur buvo mūsų šešėliai. Maniškis buvo aukštesnis už Lasterio. Priėjome prie skylės tvoroje ir pralindom pro ją.

– Palauk gi, – sulaikė mane Lasteris. – Vėl užkibai už tos vinies. Negi taip ir neišmoksi prašliaužti pro šičia neužkibęs už vinies?

Kedė atkabino mane, ir mudu prašliaužėme pro tą skylę. Dėdė Moris prisakė, kad niekam nesirodytume, tai verčiau pasilenkim, pasakė Kedė. Pasilenk, Bendži. Va taip, žiūrėk. Mes pasilenkėme ir perėjome sodą, kur gėlės brūžinos į mus ir šiugždėjo. Žemė buvo kieta. Perlipome per tvorą, kur kriuksėjo ir šniurkščiojo kiaulės. Matyt, jos liūdi, nes vieną jų šiandieną paskerdė, pasakė Kedė. Žemė buvo kieta, suplūkta ir gumbuota.

Neištrauk rankų iš kišenių, paliepė Kedė, nušals. Juk nenori, kad rankos nušaltų per Kalėdas, ar ne? *

*Čia ir toliau stengiamasi išsaugoti originalią autoriaus skyrybą.

– Lauke labai šalta, – pasakė Veršas. – Juk tu nenori eiti laukan.

– Kas jam dabar? – paklausė mama.

– Jis nori eiti laukan, – paaiškino Veršas.

– Tegu eina, – pasakė dėdė Moris.

– Pernelyg šalta, – paaiškino mama. – Geriau tegu lieka namie. Liaukis, Bendžaminai.

– Jam nieko nenutiks, – nuramino dėdė Moris.

– Klausyk, Bendžaminai, jei blogai elgsies, eisi į virtuvę.

– Mamutė sakė, kad šiandien jam negalima virtuvėn, – įsiterpė Veršas. – Sakė, labai jau daug turi taisyti valgio.

– Tegu jis eina, Kerolaina, – pasakė dėdė Moris. – Kitaip jis įvarys tau ligą.

– Žinau, – atsakė mama. – Dievas nubaudė mane. Kartais klausiu save – už ką gi?

– Žinau, žinau, – nutraukė ją dėdė Moris. – Bet privalai laikytis. Sutaisysiu tau punšo.

– Nuo jo man daros tik liūdniau, – paaiškino mama. – Tu puikiai tai žinai.

– Pasijusi geriau, – patikino dėdė Moris. – Gerai apmuturiuok jį, berniuk, ir išvesk valandėlei į lauką.

Dėdė Moris išėjo. Veršas išėjo.

– Būk geras, nutilk, – paprašė mama. – Mes tuoj tave išvesim. Aš tik nenoriu, kad tu susirgtum.

Veršas apavė mane kaliošais, apvilko paltu, paėmėme mano kepurę ir išėjome. Dėdė Moris valgomajame statė indaujon butelį.

– Pasivaikščiok su juo pusvalanduką, berniuk, – pasakė dėdė Moris. – Tik neleisk jam išeiti iš kiemo.

– Gerai, pone, – atsakė Veršas. – Mes niekada neleidžiam jam išeiti lauk.

Išėjome pro duris. Saulė buvo šalta ir ryški.

– Kurgi tu trauki? – paklausė Veršas. – Juk nemanai, kad einame į miestą? – Mudu žingsniavome per čežančius lapus. Vartai buvo šalti. – Geriau jau netrauk rankų iš kišenių, – patarė Veršas. – Prišals prie vartų, ir ką tada darysi. Kodėl tau nepalaukus jų namie? – Ir sukišo mano rankas į kišenes. Girdėjau, kaip jis čežina lapus. Užuodžiau šaltį. Vartai buvo šalti.

– Še riešutų. Oho! Kaip įsliuogė tan medin. Žiūrėk, Bendži, voverė.

Vartų nejaučiau visiškai, bet užtat užuodžiau spindintį šaltį.

– Geriau jau kišk rankas atgal į kišenes.

Kedė ėjo. Paskui pasileido bėgti. Kuprinė kabaldavo ir kresčiojo jai už nugaros.

– Sveikas, Bendži, – ištarė Kedė. Atvėrė vartus, įžengė kieman, pasilenkė. Kedė kvepėjo lapais. – Išėjai pasitikti manęs? – paklausė. – Išėjai pasitikti Kedės? Kodėl jo rankos tokios šaltos, Veršai?

– Aš jam liepiau laikyti jas kišenėse, – teisinosi Veršas. – Bet jis kabinosi va taip į vartų geležį.

– Ar atėjai pasitikti Kedės? – klausė trindama man rankas. – Na, kas gi? Ką nori pasakyti Kedei?

Kedė kvepėjo medžiais ir kaip tada, kai sako, kad mes jau miegam.

Ir ko gi tu vaitoji, kalbėjo Lasteris. Kai prieisim upelį, pamatysi juos vėlei. Še durnaropę. Ir padavė man gėlę. Mudu praėjome pro užtvarą ir atsidūrėme tame lauke.

– Ką? – paklausė Kedė. – Ką nori pasakyti Kedei? Ar jie išleido jį į lauką, Veršai?

– Jie negalėjo suturėti jo viduj, – aiškino Veršas. – Jis nesi-

liovė, kol jie išleido jį, tada atėjo tiesiai čia spoksoti pro var-
tus į kelią.

– Kas gi tau? – paklausė Kedė. – Tikriausiai manei, kad aš
pargrįšiu per Kalėdas. Taip? Kalėdos bus poryt. Kalėdų Sene-
lis, Bendži. Kalėdų Senelis. Na, bėgam namo, sušilsim. – Ji pa-
ėmė mane už rankos, ir mudu nubėgome per žvilgančius šiure-
nančius lapus. Bėgte užbėgome laipteliais ir iš žvilgančio šalčio
patekome į juodą šaltį. Dėdė Moris statė indaujon butelį. Jis
pašaukė Kedę vardu.

– Veršai, nuvesk jį prie ugnies, – paprašė Kedė. – Aš tuoj
ateisiu.

Mudu nuėjom prie ugnies. Mama paklausė:

– Veršai, ar jis nesušalo?

– Ne, mem, – atsakė Veršas.

– Nuvilk jam paltą ir nuauk kaliošus, – paliepė mama. – Kiek
sykių turiu kartoti, kad nevestum jo vidun su kaliošais.

– Gerai, mem, – atsakė Veršas. – Nurimk. – Nuavė man ka-
liošus ir atsegė paltą.

– Palauk, Veršai, – įsiterpė Kedė. – Mama, ar jam negalima
dar į lauką? Norėčiau, kad jis eitų su manim.

– Verčiau palik jį namie, – įkišo trigrašį dėdė Moris. – Šian-
dien jau prisibuvo lauke.

– Verčiau abudu likite namie, – pasiūlė mama. – Dilzė sako,
kad šąla.

– Oi, mama, – nenustygo Kedė.

– Niekai, – nukirto dėdė Moris. – Ji išsėdėjo mokykloje kiaurą
dieną. Jai reikia pakvėpuoti grynu oru. Bėk, Kede.

– Mama, išleiskit jį, – paprašė Kedė. – Juk žinot, kad jis verks.

– Tai kodėl užsiminei apie tai jam girdint? – papriekaištavo mama. – Kodėl čia atėjai? Kad suteiktum jam progos dar mane pakankinti? Šiandien prisibuvai lauke. Verčiau pabūk namie ir su juo pažaisk.

– Išleisk juos, Kerolaina, – paprašė dėdė Moris. – Šaltukas jiems nepakenks. Neužmiršk, turi tausoti jėgas.

– Žinau, – atsakė mama. – Niekas nežino, kokį siaubą man sukelia Kalėdos. Niekas. Aš ne iš tų, kurios pajėgia viską ištverti. Kaip norėčiau būti stipresnė dėl Džeisono ir dėl vaikų.

– Privalai pasistengti, neleisk jiems savęs kankinti, – pasakė dėdė Moris. – Bėkit laukan abudu. Tiktai neužsibūkit. Mama nerimaus.

– Gerai, – sutiko Kedė. – Eime, Bendži. Vėl eisime į lauką. – Ji susagstė man paltą, ir mudu nužingsniavome prie durų.

– Negi vesies tą vaiką į lauką be kaliošų? – paklausė mama. – Ar nori susargdinti jį, kai namie šitiek žmonių?

– Užmiršau, – pasiteisino Kedė. – Maniau, kad jis su kaliošais. Mudu grįžome.

– Privalėjai pagalvoti, – papriekaištavo mama. *Nagi stovėk ramiai* pasakė Veršas. Jis apavė mane kaliošais. – Ateis diena, kai manęs nebebus, ir tau teks apie jį galvoti. – O *dabar patrepsenk* paliepė Veršas. – Eikš, pabučiuok mamą, Bendžaminai.

Kedė privedė mane prie mamos kėdės, mama suėmė man veidą rankomis ir priglaudė prie savęs.

– Vargšas mano vaikelis, – pasakė. Ir paleido. – Žiūrėkit, kad jis nesušaltų, abu su Veršu žiūrėkite, brangute.

– Gerai, mem, – atsakė Kedė. Mes išėjome.

– Gali neiti, Veršai, – pasakė Kedė. – Aš pabūsiu su juo.

– Gerai, – sutiko Veršas. – Lauke visai nelinksma per tokį

šaltį. – Jis nuėjo, o mudu su Kede sustojome koridoriuje, Kedė atsiklaupė, apkabino mane ir prisispaudė šaltu švytinčiu veidu. Ji kvepėjo medžiais.

– Tu ne vargšas vaikelis. Juk ne vargšas? Juk ne? Tu turi savo Kedę. Ar ne taip? Juk tu turi savo Kedę.

Ar negali liautis vaitojęs ir seilėjęsis, pasakė Lasteris. Ar tau ne gėda kelti tokį triukšmą. Mudu praėjome pro stoginę, kur stovėjo karieta. Vienas jos ratas buvo naujas.

– Lipk į ją ir ramiai sėdėk, kol ateis mama, – paliepė Dilzė. Ir įstūmė mane į karietą. Ti Pi laikė vadžias. – Niekaip nesuprantu, kodėl Džeisonas nenupirko naujo vežimaičio, – nusistebėjo Dilzė. – Šitas kledaras vieną gražią dieną subyrės po jumis į šipulius. Tik pažvelkit į ratus.

Mama išėjo ir nusileido šydą. Ji nešėsi gėlių.

– Kur Roskus? – paklausė.

– Roskus šiandien nepakelia rankų, – paaiškino Dilzė. – Ti Pi kuo puikiausiai vadelioja.

– Aš bijau, – pasakė mama. – Man regis, vieną kartą per savaitę jūs galite parūpinti man vadeliotoją. Viešpats mato, kiek nedaug prašau.

– Jūs taip pat puikiai kaip ir aš žinote, mis Kehlaina, kad Roskų bjauriai susuko reumatas, ir jis negali dirbti daugiau, negu privalo, – paaiškino Dilzė. – Lipkit. Ti Pi nuveš jus ne prasčiau už Roskų.

– Aš bijau, – nenurimo mama. – Dėl to mažylio.

Dilzė užkopė laiptais.

– Ir jūs vadinat jį mažyliu? – pasakė. Ir paėmė mamą už rankos. – Vyrą didumo sulig Ti Pi. Lipkit, jeig norite važiuoti.

– Aš bijau, – pakartojo mama. Jos nusileido laiptais, ir Dilzė padėjo mamai įlipti į karietą. – O gal taip visiems mums bus geriau, – pridūrė.

– Ar jums ne gėda taip kalbėti, – papriekaištavo Dilzė. – Ar nežinot, kad norint paleisti Kvinę šuoliais reikia kur kas daugiau nei aštuoniolikmečio negro. Ji vyresnė už juodu su Bendžiu drauge sudėtus. Ir nemėgink erzinti Kvinės. Girdi, Ti Pi. Jeigu nevadeliosi taip, kaip nori mis Kehlaina, užsiundysiu ant tavęs Roskų. Jis dar ne tieką surakintas, kad tavęs nepamokytų.

– Gerai.

– Tiesiog jaučiu, kad kažkas nutiks, – nerimo mama. – Liaukis, Bendžaminai.

– Duokit jam palaikyti gėlę, – pasiūlė Dilzė. – Būtent jos jis ir nori. – Ir tiestelėjo ranką.

– Ne, ne, – užprotestavo mama. – Tu išbarstysi jas.

– Prilaikykit, – paprašė Dilzė. – O aš ištrauksiu jam vieną. – Ji padavė man gėlę, ir jos ranka dingo.

– Važiuokit, kol Kventinė jūsų neužmatė, ji irgi užsigeis važiuoti, – paragino Dilzė.

– Kur ji? – paklausė mama.

– Namie, žaidžia su Lasteriu, – atsakė Dilzė. – Važiuok, Ti Pi, vadeliok karietą taip, kaip tave mokė Roskus.

– Gerai, – sutiko Ti Pi. – No, Kvine.

– Kventinė, – ištarė mama, – neleisk jai...

– Na, žinoma, – nutraukė ją Dilzė.

Karieta kresčiodama nugirgždėjo alėja.

– Aš bijau išvažiuoti ir palikti Kventinę, Ti Pi, – pasakė mama. – Verčiau aš nevažiuosiu.

Mes išriedėjom pro vartus, – už jų karieta nebekresčiojo. Ti Pi sušėrė Kvinei botagu.

– Ką darai, Ti Pi! – sudraudė mama.

– Privalau ją išjudinti, – atsakė Ti Pi. – Kad neužmigtų, kol sugrįšim į klojimą.

– Sukis atgal, – įsakė mama. – Aš bijau išvažiuoti ir palikti Kventinę.

– Čia neišeina apsisukti, – atsakė Ti Pi. Paskui kelias išplatėjo.

– O čia ar negali apsisukti? – paklausė mama.

– Gerai, – atsakė Ti Pi. Pradėjome suktis.

– Ką darai, Ti Pi! – sušuko mama spausdama mane prie savęs.

– Turiu juk apsisukti, – atsakė Ti Pi. – No! Kvine.

Sustojome.

– Tu mus apversi, – pasakė mama.

– Tai ką norite, kad aš daryčiau? – paklausė Ti Pi.

– Aš bijau, kai matau, kaip tu suki, – pasakė mama.

– Pirmyn, Kvine, – paragino Ti Pi. Ir mes nuvažiavome.

– Aš tiesiog jaučiu, kad Dilzė leis Kventinei ką nors iškrėsti, kol manęs nebus, – pasakė mama. – Turime grįžti kuo greičiau.

– No, Kvine, no! – suriko Ti Pi. Ir sušėrė Kvinei botagu.

– Ką darai, Ti Pi! – sušuko mama spausdama mane prie savęs. Girdėjau kaukšint Kvinės kanopas, abipus kelio slinko žvilgantys pavidalai, glotnūs ir vienodi, o jų šešėliai plaukė Kvinei per nugarą. Jie slinko tarytum blizgančios ratų viršūnės. Paskui vienoje pusėje sustojo ties aukštu baltu stulpu, ant kurio stovėjo kareivis. Nors kitoje pusėje vis dar slinko, glotnūs, vienodi, tik truputį lėčiau.

– Ko pageidaujate? – paklausė Džeisonas. Rankas buvo susikišęs į kišenes, už ausies kyšojo pieštukas.

– Mes važiuojame į kapines, – paaiškino mama.

– Puiku, – atsakė Džeisonas. – Aš juk neketinu jums kliudyti. Tik tiek iš manęs norėjote, tik šitai pasakyti?

– Žinau, kad nevažiuosi, – pasakė mama. – Jei važiuotum, jausčiaus saugesnė.

– Nuo ko saugesnė? – paklausė Džeisonas. – Tėtis ir Kventinas jau nebegali jūsų užgauti. – Mama pakišo po šydu nosinę. – Liaukitės, mama, – sudraudė Džeisonas. – Ar norit, kad tasai neraliuotas priekvailis paleistų gerklę vidury aikštės. Važiuok, Ti Pi.

– No, Kvine! – suriko Ti Pi.

– Tai man Dievo bausmė, – pasakė mama. – Bet greitai ir manęs jau nebebus.

– Palauk, – sustabdė Džeisonas.

– Tprūūūūū! – suriko Ti Pi. O Džeisonas pridūrė:

– Dėdė Moris nori nusirašyti dar penkiasdešimties dolerių čekį iš jūsų sąskaitos. Ką ketinat daryti?

– Kam manęs klausi? – pasakė mama. – Aš neturiu ką pasakyti. Kaip įmanydama stengiuosi nevarginti tavęs ir Dilzės. Greitai manęs jau nebus, tada tu...

– Važiuok, Ti Pi, – paliepė Džeisonas.

– No, Kvine! – suriko Ti Pi. Pavidalai sujudo. Anie kitoje kelio pusėje vėl ėmė plaukti, žvilgantys, greiti ir glotnūs, kaip tada, kada Kedė sako, kad mes tuojau užmigsime.

Verksnys, pasakė Lasteris. Ir tau ne gėda? Mes perėjome per klojimą. Visi gardai buvo atviri. Tu jau nebeturi to obuolmušio ponio ir nebegali pasijodinėti, pasakė Lasteris. Asla buvo sausa ir dulkina. Stogas įlūžęs. Įžambiose skylėse skubriai sukos geltonis. Kurgi keliauji? Ar nori, kad tau nutrauktų galvą vienas jų kamuoliukų?

– Laikyk rankas kišenėse, – paliepė Kedė. – Kitaip nušals. Juk nenori, kad rankos nušaltų per Kalėdas, nenori?

Mudu nuėjom už klojimo. Tarpuvartėje stovėjo karvės, didelė ir maža, ir mes girdėjom, kaip viduj trepseno Princas, Kvinė ir Fensė.

– Jei ne tas šaltis, galėtume pasivažinėti su Fense, – pasakė Kedė. – Bet šiandien per šalta. – Paskui išvydome upelį, virš jo ringavo dūmai. – Jie skerdžia ten kiaulę, – paaiškino Kedė. – Galime grįžti pro ten ir pamatysim juos.

Mes nusileidome kalva.

– Nori panešti laišką? – paklausė Kedė. – Štai panešk. – Ji išsitraukė laišką iš kišenės ir įkišo manojon. – Tai Kalėdų dovana, – paaiškino Kedė. – Dėdė Moris nori padaryti staigmeną poniai Peterson. Mes turime paduoti jį jai taip, kad niekas nematytų. O dabar susikišk rankas į kišenes.

Priėjome upelį.

– Jis užšalęs, – pasakė Kedė. – Žiūrėk. – Pralaužė ledo plutą ir pridėjo jos gabalėlį man prie veido. – Ledas. Tai ir rodo, koks užėjo šaltis. – Ji padėjo man pereiti per upelį, ir mudu užkopėme kalva. – To net mamai ir tėčiui negalima sakyti. Žinai, kas tai, mano nuomone? Tikriausiai tai staigmena mamai ir tėčiui, ponui Petersonui irgi, nes ponas Petersonas buvo atsiuntęs tau saldainių. Ar pameni, kai praėjusią vasarą ponas Petersonas buvo atsiuntęs tau saldainių?

Ten stūksojo tvora. Vijokliai buvo jau sudžiūvę, ir juose brazdinosi vėjas.

– Tik niekaip nesuprantu, kodėl dėdė Moris nepasiuntė ten Veršo, – kalbėjo Kedė. – Veršas neišplepėtų. – Pro langą žiūrėjo ponia Peterson. – Palauk čia, – paliepė Kedė. – Palauk ir niekur neik. Tuoj grįšiu. Duokš laišką. – Ji ištraukė tą laišką man iš kišenės. – Laikyk rankas kišenėse. – Perlipo per tvorą su laišku rankoje ir nužingsniavo per rudas, šiugždančias gėles. Ponia Peterson priėjo prie durų, atvėrė jas ir stovi. *Ponas Petersonas mojavo kauptuku tarp žalių gėlių. Paskui liovėsi mojavęs ir žiūri į mane. Ponia Peterson bėga prie manęs per sodą. Kai pamačiau jos akis, pravirkau. Idiote tu, tarė ponia Peterson, juk sakiau jam, kad niekad nesiųstų tavęs vieno. Duokš jį. Greitai. Ponas Petersonas skubiai priėjo su kauptuku rankoje. Ponia Peterson pasilenkė per tvorą, ištiesė ranką. Pamėgino perlipt per tvorą. Duokš jį, pasakė, duokš. Ponas Petersonas perlipo per tvorą. Paėmė laišką. Ponios Peterson suknelė užsikabino už tvoros. Vėl išvydau josios akis ir nukūriau žemyn kalva.*

– Ten tik namai, – pasakė Lasteris. – Nusileiskime prie upelio. Prie upelio jos skalbė. Viena dainavo. Užuodžiau tuos teškenamus drabužius ir dūmus, besirangančius per upelį.

– Pasilik čia, – paliepė Lasteris. – Ten tau nėra kas veikti. Jie užgaus tave tuo kamuoliuku, tikras reikalas.

– Ką gi jis nori veikti?

– Pats nežino, – atsakė Lasteris. – Mano, kad nori eiti ten, kur anie daužo tą kamuoliuką. Sėdėk čia ir žaisk su savo gėle. O jeig tau reik į ką žiūrėti, žiūrėk į tuos vaikus upely. Kodėl negali elgtis kaip visi žmonės.

Aš atsisėdau ant kranto, kur jos skalbė ir kur pleveno mėlyni dūmai.

– Ar kuri nors iš jūsų nematėt čion pinigėlio? – paklausė Lasteris.

– Kokio pinigėlio?

– Turėjau jį čion ryte, – aiškino Lasteris. – Pamečiau kažin kur. Iškrito pro kelnių skylę. Jeig nerasiu, negalėsiu nueiti šįvakar į vaidinimą.

– Iš kur gavai tą pinigėlį, vaike? Baltaodžių kišenėj radai, kai buvo nusisukę?

– Gavau, tai gavau, – atsakė Lasteris. – Ir dar gausiu. Tik šitą privalau surasti. O gal jau radot jį?

– Man nerūpi jokie pinigėliai. Savo reikalų turiu.

– Eikš čionai, – pakvietė mane Lasteris, – padėk man jį surasti.

– Juk jis neatskirtų pinigėlio, net jeigu pamatytų?

– Vis tiek gali padėti ieškoti, – pasakė Lasteris. – Ar jūs visos šįvakar einat į tą vaidinimą?

– Nekalbėk man apie jokį vaidinimą. Kai baigsiu su šitais skalbiniais, būsiu tokia nuvargusi, kad rankų nebepakelsiu.

– Kertu lažybų, kad būsi ten, – pasakė Lasteris. – Kertu lažybų, kad buvai ten vakar vakare. Kertu lažybų, kad jūs visos ten būsite, kai tik atsidarys ta palapinė.

– Ir be manęs negrų ten bus pakankamai. Vakar jau buvau.

– Negrų pinigai, regis, ne prastesni už baltųjų.

– Baltieji duoda negrams pinigų, nes žino: vos tik pasirodys baltasis su orkestru, iškart visus juos vėlek susirinks, ir negrui vėlek reikės jų užsidirbti.

– Niekas tavęs neverčia eiti į tą vaidinimą.

– Kol kas ne. Matyt, nespėjo sugalvot, kaip tai padaryti.

– Ko gi tu nusistačius prieš baltuosius?

– Nenusistačius. Aš einu savo keliu, o baltieji tegu eina savuoju. Manęs tas vaidinimas nedomina.

– Ten yra toksai vyras, kur gali griežti pjūklu. Visai kaip bandža.

– Tu buvai tenai vakar vakare, o aš einu šįvakar, – pasakė Lasteris. – Jeig rasiu tą pinigėlį, kur pamečiau.

– Ko gero, ir jį pasiimsi kartu?

– Ar aš? – perklausė Lasteris. – Negi manai, kad man smagu su juo kur nors, kai jis pradeda bliauti?

– O ką gi tu darai, kai pradeda bliauti?

– Kaip reikiant išperiu, – atsakė Lasteris. Jis atsisėdo ir pasiraitojo kelnes. Vaikai žaidė upelyje.

– Ar visos jau susiieškojote tuos apvalius kapšelius tarp kojų? – paklausė Lasteris.

– Žiūrėk man, koks gudrus. Liūdnai tau baigtųsi, jei tai išgirstų senelė.

Lasteris įsibrido į upelį, kur žaidė vaikai. Šniukštinėjo vandenyje palei krantą.

– Turėjau jį, kai buvom čion iš ryto, – pakartojo Lasteris.

– Tai kur jį praganei?

– Iškrito pro va šitą skylę kišenėje, – paaiškino. Vaikai irgi ėmė ieškoti upelyje. Paskui visi paskubomis atsitiesė, liovėsi ieškoję ir vėl ėmė taškytis bei galynėtis. Lasteris čiupo jį, ir visi sutūpė vandenyje, žiūrėdami pro krūmus į kalvą.

– Kur jie? – paklausė Lasteris.

– Dar nesimato.

Lasteris įsidėjo jį į kišenę. Anie leidosi kalva žemyn.

– Ar ne čia nukrito kamuoliukas?

– Tikriausiai įgarmėjo vandenin. Ar jūs, berniukai, jo nematėt, negirdėjote, kaip jis krito?

– Negirdėjom, kad čia kas būtų nukritę, – pasakė Lasteris. – Girdėjom, kad kažkas pataikė ana ten į medį. Nežinau, kurion pusėn nuriedėjo.

Jie pažiūrėjo į upelį.

– Kad jį kur galas, apieškokim palei upelį. Jis čia nukrito. Aš mačiau.

Jie apieškojo palei upelį. Paskui vėl užkopė į kalvą.

– Tu paėmei tą kamuoliuką? – paklausė tas berniukas.

– Kam man jo reikia, – atšovė Lasteris. – Nemačiau jokio kamuoliuko.

Berniukas įbrido vandenin. Ir nužingsniavo. Paskui atsigręžė, vėl pažiūrėjo į Lasterį. Tada nubrido upeliu žemyn.

Vyriškis ant kalvos sušuko: „Kedi!" Berniukas išlipo iš vandens ir užkopė kalva.

– Ir vėl pradėjai? – pasakė Lasteris. – Užsičiaupk.

– Ko gi jis vaitoja?

– Viens Viešpats težino, – atsakė Lasteris. – Nei iš šio, nei iš to pradeda. Šiandieną nesiliauja nuo pat ryto. Tikriausiai dėl to, kad jo gimtadienis.

– Kiek jam?

– Trisdešimt treji, – tarė Lasteris. – Trisdešimt treji sukako šįryt.

– Verčiau sakyk, kad jam treji jau trisdešimt metų.

– Aš pakartojau tai, ką sakė mamutė, – pasiteisino Lasteris. – Nežinau. Vis tiek ant torto degs trisdešimt trys žvakutės. O tortas nedidukas. Jos vos sutilps. Užsičiaupk. Eikš čionai. – Jis žengė prie manęs ir paėmė už rankos. – Senas priekvailis, – pasakė. – Ar nori, kad tave išperčiau?

– Kertu lažybų, kad nevaliosi.

– Jau pėriau. O dabar užsičiaupk. Ar nesakiau, kad tenai negalima? Nurėš tau galvą kamuoliuku. Eikš čionai. – Ir trūktelėjo mane atgal. – Sėsk. – Nuavė man batus ir paraitojo kelnes. – O dabar lipk vandenin ir žaisk. Ir pasistenk nesiseilėti ir nevaitoti.

Aš nutilau ir įlipau vandenin, *o tada atėjo Roskus ir pakvietė vakarieniauti, bet Kedė pasakė:*

Dar ne vakarienės metas. Aš neisiu.

Ji sušlapo. Mes žaidėme upelyje, Kedė pritūpė ir sušlapino suknelę, tada Veršas ir pasakė:

– Mama išpers tave už tai, kad sušlapinai suknelę.

– Visai ir neišpers, – atsikirto Kedė.

– Iš kur žinai, kad neišpers? – paklausė Kventinas.

– Žinau, ir tiek, – atšovė Kedė. – O tu iš kur žinai?

– Ji sakė, kad išpers, – atsakė Kventinas. – Be to, aš už tave vyresnis.

– Man jau septyneri, – pasigyrė Kedė. – Aš pati viską žinau.

– O aš vyresnis už tave, – pakartojo Kventinas. – Aš einu į mokyklą. Taip, Veršai?

– O aš kitąmet eisiu į mokyklą, – nesiliovė Kedė. – Kai tik prasidės mokslo metai. Taip, Veršai?

– Tu juk žinai, kad ji tave peria, kai sušlapini suknelę, – pasakė Veršas.

– Ji nešlapia, – aiškino Kedė. Stovėjo vandenyje ir žiūrėjo į savo suknelę. – Aš nusivilksiu ją, – pridūrė. – Ir ji išdžius.

– Kertu lažybų, nenusivilksi, – pasakė Kventinas.

– Kertu lažybų, nusivilksiu, – atšovė Kedė.

– Geriau jau nedaryk to.

Kedė priėjo prie Veršo ir manęs, atsuko nugarą.

– Atsek ją, Veršai, – paprašė.

– Nedrįsk to daryti, Veršai, – sudraudė Kventinas.

– Juk tai ne mano suknelė, – tarė Veršas.

– Atsek ją, Veršai, – paliepė Kedė. – Jei neatsegsi, pasakysiu Dilzei, ką vakar padarei.

Tada Veršas ir atsegė ją.

– Tik pamėgink nusivilkti, – pagrasino Kventinas. Kedė nusivilko suknelę ir nusviedė ją ant kranto. Liko tik su liemenėle ir kelnaitėmis, Kventinas pliaukštelėjo jai, ji paslydo ir įgriuvo upelin. Kai atsistojo, puolė taškyti vandeniu Kventiną, o Kventinas taškė vandeniu Kedę. Dalis purslų nutikšdavo ant Veršo ir manęs, Veršas mane pakėlė ir pastatė ant kranto. Sakė apskųsiąs Kedę ir Kventiną, tada Kventinas ir Kedė ėmė taškyti vandeniu Veršą. Šis pasislėpė už krūmo.

– Aš pasakysiu apie jus mamutei, – tarė Veršas. Kventinas išlipo į krantą, pamėgino pagauti Veršą, bet šis nubėgo, ir Kventinas nevaliojo jo pavyti. Kai Kventinas grįžo, Veršas sustojo ir šaukė, kad viską papasakos. Kedė įtikinėjo, kad jei jis nieko nesakysiąs, jie leisią jam sugrįžti. Tada Veršas pažadėjo nesakyti, ir jie leido jam grįžti.

– Dabar patenkinta? – paklausė Kventinas. – Mus abu išpers.

– O man visai nerūpi, – atšovė Kedė. – Aš pabėgsiu.

– Taip, žinoma, – patvirtino Kventinas.

– Aš pabėgsiu ir niekad nebegrįšiu, – pasakė Kedė. Aš pravirkau. Kedė pasisuko ir tarė: – Ša! – Ir aš nutilau. Paskui jie žaidė upelyje. Džeisonas irgi žaidė. Jis žaidė upelyje pats vienas, atokiau. Veršas išlindo iš už krūmo ir vėl nuleido mane vandenin. Kedė, visa šlapia ir purvina, stovėjo už manęs, ir aš pradėjau verkti, tada ji priėjo ir pritūpė vandenyje.

– O dabar liaukis verkęs, – paliepė. – Aš nepabėgsiu.

Ir aš nutilau. Kedė kvepėjo taip, kaip kvepia medžiai per lietų.

Kas tau daros, paklausė Lasteris. Ar negali liautis vaitojęs ir žaisti upelyje kaip visi?

Kodėl nesivedi jo namo? Ar tau nebuvo liepta nesivesti jo iš kiemo?

Jis vis dar mano, kad ta ganykla priklauso jiems, paaiškino Lasteris. Nuo namo šitos vietos vis tiek nesimato.

Užtat mes matome. O žmonėms nepatinka žiūrėti į kvaišelį. Tatai užtraukia bėdą.

Atėjo Roskus ir pasakė, kad metas vakarieniauti, o Kedė pasakė, kad vakarieniauti dar anksti.

– Neanksti, – paaiškino Roskus. – Dilzė visiems jums liepė grįžti namo. Parvesk juos, Veršai. – Ir nužingsniavo kalva aukštyn, kur baubė karvė.

– Gal kol sugrįšime, išdžiūsime, – tarė Kventinas.

– Viskas per tave, – pasakė Kedė. – Tikiuosi, mūsų neišpers. – Ji apsivilko suknelę, ir Veršas ją susagstė.

– Jie net nepastebės, kad jūs šlapi, – ramino Veršas. – Pasižiūrėjus nesimato. Jei tik mudu su Džeisonu nepasakysim.

– Ar pasakysi, Džeisonai? – paklausė Kedė.

– Ką pasakysiu? – perklausė Džeisonas.

– Jis nesakys, – patvirtino Kventinas. – Tiesa, Džeisonai?

– Kertu lažybų, kad pasakys, – užtikrino Kedė. – Jis pasakys motutei.

– Jis negali jai pasakyti. Ji serga, – paaiškino Kventinas. – Jei eisime lėtai, sutems, ir jie nepamatys.

– Man visai nesvarbu, ar jie pamatys, ar ne, – pasakė Kedė. – Aš pati pasakysiu. Veršai, užnešk jį ant kalvos.

– Džeisonas nepasakys, – tarė Kventinas. – Ar prisimeni tą lanką ir strėlę, kuriuos tau padariau, Džeisonai?

– Jis sulūžo, – pasakė Džeisonas.

– Tegu sau sako, – tarė Kedė. – Man visai nesvarbu. Veršai, užnešk Morį ant kalvos.

Veršas pritūpė, ir aš užsiropščiau jam ant pečių.

Susitiksime šįvakar vaidinime, pasakė Lasteris. Na, paskubėkim. Reikia surasti tą pinigėlį.

– Jei eisime lėtai, kol pargrįšime, sutems, – pasakė Kventinas.

– Aš neisiu lėtai, – spyrėsi Kedė.

Mes užkopėme į kalvą, bet Kventinas paliko apačioje. Jis tebestovėjo prie upelio, kai mes priėjome tą vietą, kur jau buvo galima užuosti kiaules. Jos kriuksėjo ir šniurkščiojo kampe prie lovio. Džeisonas ėjo paskui mus susikišęs rankas į kišenes. Roskus tarpuvartėje melžė karvę.

Karvės išėjo iš klojimo pasišokčiodamos.

– Na, varyk jau, varyk, – ragino Ti Pi. – Bliauk visa gerkle. Ir aš rėksiu. Oooch! – Kventinas vėl įspyrė Ti Pi. Nuspyrė jį į lovį, kur ėdė kiaulės, ir ten Ti Pi išsidrėbė. – Šimts perkūnų, – nusikeikė Ti Pi, – ar jis manęs nepriveikė. Matėt, kaip tas baltasis šįkart mane nuspyrė. Oooch!

Aš neverkiau, tačiau sustoti negalėjau. Neverkiau, bet žemė judėjo, ir tada aš pravirkau. Žemė vis nuožulniai kilo, o karvės bėgo tekinos į kalvą. Ti Pi pamėgino atsistoti, bet vėl pargriuvo, ir karvės nubėgo kalva žemyn. Kventinas paėmė mane už rankos, ir mudu nužingsniavom prie klojimo. Paskui klojimas dingo, ir mums reikėjo laukti, kol jis sugrįš. Nemačiau, kaip jis sugrįžo. Tik atsirado už mūsų, ir Kventinas įsodino mane į lovį, iš kurio ėda karvės. Įsikibau į jį. Jis irgi traukėsi šalin, ir aš laikiausi į jį įsikibęs. Karvės vėl leidosi bėgte nuo kalvos, prabėgo pro vartus. Aš negaliu sustoti. Kventinas ir Ti Pi ropščiasi kalva aukštyn, grumiasi. Ti Pi rieda žemyn, Kventinas tempia jį aukštyn į kalvą. Kventinas trenkė Ti Pi. Aš negaliu sustoti.

– Stokis, – paliepė Kventinas. – Ir stovėk čia. Niekur neik, kol sugrįšiu.

– Mudu su Bendžiu grįšim į vestuves, – pasakė Ti Pi. – Oooch! Kventinas vėl smogė Ti Pi. Paskui ėmė trankyti jį į sieną. Ti Pi juokėsi. Kiekvienąsyk, kai Kventinas trinkteldavo jį į sieną, Ti Pi mėgindavo sušukti Oooch!, bet jam iš juoko nepavykdavo. Aš lioviausi verkęs, tačiau sustoti negalėjau. Ti Pi užgriuvo ant manęs, ir klojimo vartai išnyko. Jie leidosi kalva žemyn, o Ti Pi grūmėsi pats vienas ir vėl parkrito. Jis vis dar juokėsi, o aš negalėjau sustoti, mėginau atsikelti, bet vėl parkritau ir negalėjau sustoti. Veršas pasakė:

– Žinoma, tu ir vėl prie savo giesmelės. Kurgi ne. Liaukis rykavęs.

Ti Pi vis dar juokėsi. Žnektelėjo prie durų ir juokėsi.

– Oooch! – šaukė jis. – Mudu su Bendžiu grįšime į vestuves. Truktelsim sarsparilės*, – kartojo Ti Pi.

– Nutilk, – paliepė Veršas. – Iš kur šitą ištraukei?

– Iš rūsio, – atsakė Ti Pi. – Oooch!

– Nutilk! – paliepė Veršas. – Iš kurios kertės?

– Jų visur yra, – atsakė Ti Pi. Jis dar smarkiau įniko juoktis. – Jų dar daugiau kaip šimtas butelių liko. Daugiau kaip milijonas. Atstok, juočki, aš tuoj paleisiu gerklę.

– Pakelk jį, – paliepė Kventinas.

Veršas mane pakėlė.

– Išgerk šito, Bendži, – pasiūlė Kventinas. Stiklinė buvo karšta. – O dabar nutilk, išgerk.

– Sarsparilės, – pasakė Ti Pi. – Duokit, aš ją išgersiu, pone Kventinai.

– Užčiaupk žabtus, – pasakė Veršas. – Ponas Kventinas vėl tave iškarš.

– Laikyk jį, Veršai, – paliepė Kventinas.

*Sarsaparilos – saldaus gaivinamojo gėrimo, kur vyrauja beržų aliejaus ir amerikinio lauro kvapai, – rūšis, nors kontekstas rodo, kad jie geria kažkokį alkoholinį gėrimą.

Jie mane laikė. Smakrą ir marškinius nutvilkė karštas daiktas. „Gerk", – paliepė Kventinas. Jie laiko mano galvą. Man daros karšta viduriuose, ir aš vėlei pradėjau. Aš jau verkiu, ir kažkas darosi many, o aš vis labiau verkiu, ir jie laikė mane, kol šitai baigėsi. Tada aš nutilau. Viskas dar sukasi, ir – prasidėjo tie pavidalai. „Veršai, atidaryk svirną." Jie slenka palengva. „Patiesk tuos tuščius maišus ant grindų." Jie slenka jau vis greičiau, beveik visai kaip reikia. „O dabar paimk jį už kojų." Jie vis dar slenka, glotnūs, švytintys. Girdėjau, kaip Ti Pi juokiasi. Kopiau su jais į tą švytinčią kalvą.

Kalvos viršūnėje Veršas pasodino mane ant žemės. „Eikš čionai, Kventinai", – pašaukė, žiūrėdamas nuo kalvos žemyn. Kventinas vis dar stovėjo prie upelio. Mėtė patamsy akmenėlius.

– Tegu tas senas krioša lieka ten, – pasakė Kedė. Paėmė mane už rankos, ir mudu nužingsniavome pro klojimą, paskui pro vartus. Ant plytomis iškloto tako, pačiam jo vidury tupi varlė. Kedė ją peržengė ir traukia mane.

– Eime, Mori, – ragina. Varlė vis tupi kur tupėjusi, kol Džeisonas ją bakstelėjo koja.

– Apdovanos tave karpa, – sako Veršas. Varlė nušokavo.

– Eime, Mori, – paragino Kedė.

– Šįvakar, matyt, priėjo svečių, – svarstė Veršas.

– Iš kur tu žinai? – paklausė Kedė.

– Žiūrėk, kiek šviesų, – parodė Veršas. – Visuose languose.

– Mes galim užsidegti visas šviesas ir be svečių, jei norime, – pasakė Kedė.

– Kertu lažybų, kad yra svečių, – nenusileido Veršas. – Verčiau jau eikite pro užpakalines duris ir patyliukais lipkite į viršų.

– Man nerūpi, – atšovė Kedė. – Aš eisiu tiesiai į svetainę, kur jie susirinkę.

– Dievaž, tėtis tave išpers, jei šitaip padarysi, – pagąsdino Veršas.

– Man nesvarbu, – pasakė Kedė. – Aš eisiu tiesiai į svetainę. Nueisiu tiesiai į valgomąjį ir atsisėsiu prie stalo.

– Kurgi tu atsisėsi? – paklausė Veršas.

– Į motutės vietą, – pasakė Kedė. – Ji valgo lovoje.

– Aš alkanas, – pareiškė Džeisonas. Jis aplenkė mus ir nubėgo taku. Laikė rankas kišenėse ir pargriuvo. Veršas priėjo, pakėlė jį.

– Jei nelaikytum rankų kišenėse, nepargriūtum, – pasakė Veršas. – Toks storas, kad niekada nespėji ištraukti jų laiku.

Tėtis stovėjo ant virtuvės laiptelių.

– Kur Kventinas? – paklausė.

– Eina taku, – atsakė Veršas.

Kventinas kėblino mums iš paskos. Jo marškiniai buvo tokia balta išskydusi dėmė.

– Matau, – pasakė tėtis. Šviesa leidos per visus laiptus, užkrito ir ant jo.

– Kedė ir Kventinas taškėsi vandeniu, – paskundė Džeisonas. Mes laukėme.

– Nejaugi? – nustebo tėtis. Kai priėjo Kventinas, tėtis pasakė: – Šįvakar galėsite vakarieniauti virtuvėje. – Pasilenkė ir paėmė mane ant rankų, šviesa nuo laiptų nukrito ir ant manęs, o aš žiūrėjau apačion į Kedę, Džeisoną, Kventiną ir Veršą. Tėtis pasisuko į laiptus.

– Turite būti labai ramūs, – pasakė.

– Kodėl mes turim būti labai ramūs, tėti? – paklausė Kedė. – Ar turime svečių?

– Taip, – atsakė tėtis.

– Aš juk tau sakiau, kad yra svečių, – džiūgavo Veršas.

– Nesakei, – atšovė Kedė. – Tai aš sakiau, kad yra svečių. Aš sakiau, kad aš...

– Ša, – sudraudė tėtis. Jie nutilo, tėtis atidarė duris, mes perėjome per užpakalinę verandą ir nutipenome į virtuvę. Ten sukinėjosi Dilzė, tėtis pasodino mane į kėdę, užrišo prijuostėlę ir pristūmė prie stalo, kur buvo patiekta vakarienė. Ji garavo.

– O dabar klausykite Dilzės, – paliepė tėtis. – Dilze, žiūrėk, kad jie netriukšmautų.

– Gerai, sere, – atsakė Dilzė. Tėtis pasišalino.

– Neužmirškite, kad privalote klausyti Dilzės, – priminė nueidamas.

Aš pasilenkiau ties vakariene. Ji garavo man tiesiai į veidą.

– Tėti, pasakyk, kad šįvakar jie klausytų manęs, – paprašė Kedė.

– Aš neklausysiu, – išrėžė Džeisonas. – Aš klausysiu Dilzės.

– Turėsi klausyti, jei tėtis lieps, – pareiškė Kedė. – Tegu jie klauso manęs, tėti.

– Aš neklausysiu, – pakartojo Džeisonas, – aš tavęs neklausysiu.

– Ša, – tildė tėtis. – Tai va, dabar visi klausykite Kedės. Dilze, nuvesk juos užpakaliniais laiptais, kai pavalgys.

– Gerai, sere, – atsakė Dilzė.

– Na va, – tarė Kedė. – Dabar tau reikės manęs klausyti.

– O dabar visi nutilkite, – pasakė Dilzė. – Šįvakar privalote būti ramūs.

– Kodėl mes privalome būti ramūs šįvakar? – sušnibždėjo Kedė.

– Taip reikia, – atsakė Dilzė. – Sužinosite, kai bus Viešpaties valia. – Ji atnešė mano dubenį. Jis garavo ir kuteno man veidą. – Eikš čionai, Veršai.

– O kada bus Viešpaties valia, Dilze? – paklausė Kedė.

– Šiandien sekmadienis, – pasakė Kventinas. – Negi tu nieko nežinai?

– Šššš, – tildė Dilzė. – Ar ponas Džeisonas nesakė jums, kad būtumėte ramūs? Valgykit vakarienę. Na, Veršai, atnešk jo šaukštą.

Veršo ranka nuleido šaukštą dubenin. Šaukštas pakyla man prie lūpų. Garai kutena burną. Paskui liovėmės valgę, žiūrėjome vieni į kitus ir buvome ramūs, tada ir vėl išgirdom tai, ir aš pravirkau.

– Kas tai? – paklausė Kedė. Uždėjo ranką ant manosios.

– Mama, – pasakė Kventinas. Šaukštas pakilo, tada aš jį apžiojau, paskui vėl pravirkau.

– Ša, – ramino Kedė. Bet aš nenutilau, ji priėjo, apkabino mane. Dilzė uždarė abejas duris, ir mes jau to nebegirdėjome.

– O dabar ša, – paliepė Kedė. Aš nutilau ir valgiau. Kventinas nevalgė, o Džeisonas valgė.

– Tai buvo mama, – pasakė Kventinas. Ir atsistojo.

– Sėsk tuojau pat, – paliepė Dilzė. – Jie turi svečių, o jūsų visų drabužiai purvini. Ir tu, Kede, sėskis ir baik valgyti.

– Ji verkė, – pasakė Kventinas.

– Tai kažkas dainavo, – paaiškino Kedė. – Ar ne, Dilze?

– Valgykit, kaip liepė ponas Džeisonas, – pakartojo Dilzė. – Sužinosite, kai bus Viešpaties valia.

Kedė vėl atsisėdo.

– Sakiau jums, kad ten pobūvis, – pasakė ji.

Veršas tarė:

– Jis jau viską suvalgė.

– Paduok jo dubenį, – paliepė Dilzė. Dubuo dingo.

– Dilze, Kventinas nevalgo. Juk jis turi manęs klausyti.

– Valgyk, Kventinai, – paragino Dilzė. – Greičiau visi baikite vakarieniauti ir eikite iš virtuvės.

– Aš nebenoriu, – pasakė Kventinas.

– Tu privalai valgyti, jei aš tau liepiu, – pasakė Kedė. – Juk taip, Dilze?

Dubuo garavo man į veidą, Veršo ranka panardino į jį šaukštą, ir garai kuteno man burną.

– Aš nebenoriu, – pasakė Kventinas. – Kaipgi jie gali rengti pobūvį, kai motutė serga.

– Visi jie bus apačioje, – paaiškino Kedė. – Ji gali išeiti į laiptinę ir iš viršaus viską matys. Aš taip ir padarysiu, kai apsivilksiu naktinius marškinius.

– Mama verkė, – pasakė Kventinas. – Ji juk verkė, Dilze?

– Neįkyrėk man, vaike, – atšovė Dilzė. – Dar turiu pataisyti vakarienę jiems visiems, kai tik jūs baigsit valgyt.

Netrukus net Džeisonas liovėsi valgęs ir pravirko.

– Na, tik tavęs betrūko, – suirzo Dilzė.

– Nuo tada, kai motutė susirgo ir jis nebegali su ja miegoti, žliumbia kiekvieną vakarą, – paaiškino Kedė. – Žliumba.

– Aš viską pasakysiu tėčiui, – pagrasino Džeisonas.

Ir pravirko.

– Jau pasakei, – atšovė Kedė. – Nebėra ką sakyti.

– Na, o dabar visi marš į lovą, – paliepė Dilzė. Ji priėjo, nukėlė mane nuo kėdės ir šiltu audeklu nušluostė man veidą ir rankas. – Verši, ar gali tyliai nuvesti juos aukštyn užpakaliniais laiptais? O tu, Džeisonai, liaukis žliumbęs.

– Gultis dar per anksti, – paprieštaravo Kedė. – Mes niekada nesigulame taip anksti.

– O šiandien atsigulsit, – pasakė Dilzė. – Tėtis liepė jums lipt aukštyn, kai tiktai baigsit valgyt. Juk girdėjot.

– Jis liepė klausyt manęs, – spyrėsi Kedė.

– Aš tavęs neklausysiu, – erzinosi Džeisonas.

– Turėsi klausyti, – pasakė Kedė. – O dabar daryk, kaip sakau.

– Veršai, nuramink juos, – paprašė Dilzė. – Jūs juk būsite ramūs, taip?

– Kodėl mums reikia būti tokiems ramiems šįvakar? – paklausė Kedė.

– Jūsų mama nesveikuoja, – paaiškino Dilzė. – O dabar visi marš su Veršu.

– Aš sakiau jums, kad mama verkia, – pasakė Kventinas. Veršas paėmė mane ant rankų ir atidarė duris į užpakalinę verandą. Mes išėjome, Veršas uždarė duris ir stojo tamsa. Aš uodžiau Veršą, jaučiau jį. „O dabar visi nurimkite. – Mes dar nelipsime aukštyn. – Juk ponas Džeisonas jums liepė lipti aukštyn iškart po vakarienės. – Ir jis liepė manęs klausyti. – Aš tavęs neklausysiu. – Bet jis liepė visiems manęs klausyti. Ar ne taip, Kventinai?" Jaučiu Veršo pakaušį. Girdžiu visų mūsų balsus. „Argi ne taip, Veršai? – Taip, iš tikrųjų. – Tada aš liepiu visiems trumpam išeiti į lauką. Eime." Veršas atidarė duris, ir mes išėjome. Nusileidome laiptais.

– Verčiau jau eikim į Veršo namą, tada būsime ramūs, – pasiūlė Kedė. Veršas pastatė mane ant žemės, o Kedė paėmė už rankos, ir mes nužingsniavome plytomis grįstu taku.

– Eikš, – pakvietė Kedė. – Tos varlės jau nebėr. Nušokavo į sodą. Gal kitą pamatysime.

Išniro Roskus su pieno kibirais. Ir nužingsniavo tolyn. Kventinas su mumis nėjo. Jis atsisėdo ant virtuvės laiptelių. Mes nužingsniavome prie Veršo namo. Man patiko Veršo namų kvapas. *Ten degė ugnis, o Ti Pi tupėjo priešais ją marškiniais šluodamas grindis ir ją kurstė.* Paskui aš atsistojau, Ti Pi mane aprengė, ir mudu nuėjome į virtuvę pavalgyti. Dilzė dainavo, o aš pravirkau, tada ji liovėsi dainavusi.

– Eikit toliau nuo namo, – paliepė Dilzė.

– Mums juk negalima ten eiti, – sako Ti Pi. Žaidžiame upelyje.

– Mums pro ten negalima, – sako Ti Pi. – Juk žinai, kad mamutė neleidžia.

Dilzė dainavo virtuvėje, ir aš pravirkau.

– Nutilk, – paliepė Ti Pi. – Eikš čionai. Eisime į klojimą.

Klojime Roskus melžė karvę. Melžė viena ranka ir aikčiojo. Kažkokie paukščiai tupėjo ant klojimo vartų ir nenuleido akių nuo Roskaus. Vienas nutūpė žemėn ir lesė drauge su karvėmis. Žiūrėjau, kaip Roskus melžia, kol Ti Pi šėrė Kvinę ir Princą. Kiaulių garde stovėjo veršis. Jis trynėsi nosimi į vielą ir baubė.

– Ti Pi, – pašaukė Roskus. „Taip", – atsiliepė Ti Pi iš arklių aptvaro. Fensė iškišo per viršų galvą, nes jos Ti Pi dar nepašėrė. – Paskubėk, – paliepė Roskus. – Gausi padėti man melžti. Nebevalioju dešine ranka.

Ti Pi priėjo ir ėmė melžti.

– Kodėl nenueinate pas daktarą? – paklausė Ti Pi.

– Daktaras čia nieko nepadės, – atsakė Roskus. – Tik jau ne šituose namuose.

– Kuo gi blogi šitie namai? – paklausė Ti Pi.

– Nelemti jie, – atsakė Roskus. – Įleisk veršiuką vidun, jei baigei.

Nelemti jie, pasakė Roskus. Ugnis šokčiojo aukštyn žemyn, leidosi už jo, už Veršo, slydo jų veidais. Dilzė paguldė mane į lovą. Lova kvepėjo kaip Ti Pi. Man patiko tas kvapas.

– Ką gi tu apie tai išmanai, – pasakė Dilzė. – Ar matei kokį regėjimą?

– Nereikia nė regėjimo, – atsakė Roskus. – Ar nematai ženklo va šičia, lovoje? Ar žmonės jo nemato jau penkiolika metų?

– Gal ir taip, – atsakė Dilzė. – Bet tai juk nepakenkė nei tau, nei taviškiams, tiesa? Veršas dirba, Fronė ištekėjo, tau nebe našta, ir Ti Pi tuoj užaugs ir pakeis tave, kai jau visai pribaigs tas reumatas.

– Dviejų jau nebėra, – atsakė Roskus. – Ir dar vieno neliks. Aš matau ženklą, ir tu taip pat jį matai.

– Šiąnakt girdėjau ūbaujant pelėdą, – pasakė Ti Pi. – Ir Denas nepanoro ateit paėsti. Nuo klojimo – nė per žingsnį. Vos sutemus pradėjo staugti. Veršas irgi girdėjo.

– Jų dar ne vienas bus, – atsakė Dilzė. – Parodyk man žmogų, kuris nemirs, telaimina jį Viešpats.

– Mirtis – dar ne viskas, – pasakė Roskus.

– Žinau, ką galvoji, – tarė Dilzė, – ir naujas vardas nieko nepadės, jei nesėdėsi prie jo, kai jis pravirks.

– Nelemti šie namai, – pasakė Roskus. – Aš mačiau tai nuo pat pradžių, bet kai jie pakeitė jam vardą, jau tuo neabejojau.

– Užsičiaupk, – tarė Dilzė. Ir trūktelėjo mano antklodes aukštyn. Jos kvepėjo kaip Ti Pi. – Ir visi jūs užtilkite, kol jis užmigs.

– Aš mačiau ženklą, – nenurimo Roskus.

– Ženklą, kad Ti Pi reiks daryti viską už tave, – pasakė Dilzė.

Ti Pi, veskis jį ir Kventinę prie namo, ir tegul jie žaidžia su Lasteriu, Fronė juos padabos tenai, o pats eik padėti tėčiui.

Mes baigėme valgyti. Ti Pi paėmė Kventinę ant rankų, ir mudu nužingsniavome į Ti Pi namus. Lasteris žaidė ant žemės. Ti Pi nuleido Kventinę, ji irgi ėmė žaisti ant žemės. Lasteris turėjo kelias rites, juodu su Kventine susipešė, ir Kventinė atėmė tas rites. Lasteris pravirko, tada priėjo Fronė ir padavė jam pažaisti skardinę, o aš pasiėmiau rites, bet Kventinė puolė grumtis su manim, ir aš pravirkau.

– Nutilk, – paliepė Fronė. – Ar tau ne gėda atiminėti žaislus iš mažylės? – Ji paėmė iš manęs rites ir vėl atidavė Kventinei.

– O dabar nutilk, – pakartojo Fronė. – Sakau, nutilk.

– Nutilk, – paliepė Fronė. – Tau reikia rykštės, va ko tau reikia. – Ji paėmė ant rankų Lasterį ir Kventinę. – Eime iš čia, – pasakė. Nuėjome prie klojimo. Ti Pi melžė karvę. Roskus sėdėjo ant dėžės.

– Kas gi dabar jam nutiko? – paklausė Roskus.

– Tegu jis pabūna čia su jumis, – pasakė Fronė. – Jis vėl pešasi su tais vaikais. Atiminėja jų žaislus. Pasilik čionai su Ti Pi ir užsičiaupk nors valandėlei.

– O dabar švariai nuvalyk jai tešmenį, – paliepė Roskus. – Praėjusią žiemą išmelžei aną jauniklę sausai. Jeigu išmelši sausai ir šitą, nebeturėsim pieno.

Dilzė dainavo.

– Tik ne pro čia, – pasakė Ti Pi. – Juk žinai, kad mama tau uždraudė vaikščiot pro čia?

Jie dainavo.

– Eime, – pakvietė Ti Pi. – Pažaisime su Kventine ir Lasteriu. Eime.

Kventinė ir Lasteris žaidė ant žemės priešais Ti Pi namą. Name degė ugnis: čia kyla, čia leidžiasi, o Roskus sėdi priešais ją tokiu juodu pavidalu.

– Jau, ačiū Dievui, trečias, – pasakė Roskus. – Sakiau tau prieš dvejus metus. Nelemti šie namai.

– Tai kodėl gi neišeini iš čia? – paklausė Dilzė. Ji mane nurengia. – Tos tavo kalbos apie nelemtį ir pastūmėjo Veršą iškeliaut į Memfį. Dabar tu patenkintas?

– Jeigu tai būtų visa Veršo nelaimė, – pasakė Roskus.

Įėjo Fronė.

– Ar jau baigei? – paklausė Dilzė.

– Ti Pi baigia, – atsakė Fronė. – Mis Kehlaina nori, kad paguldytumėte Kventinę į lovą.

– Skubu kiek įmanydama, – pasakė Dilzė. – Galėtų jau žinoti, kad neturiu sparnų.

– Aš juk sakiau tau, – tarė Roskus. – Negali sektis namuose, kur draudžiamas ištarti savo vaiko vardas.

– Nutilk, – sudraudė Dilzė. – Ar nori, kad jis vėl pradėtų?

– Kaip galima auginti vaiką, kad jis savo mamos vardo nežinotų, – nenustygo Roskus.

– Nekvaršink sau dėl jos galvos, – pasakė Dilzė. – Visus juos išauginau, išauginsiu ir dar vieną. O dabar ša. Leisk jam užmigti.

– Tik pamanyk, ištarti vardą! – purkštelėjo Fronė. – Lyg jisai skirtų vardus.

– Tai pasakyk ir pamatysi, ar skiria, – tarė Dilzė. – Ištark jį jam, kai miegos, ir, dievaž, jis išgirs tave.

– Jis žino daug daugiau, nei žmonės mano, – pasakė Roskus. – Žinojo, kada aniems atėjo paskutinioji, kaip ir tas šuo. Jei galėtų kalbėti, pasakytų, kada ir jam ateis paskutinioji. Arba tau. Arba man.

– Paimkit Lasterį iš tos lovos, mamyt, – paprašė Fronė. – Tas vaikas jį užkerės.

– Užčiaupk srėbtuvę, – subarė ją Dilzė. – Galėtum būti protingesnė. Kodėl klausaisi Roskaus paistalų. Lipk į lovą, Bendži.

Dilzė pastūmė mane, ir aš įlipau į lovą, kur jau gulėjo Lasteris. Jis miegojo. Dilzė paėmė ilgą pliauską, padėjo tarp manęs ir Lasterio.

– Gulėk savo pusėje, – liepė. – Lasteris mažas, tau nevalia jo skriausti.

Dar per anksti ten eiti, pasakė Ti Pi. Palaukim.

Mes žiūrime iš už namo kampo, kaip nuvažiuoja karietos.

– Dabar, – tarė Ti Pi. Jis paėmė ant rankų Kventinę, ir mes nubėgom prie tvoros kampo: žiūrėjome, kaip jos tolsta. – Ana va, – pasakė Ti Pi. – Ar matote tą su stiklais*. Jis ten guli. Ar matot?

Eime, pasakė Lasteris, aš nusinešiu tą kamuoliuką namo, kad nepamesčiau. Na jau ne, mano mielas, tu jo negausi. Jeigu tie vyrai pamatys tave su juo, sakys, kad pavogei. O dabar nutilk. Tau negalima jo turėti. Kam tau jis? Juk jokiu kamuoliu nemoki žaisti.

Fronė ir Ti Pi žaidė ant žemės prie durų. Ti Pi turėjo butelyje jonvabalių.

– Kaip jūs čia vėl išėjote į lauką? – paklausė Fronė.

– Mes turime svečių, – paaiškino Kedė. – Tėtis sakė, kad šįvakar visi turi klausyti manęs. Manau, kad judu su Ti Pi irgi turit manęs klausyti.

*Arklio traukiamas katafalkas su stikliniais langais.

– Aš nesirengiu tavęs klausyti, – pareiškė Džeisonas. – Ir Fronė su Ti Pi visai neprivalo.

– Jie klausys, jeigu aš liepsiu, – pasakė Kedė. – Tik gal aš jiems neliepsiu.

– Ti Pi neklauso nieko, – tarė Fronė. – Ar laidotuvės jau prasidėjo?

– Kas yra laidotuvės? – paklausė Džeisonas.

– Ar mamutė tau neliepė nieko jiems nesakyti? – paklausė Veršas.

– Tai ten, kur jie rauda, – paaiškino Fronė. – Prie sesutės Bjulos Klėj jie raudojo dvi paras.

Jie raudojo Dilzės namuose. Dilzė raudojo. Jai beraudant, Lasteris mums įsakė: Nutilkit, ir mes nutilome, paskui aš pravirkau, o po virtuvės laiptais užstaugė Žydrė. Paskui Dilzė liovėsi raudojusi, ir mes nutilome.*

– O, – įsiterpė Kedė. – Tai tik pas negrus. Baltieji laidotuvių neturi.

– Frone, mamutė juk liepė nieko jiems nesakyti, – sudraudė Veršas.

– Ko nesakyti? – paklausė Kedė.

Dilzė raudojo, ir kai mes išgirdome jos balsą, aš pravirkau, o Žydrė staugė po laiptais. Lasteri, pašaukė Fronė pro langą. Nuvesk juos į klojimą. Aš negaliu taisyti valgio per tą triukšmą. Ir per tą šunies staugsmą. Išsivesk juos.

Aš neisiu ten, pasakė Lasteris. Galiu ten susitikt tėvuką. Mačiau, kaip aną vakarą jis mostagavo rankomis klojime.

– Kodėl gi nesakyti, – nusistebėjo Fronė. – Juk ir baltieji mirš-

*Pasak liaudies tikėjimų, šunys dažnai staugia, kai šeimą ištinka mirtis.

ta. Jūsų senelė, regis, numirė lygiai taip, kaip būtų numiręs bet kuris negras.

– Šunys numiršta, – pasakė Kedė. – Ir kai Nensė įkrito į tą griovį, Roskus nušovė ją, o grifai suskrido jos išrengti.

Apvalūs kaulai kyšo iš griovio mėnesienoje, tamsūs vijokliai pinas tam juodam griovy, tarytum kai kurie iš tų pavidalų būtų staiga sustoję. Paskui visi jie sustojo, užėjo visiška tamsa, ir kai aš sustojau, kad žengčiau vėl, išgirdau mamą ir greit tolstančius žingsnius, kažką užuodžiau. Paskui išniro kambarys, bet mano akys užsimerkė. Aš nesustojau. Uodžiau tai. Ti Pi atsegė paklodžių segtukus.

– Nutilk, – sudraudė jis. – Šššššššššššš.

Bet aš užuodžiau tai. Ti Pi mane pakėlė ir skubiai aprengė.

– Nutilk, Bendži, – pakartojo jis. – Eisim į mūsų namus. Juk nori eiti į mūsų namus, kur yra Fronė. Nutilk. Šššššššš.

Jis suvarstė man batus, užvožė kepurę, ir mes išėjome. Koridoriuje degė šviesa. Koridoriaus gale išgirdome mamą.

– Šššššššš, Bendži, – ramino mane Ti Pi. – Tuoj būsime lauke.

Durys atsidarė, ir aš užuodžiau tai stipriau nei bet kada, ir dar išlindo kažin kokia galva. Ne tėčio. Tėtis apsirgo ir gulėjo tame kambaryje.

– Ar gali jį išvesti iš namų?

– Mes jau einame, – atsakė Ti Pi. Laiptuose pasirodė Dilzė.

– Liaukis, – pasakė ji. – Liaukis. Veskis jį namo, Ti Pi, Fronė paklos jam lovą. Abu jį padabokite. Liaukis, Bendži. Eik su Ti Pi.

Ji nuėjo ten, iš kur buvo girdėti mama.

– Tegu jis pas jus pabūna. – Tai buvo ne tėtis. Jis uždarė duris, bet aš vis dar užuodžiau tai.

Mes leidomės laiptais. Laiptai leidosi į tamsą, ir Ti Pi paėmė mane už rankos, mes išėjome pro duris, iš tamsos. Užpakaliniame kieme tupėjo Denas ir kaukė.

– Jis irgi tai užuodžia, – pasakė Ti Pi. – Ir tu šitaip sužinojai apie tai?

Mes nusileidome laipteliais, į savo šešėlius.

– Užmiršau tavo paltą, – prisiminė Ti Pi. – Turėtum apsivilkti jį. Bet nebegrįšiu.

Denas vis kaukė.

– Nutilk, – paliepė Ti Pi. Mūsų šešėliai juda, o Deno – nė krust, išskyrus tada, kai jisai kaukia.

– Negaliu vestis tavęs namo tokio baubiančio, – pasakė Ti Pi. – Dar tada buvo bjauru, kai tavo balsas nebuvo pavirtęs varlės bosu. Eime.

Mudu žingsniuojame plytomis grįstu taku, ant kurio krenta mūsų šešėliai. Kiaulių gardo kvapas toks pats kaip kiaulių. Karvė pievoje ėda žolę, žiūrėdama į mus. Denas kaukia.

– Visą miestą p;ižadinsi, – nesiliovė Ti Pi. – Ar negali nutilti?

Pamatėme Fensę, skabančią prie upelio žolę. Kai priėjome, mėnulis švietė vandenyje.

– Na jau ne, – pasakė Ti Pi. – Per arti. Čia negalim sustoti. Eime toliau. Tik pažvelk į save. Visa koja šlapia. Eime.

Denas kaukė.

Zvimbiančioje žolėje išniro griovys. Iš juodų vijoklių kyšojo kaulai, tokie apvalūs.

– O dabar bliauk sau į valias, jeig nori. Kiaurą naktį turi ir dar dvidešimt akrų ganyklos.

Ti Pi išsipleikė griovyje, o aš sėdėjau ir žiūrėjau į tuos kaulus, kur grifai Nensę sulesė, o paskui nuplasnojo iš to griovio, tokie juodi, lėti ir sunkūs.

Aš jį turėjau, kai buvom čia atėję iš ryto, pasakė Lasteris. Aš tau jį rodžiau. Negi nematei? Būtent šičia ištraukiau jį iš kišenės ir tau parodžiau.

– Manai, kad ir motutę grifai išrengs? – paklausė Kedė. – Iš proto išsikraustei.

– Tu krioša, – pasakė Džeisonas. Ir pravirko.

– O tu avigalvis, – atšovė Kedė. Džeisonas verkė. Rankas laikė kišenėse.

– Džeisonas bus turtingas žmogus, – pasakė Veršas. – Jis niekad nepaleidžia savo pinigų.

Džeisonas verkė.

– Na štai ir pravirkdei jį, – papriekaištavo Kedė. – Liaukis, Džeisonai. Kaipgi grifai pateks ten, kur motutė? Tėtis neleis jiems. Argi tu leistum grifams save nurengti? O dabar liaukis.

Džeisonas nutilo.

– Fronė sakė, kad tai laidotuvės, – paaiškino jis.

– Ką tu. Tai pobūvis, – nesutiko Kedė. – Fronė juk nieko neišmano. Ti Pi, jis nori tavo jonvabalių. Duok jam truputį palaikyti.

Ti Pi padavė man butelį su jonvabaliais.

– Kertu lažybų, jeigu prieisime prie svetainės lango, ką nors pamatysime, – pasakė Kedė. – Ir tada jūs manim patikėsit.

– Aš ir taip žinau, – nenusileido Fronė. – Man nereikia matyti.

– Geriau jau užčiaupk srėbtuvę, Frone, – paliepė Veršas. – Mama įkrės tau rykščių.

– Ką tu žinai? – paklausė Kedė.

– Žinau tai, ką žinau, – atsakė Fronė.

– Eime, – pakvietė Kedė. – Apeikime ir pažiūrėkime iš priekio.

Patraukėme ton pusėn.

– Ti Pi nori atsiimti savo jonvabalius, – pasakė Fronė.

– Leisk jam dar trupučiuką palaikyti, Ti Pi, – paprašė Kedė. – Mes grąžinsim juos tau.

– Ne jūs sugavot juos, – atrėžė Fronė.

– Jeigu aš leisiu eiti drauge ir judviem su Ti Pi, ar leisi jam dar palaikyti jonvabalius? – paklausė Kedė.

– Niekas neliepė mudviem su Ti Pi tavęs klausyti, – atrėžė Fronė.

– O jei aš pasakysiu, kad judviem su Ti Pi nebūtina su mumis eiti, ar leisi jam dar palaikyti juos? – paklausė Kedė.

– Gerai, – atsakė Fronė, – tegu palaiko, Ti Pi. O mudu eisime pasiklausyti raudotojų.

– Jie nerauda, – pasakė Kedė. – Sakiau jums, kad tai pobūvis. Argi jie rauda, Veršai?

– Jeigu stovėsim čia, niekad nesužinosim, ką jie daro, – atsakė Veršas.

– Eime, – pasakė Kedė. – Fronė ir Ti Pi neprivalo manęs klausyti. Visi kiti privalo. Geriau panešk jį, Veršai. Jau temsta.

Veršas paėmė mane ant rankų, ir mes apėjome virtuvę.

Kai pažvelgėme iš už kampo, matėme, kaip alėja artėja šviesos. Ti Pi sugrįžo prie rūsio durų ir atidarė jas.

Ar žinot, kas ten, paklausė Ti Pi. Sodos vanduo. Mačiau, kaip ponas Džeisonas išėjo su visu glėbiu tų butelių. Lukterkit valandėlę.

Ti Pi nuėjo ir pažvelgė pro virtuvės duris. Ko čia spoksai, paklausė Dilzė. Kur Bendžis?

Lauke, atsakė Ti Pi.

Eik padabok jį, liepė Dilzė. Neprileisk prie namų.

Gerai, atsakė Ti Pi. Ar jie jau pradėjo?

Eik ir žiūrėk, kad niekas nepastebėtų to vaikio, paliepė Dilzė.
Man ir taip darbo per akis.

Iš po namo iššliaužė gyvatė. Džeisonas sakėsi nebijąs gyvačių, o Kedė tvirtino, kad jis jų bijo, o ji – visiškai ne, tada Veršas pasakė, kad abu jie jų bijo, ir Kedė liepė jiems nurimti, kaip liepė tėtis.

Juk nepradėsi dabar bliauti, tarė Ti Pi. Ar nori sarsparilės?
Man sukuteno nosį ir akis.

Jei negersi, duokš man, pasakė. Puiku, štai ji. Verčiau ištraukim kitą butelį, kol mums dar niekas nesutrukdė. Nagi nurimk.

Sustojome po medžiu prie svetainės lango. Veršas pasodino mane į šlapią žolę. Buvo šalta. Visuose languose degė šviesos.

– Va ten yra motutė, – parodė Kedė. – Dabar ji visą laiką serga. Kai pasveiks, surengsime iškylą.

– Aš žinau tai, ką žinau, – pasakė Fronė.

Medžiai dūzgė, žolė irgi.

– O gretimame kambaryje mes sergame tymais, – paaiškino Kedė. – O kur judu su Ti Pi sergate tymais, Frone?

– Tikriausiai kur pasitaiko, – atsakė Fronė.

– Jie dar nepradėjo, – pasakė Kedė.

Jie jau rengias pradėti, pasakė Ti Pi. Pabūk čia, kol atnešiu tą dėžę, tada galėsim pažiūrėt pro langą. Nagi, pribaikim tą sarsparilę. Nuo jos viduj tarsi pelėda ūbauja.

Išgėrėme sarsparilę, Ti Pi pakišo butelį pro pinučius po pamatais ir nužingsniavo. Girdėjau jų balsus svetainėje, įsitvėriau rankomis sienos. Ti Pi vilko dėžę. Pargriuvo ir ėmė juoktis. Gulėjo žolėje ir juokėsi. Paskui atsistojo ir tramdydamas juoką atvilko prie lango dėžę.

– Išsigandau, kad neištversiu nesušukęs, – pasakė Ti Pi. – Lipkite ant dėžės ir pažiūrėkit, ar jie pradėjo.

– Dar nepradėjo, nes dar nėra orkestro, – pasakė Kedė.

– Orkestro nebus, – paaiškino Fronė.

– Iš kur tu žinai? – paklausė Kedė.

– Žinau, ir tiek, – atsakė Fronė.

– Nieko tu nežinai, – atšovė Kedė. Ir nuėjo prie medžio. – Pakelk mane, Veršai.

– Jūsų tėtis uždraudė tau eiti prie to medžio, – pasakė Veršas.

– Tai buvo labai seniai, – atkirto Kedė. – Jis tikriausiai pamiršo. Be to, jis liepė šįvakar klausyti manęs. Argi jis neliepė šįvakar klausyti manęs?

– Aš tavęs neklausysiu, – tarė Džeisonas. – Fronė ir Ti Pi irgi neklausys.

– Pakelk mane, Veršai, – paprašė Kedė.

– Gerai, – atsakė Veršas. – Bizūno gausi tu, ne aš. – Nuėjo ir įkėlė Kedę į medį, pasodino ant apatinės šakos. Mes žiūrėjome į jos išpurvintas kelnaites. Paskui jau nebematėm jos. Tiktai girdėjom traškant medį.

– Ponas Džeisonas sakė, jei sulaužysi tą medį, jis tave išvanos, – priminė Veršas.

– Aš irgi ją apskųsiu, – pridūrė Džeisonas.

Medis liovėsi traškėjęs. Mes pakėlėm akis į tas nutilusias šakas.

– Ką matai? – pašnabždomis paklausė Fronė.

Aš pamačiau juos, paskui išvydau Kedę su gėlėmis plaukuose ir ilgu, lyg švytintis vėjas, šydu. Kedė Kedė

– Nutilk, – sudraudė Ti Pi. – Jie išgirs tave. Greičiau lipk žemėn. – Trūktelėjo mane. Kedė. Aš įsitvėriau sienos. Kedė. Ti Pi traukia mane. – Nutilk, – kartoja. – Nutilk. Eikš gi greičiau čionai. – Traukia mane. Kedė. – Nutilk, Bendži. Ar nori, kad tave išgirstų? Eime patrauksim dar sarsparilės, paskui galėsim grįžti, jei nutilsi. Verčiau paimkime dar butelį, kol abu nepradėjom šaukti. Galėsim pasakyti, kad ją išlakė Denas. Ponas Kventinas visada sako, kad jis labai protingas, tai mes galėsime pridurti, kad jis, be to, dar ir išgerti mėgstantis šuo.

Mėnesiena užliejo rūsio laiptus. Mudu išgėrėme dar sarsparilės.

– Žinai, ko aš norėčiau? – paklausė Ti Pi. – Norėčiau, kad pro tas rūsio duris įsirioglintų lokys. Žinai, ką tada padaryčiau? Nueičiau tiesiai prie jo ir spjaučiau jam į akį. Paduok man tą butelį, kad burna užsičiauptų, o ne – imsiu rėkti.

Ti Pi nuvirto. Ėmė juoktis, rūsio durys ir mėnesiena nušoko į šalį, kažkas man trinktelėjo.

– Nutilk, – pasakė Ti Pi stengdamasis sulaikyti juoką. – Viešpatie, jie mus išgirs. Kelkis. Kelkis, Bendži, greičiau. – Jis vartaliojosi ant žemės, juokėsi, o aš stengiausi atsistoti. Rūsio laipteliai bėgo į mėnesėtą kalvą, Ti Pi nuvirto ant kalvos į mėnesieną, aš bėgau palei tvorą, Ti Pi bėgo paskui mane ir vis kartojo: „Nutilk, nutilk". Paskui nuvirto į gėlynus juokdamasis, o aš atsitrenkiau į dėžę. Bet kai pamėginau ant jos užlipti, dėžė nušoko šalin ir trenkė man į sprandą, o gerklė išleido kažkokį garsą. Ji vis leido ir leido tuos garsus, ir aš lioviausi mėginęs atsistoti, o tasai garsas išsprūdo vėl, ir aš pravirkau. Kai Ti Pi mane traukė, gerklė vis leido tuos garsus. Ji taip ir nesiliovė, ir negalėjau atskirti, ar aš verkiu, ar ne; Ti Pi užvirto juokdamasis ant manęs, o gerklė vis dar leido tą garsą, ir Kventinas spyrė koja Ti Pi, o Kedė apkabino mane rankomis ir tuo švytinčiu šydu, bet ji jau nebekvepėjo medžiais, ir aš pravirkau.

Bendži, kartojo Kedė, Bendži. Vėl apglėbė mane rankomis, bet aš pasitraukiau šalin.

– Kas gi nutiko, Bendži? – paklausė ji. – Ar dėl tos skrybėlaitės? – Nusiėmė skrybėlaitę ir vėl priėjo, bet aš pasitraukiau šalin.

– Bendži, – kartojo ji. – Kas gi nutiko, Bendži? Ką Kedė padarė?

– Jam nepatinka ta pamaiviška suknelė, – pasakė Džeisonas. – Manai, kad tu jau suaugusi, taip? Manai, kad tu geresnė už kitus, taip? Pamaiva!

– O tu užsičiaupk! – užriko Kedė. – Gyvulys neraliuotas. Bendži.

– Manai, kad tau jau keturiolika, tai tu jau ir suaugusi, taip? – neatstojo Džeisonas. – Manai, kad tu kažin kas, taip?

– Cit, Bendži, – sudraudė Kedė. – Tu trukdai mamai. Cit! Bet aš nenurimau ir nusekiau jai iš paskos, kai ji nuėjo, o ji sustojusi ant laiptų laukė, aš irgi sustojau.

– Kas gi nutiko, Bendži? – paklausė. – Pasakyk Kedei. Ji padarys taip, kaip tu nori. Pasistenk pasakyti jai.

– Kendise, – pašaukė mama.

– Taip, – atsakė Kedė.

– Kodėl tu jį erzini? – paklausė mama. – Atvesk jį čionai. Mudu nuėjome į mamos kambarį, ji ten guli, liga spaudžia jai galvą audeklu.

– Kas gi dabar nutiko, Bendžaminai? – paklausė mama.

– Bendži, – prabilo Kedė. Ji vėl priėjo, bet aš pasitraukiau šalin.

– Tu tikriausiai jam ką nors padarei? – paklausė mama. – Kodėl tu erzini jį, kodėl neduodi man nė trupučio ramybės? Paduok jam tą dėžutę ir būk maloni, išeik ir palik jį vieną.

Kedė paėmė dėžutę, padėjo ją ant žemės ir atidarė. Ji buvo

pilna žvaigždžių. Kai aš stoviu ramiai, ir jos nejuda. Kai sukru-
tu – suspindi ir ima žybčioti. Aš lioviausi verkęs.

Paskui išgirdau einant Kedę ir vėlei pravirkau.

– Bendžaminai, – pašaukė mama. – Eikš čionai. – Aš nuėjau
prie durų. – Bendžaminai!

– Na ko gi tu nori? – paklausė tėtis. – Kur eini?

– Džeisonai, nuvesk jį žemyn ir paprašyk, kad kas nors pa-
žiūrėtų, – paprašė mama. – Žinai, kad aš ligonis, bet vis tiek...

Tėtis uždarė duris.

– Ti Pi, – pašaukė jis.

– Taip, sere, – atsakė iš apačios Ti Pi.

– Bendžis leidžiasi apačion, – pasakė tėtis. – Eik pas Ti Pi.

Priėjau prie vonios durų. Girdėjau tekant vandenį.

– Bendži, – pašaukė Ti Pi iš apačios.

Girdėjau tekant vandenį. Klausiausi jo.

– Bendži, – pašaukė Ti Pi iš apačios.

Klausiausi, kaip teka vanduo.

Paskui vandens jau nebegirdėjau, ir Kedė atvėrė duris.

– Nagi, Bendži, – tarė. Žiūrėjo į mane, aš priėjau, ji suglėbė
mane rankomis. – Vėl susiradai Kedę? – paklausė. – Ar manei,
kad Kedė pabėgo? – Kedė kvepėjo medžiais.

Mudu nuėjome į Kedės kambarį. Ji atsisėdo prie veidrodžio.
Nuleido rankas ir žvelgė į mane.

– Kas, Bendži? Kas nutiko? – paklausė. – Nereikia verkti.
Kedė niekur neišeis. Žiūrėk. – Pakėlė buteliuką, ištraukė kamš-
tį, pakišo buteliuką man po nosimi. – Kaip kvepia. Pauostyk.
Malonu, ar ne.

Aš taip ir nenutilęs pasitraukiau šalin, o ji laiko tą buteliuką
rankoje ir žiūri į mane.

– O, – ištarė. Padėjo buteliuką, priėjo prie manęs ir apkabino. – Tai va dėl ko tu. Ir tu stengeisi šitai pasakyti Kedei, tik tau nepavyko. Norėjai pasakyti, tik tau nepavyko, tiesa? Gerai, Kedė nebesikvėpins. Žinoma, Kedė nebedarys to. Tik luktelk, kol apsirengsiu.

Kedė apsirengė, vėl paėmė tą buteliuką, ir mes nuėjom į virtuvę.

– Dilze, – kreipėsi Kedė. – Bendžis turi tau dovaną. – Sustojo, įspraudė tą buteliuką man į delną. – O dabar tu paduok jį Dilzei. – Kedė ištiesė mano ranką, ir Dilzė paėmė tą buteliuką.

– Tik pamanyk, – pakraipė galvą Dilzė. – Mano vaikelis dovanoja man kvepalų. Roskau, tu tik pažvelk.

Kedė kvepėjo medžiais.

– Mes nemėgstame kvepalų, – paaiškino Kedė.

Ji kvepėjo medžiais.

– Na ką tu čia susimanei, – pasakė Dilzė. – Tu jau per didelis miegoti su kitais. Tu gi jau didelis berniukas. Trylikos metų. Pakankamai didelis, kad miegotum atskirai dėdės Morio kambaryje.

Dėdė Moris sirgo. Jo akis sirgo, burna irgi. Veršas atnešė jam vakarienę ant padėklo.

– Moris sakosi nušausiąs tą niekšą, – kalbėjo tėtis. – Aš patariau jam neužsiminti Petersonui apie tai iš anksto. – Ir gurkštelėjo iš taurelės.

– Džeisonai, – sudraudė mama.

– Ką jis nušaus, tėti? – paklausė Kventinas. – Už ką dėdė Moris ketina jį nušauti?

– Kad nesuprato to jo menko pokšto, – atsakė tėtis.

– Džeisonai, – sudraudė mama. – Kaip tu šitaip gali? Tu sėdėsi ir juoksies žiūrėdamas, kaip Morį nušaus iš pasalų.

– Tada Moris gaus laikytis atokiau nuo pasalų, – pasakė tėtis.

– Ką nušaus, tėti? – perklausė Kventinas. – Ką dėdė Moris ketina nušauti?

– Nieko, – atsakė tėtis. – Aš neturiu pistoleto.

Mama pravirko.

– Jei tu pavydi Moriui maisto, būk vyras ir pasakyk jam tai tiesiai į akis. Šitaip šaipytis jam už nugaros vaikams girdint!

– Anaiptol, – atsakė tėtis. – Aš Moriu žaviuosi. Jis stačiai neįkainojamas ugdant mano rasinio pranašumo jausmą. Nekeisčiau Morio net į ristūnų porą. Ar žinai kodėl, Kventinai?

– Ne, tėti, – atsakė Kventinas.

– *Et ego in Arcadia**, užmiršau, kaip lotyniškai šienas, – pacitavo tėtis. – Na, nepyk gi, aš tik pajuokavau. – Jis gurkštelėjo, pastatė taurę, paskui priėjo prie mamos ir uždėjo ranką jai ant peties.

– Visai nejuokinga, – pasakė mama. – Mano giminė tokia pat kilminga kaip ir tavoji. Jei Morio sveikata nekokia, tai nereiškia...

– Žinoma, – sutiko tėtis. – Prasta sveikata – viso gyvenimo pradinė priežastis. Ligos pagimdyti, puvėsių priglobti, pasmerkti suirti. Veršai!

– Taip, sere, – atsiliepė Veršas už mano kėdės.

– Paimk ropinę ir pripildyk ją.

– Ir pakviesk Dilzę, kad nuvestų Bendžaminą į lovą, – pridūrė mama.

---

*Šis lotyniškas posakis kartais priskiriamas dailininkui B. Schidone'i (1570–1615), parašiusiam žodžius *Et in Arcadia ego* („Aš [Mirtis] esu netgi Arkadijoje") ant savo paveikslo, kur pavaizduoti du piemenys, laikantys kaukolę ir žiūrintys į ją. Kartais jis iškreipiamas į *Et ego in Arcadia* (Ir aš buvau Arkadijoje) ir tada jau reiškia prarastą aukščiausią laimę.

– Toks didelis berniukas, – pasakė Dilzė. – Kedė pavargo su tavim miegoti. Nurimk ir miegok.

Kambarys išnyko, bet aš nenutilau, ir kambarys vėl sugrįžo, Dilzė atėjo, atsisėdo ant lovos, žiūri į mane.

– Vadinasi, tu nenori būti geras berniukas ir nurimti? – paklausė Dilzė. – Nenori? Tada lukterėk valandėlę.

Ji išėjo. Prie durų liko tuščia. Paskui jose pasirodė Kedė.

– Cit, – pasakė Kedė. – Aš ateinu.

Aš nutilau, Dilzė atvertė užtiesalą, ir Kedė įsmuko po juo. Chalato nenusivilko.

– Na, – tarė. – Aš čia.

Nešina antklode priėjo Dilzė, užklojo Kedę, paskui apkamšė.

– Jis tuoj užmigs, – pasakė Dilzė. – Paliksiu tavo kambaryje šviesą.

– Gerai, – atsakė Kedė. Ir priglaudė galvą prie manosios ant pagalvės. – Labanakt, Dilze.

– Labanakt, širdele, – atsakė Dilzė. Kambaryje tapo tamsu. *Kedė kvepėjo medžiais.*

Mes žiūrime į medį, kur įsilipus Kedė.

– Verši, ką jinai mato? – pakuždomis paklausė Fronė.

– Ššššššššššš, – sušnypštė Kedė iš medžio. O Dilzė tarė:

– Greit čionai visi. – Ji išniro iš už namo kampo. – Kodėl nenuėjote visi viršun, kaip liepė tėtis, kodėl pasprukot man už nugaros? Kur Kedė ir Kventinas?

– Sakiau jai, kad neliptų į medį, – tarė Džeisonas. – Apskųsiu ją.

– Kas? Kokiame medyje? – paklausė Dilzė. Ji priėjo arčiau ir pažvelgė į medį. – Kede? – pašaukė. Šakos vėl sukrutėjo.

– Velniūkšti! Lipk iš ten, – paliepė Dilzė.

– Ša, – tarė Kedė. – Ar nežinai, kad tėtis liepė netriukšmauti. – Pasimatė jos kojos, Dilzė pasistiebė ir iškėlė ją iš medžio.

– Kur tavo protas leisti jiems čionai ateiti? – paklausė Dilzė.

– Nevaliojau su ja susitvarkyti, – pasiteisino Veršas.

– Ką jūs čia veikiate visi? – paklausė Dilzė. – Kas jums liepė ateiti prie namo?

– Ji, – atsakė Fronė. – Ji liepė mums ateiti.

– O kas jums liepė daryti, ką ji sako? – paklausė Dilzė. – Marš dabar visi namo.

Fronė ir Ti Pi nuėjo. Mes jau nebematėme jų žingsniuojant.

– Išeiti vidury nakties, – burbėjo Dilzė. Ji paėmė mane ant rankų, ir visi nuėjome virtuvės link.

– Pasprukti man už nugaros, – nesiliovė Dilzė. – Žinant, kad jau pats laikas eiti gulti.

– Šššššššš, Dilze, – ramino ją Kedė. – Nekalbėk taip garsiai. Negalima triukšmauti.

– Užčiaupk snapą, – paliepė Dilzė. – Kur Kventinas?

– Supyko, kad šįvakar jie turi klausyti manęs, – pasakė Kedė. – Jis vis dar turi tą Ti Pi stiklainį su jonvabaliais.

– Manau, Ti Pi apsieis ir be jo, – tarė Dilzė. – Veršai, eik surask Kventiną. Roskus sakė matęs jį einant klojimo link.

Veršas nuėjo. Ir dingo mums iš akių.

– Jie nieko ten nedaro, – pasakė Kedė. – Tik sėdi ant kėdžių ir žiūri.

– Matyt, tik jūsų jiems tetrūksta, – tarė Dilzė. Mes apėjom virtuvę.

Kur dabar nori eiti, paklausė Lasteris. Nori grįžti ir spoksoti, kaip jie daužo tą kamuoliuką? Ten jau ieškojome. Eikš. Lukterk truputėlį. Pastovėk, kol sugrįšiu paimti to kamuoliuko. Kai ką sugalvojau.

Virtuvės langai buvo tamsūs. Medžiai juodai įsirėžė į dangų. Išlindęs iš po laiptų atkrypavo Denas ir palaižė man kulkšnį. Nuėjau už virtuvės, kur švietė mėnulis. Vilkdamas kojas Denas bidzeno tiesiai į mėnulį.

– Bendži, – pašaukė Ti Pi iš namo.

Tas žydintis medis prie svetainės lango – nejuodas, o tie tankūs medžiai juodi. Žolė dūzgia mėnesienoje, kur mano šešėlis velkasi per žolę.

– Ei, Bendži, – šūktelėjo iš namo Ti Pi. – Kur dingai? Sprunki. Taip ir žinojau.

Lasteris grįžo. Palauk, tarė. Nagi neik ten. Tenai hamake panelė Kventinė ir jos draugelis. Eikš pro čia. Grįžk.

Po medžiais buvo tamsu. Denas neatbidzeno. Paliko mėnesienoje. Tada aš pamačiau hamaką ir pravirkau.

Eik iš ten, Bendži, tarė Lasteris. Žinai, kad panelė Kventinė supyks.

Hamake buvo du žmonės, paskui vienas. Kedė išniro paskubomis, balta tamsoje.

– Bendži, – tarė. – Kaipgi tu išslinkai lauk? Kur Veršas?

Ji mane apkabino, aš nutilau, įsitvėriau į jos suknelę ir bandžiau traukti ją šalin.

– Kas yra, Bendži? – paklausė ji ir pašaukė: – Ti Pi!

Tasai, kuris buvo hamake, išlipo ir priėjo, o aš verkiau ir traukiau Kedę už suknelės.

– Tai tik Čarlis, Bendži, – aiškino Kedė. – Juk tu pažįsti Čarlį.

– Kur jo negras? – paklausė Čarlis. – Kodėl jam leidžiama lakstyti vienam?

– Nutilk, Bendži, – paliepė Kedė. – Eik šalin, Čarli. Tu jam nepatinki. – Čarlis nuėjo, ir aš nutilau. Traukiau Kedę už suknelės.

– Na kas gi nutiko, Bendži, – tarė Kedė. – Ar neleisi man čia pabūti ir šnektelti su Čarliu?

– Pašauk tą negrą, – pasakė Čarlis. Jis sugrįžo. Aš pravirkau garsiau ir traukiau Kedę už suknelės.

– Eik šalin, Čarli, – burbtelėjo Kedė. Čarlis priėjo ir uždėjo rankas ant Kedės, aš pravirkau dar smarkiau. Garsiai raudojau.

– Ne, ne, – pasakė Kedė. – Ne. Ne.

– Juk jis vis tiek nebylys, – tarė Čarlis. – Kede.

– Tu išprotėjai? – pyktelėjo Kedė. Ėmė tankiai alsuoti. – Jis juk mato. Nedaryk to. Nedaryk. – Kedė priešinosi. Juodu alsavo tankiai. – Prašau, prašau, – šnibždėjo Kedė.

– Nuvaryk jį, – paliepė Čarlis.

– Gerai, – sutiko Kedė. – Paleisk mane.

– Ar nuvarysi jį? – paklausė Čarlis.

– Taip, – atsakė Kedė. – Paleisk mane. – Čarlis nuėjo. – Nurimk, – pasakė Kedė. – Jis nuėjo. – Aš nutilau. Girdėjau ją, jaučiau, kaip kilnojasi jos krūtinė.

– Turiu nuvesti jį namo, – tarė. Ir paėmė mane už rankos. – Tuoj grįšiu, – sušnabždėjo.

– Palauk, – tarė Čarlis. – Pakviesk tą negrą.

– Ne, – atsakė jam Kedė. – Aš tuoj grįšiu. Eime, Bendži.

– Kede, – garsiai šnibždėjo Čarlis. Mes nužingsniavome. – Juk sugrįši? Sugrįši? – Mudu su Kede bėgome. – Kede! – šaukė Čarlis. Mudu išbėgome į mėnesieną, patraukėme virtuvės link.

– Kede! – šaukė Čarlis.

Mudu su Kede bėgome. Užbėgome virtuvės laipteliais į verandą, Kedė atsiklaupė tamsoje ir mane laikė. Girdėjau ją, jaučiau jos krūtinę.

– Aš taip nebedarysiu, – tarė. – Niekada. Bendži. Bendži. – Paskui pravirko, ir aš verkiau, mudu apsikabinome. – Nurimk, – pasakė. – Nurimk, aš taip nebedarysiu. – Tada aš nurimau, Kedė atsistojo, mes įėjome į virtuvę ir uždegėme šviesą, o Kedė paėmė virtuvinį muilą ir nusiprausė burną prie praustuvės, trynė ją labai stipriai. Kedė kvepėjo medžiais.

Kiek kartų aš tau sakiau, kad neitum ten, pasakė Lasteris. Jie skubiai atsisėdo į hamaką. Kventinė taisėsi rankomis plaukus. Jis buvo pasirišęs raudoną kaklaraištį.

Senas pakvaišęs psichas, pasakė Kventinė. Aš pasakysiu Dilzei, kaip tu vedžioji jį man iš paskos. Liepsiu jai tave kaip reikiant išvanoti.

– Aš nevaliojau jo sustabdyti, – teisinosi Lasteris. – Eime, Bendži.

– Valiojai, – pasakė Kventinė. – Tik nemėginai. Judu abu mane šnipinėjote. Ar senelė visus jus siuntė manęs šnipinėti? – ji iššoko iš hamako. – Jeigu neišsivesi jo tuojau pat, jei dar kartą čia pasirodysi su juo, aš pasakysiu Džeisonui, kad tave išvanotų.

– Aš nieko negaliu jam padaryti, – toliau teisinosi Lasteris. – Pamėginkit pati ir pamatysit.

– Užčiaupk srėbtuvę, – suriko Kventinė. – Išvesi jį ar ne?

– Nagi tegu jis būna, – tarė anas. Jis buvo pasirišęs raudoną kaklaraištį. – Žiūrėk, Džekai. – Įžiebė degtuką ir įsikišo jį į burną. Paskui ištraukė. Degtukas vis dar degė. – Nori pamėginti? – paklausė. Aš priėjau. – Išsižiok, – paliepė. Išsižiojau. Kventinė kepštelėjo ranka per degtuką, jis dingo.

– Kad tave kur, – pasakė Kventinė. – Ar nori, kad jis vėl pradėtų? Ar nežinai, kad tuomet jau kiaurą dieną bliaus? Einu pasakysiu Dilzei. – Ir nubėgo.

– Mažyle, grįžk, – pašaukė anas. – Eikš čionai. Aš iš jo nebesityčiosiu.

Kventinė nubėgo prie namo. Apėjo virtuvę.

– Tai tu viską taip sujaukei, Džekai? – paklausė jis. – Ar ne?

– Jis nesupranta, ką jam sakot, – paaiškino Lasteris. – Jis kurčnebylis.

– Taigi taigi, – atsakė anas. – Seniai?

– Šiandien trisdešimt treji metai suėjo. Gimė idiotu, – patikslino Lasteris. – Ar jūs iš to teatro?

– O kas? – paklausė anas.

– Nepamenu, kad būčiau jus čia matęs, – pasakė Lasteris.

– Na, ir kas? – tarė anas.

– Nieko, – atsakė Lasteris. – Šįvakar ten einu.

Jis pažiūrėjo į mane.

– Jūs ne tasai, kurs griežia pjūklu? – paklausė Lasteris.

– Gausi sumokėti ketvirtį dolerio, kad sužinotum, – pasakė anas. Ir žvilgtelėjo į mane. – Kodėl jie jo neužrakina namie? – paklausė. – Kam jį čionai atsivedei?

– Aš niekuo dėtas, – atsakė Lasteris. – Negaliu nieko padaryti. Atėjau tik paieškot ketvirtuko, kur pamečiau: be jo negalėsiu nueiti šįvakar į vaidinimą. – Nunarinęs akis į žemę Lasteris apsižvalgė. – Ar neturėtumėt atliekamo ketvirtuko? – paklausė.

– Ne, – atsakė anas. – Neturiu.

– Vadinas, privalau susiieškot aną, – tarė Lasteris. Ir įsikišo ranką į kišenę. – Ar nenorėtumėte nusipirkti golfo kamuoliuko? – pasiūlė.

– Kokio kamuoliuko? – perklausė anas.

– Golfo, – paaiškino Lasteris. – Parduosiu tik už ketvirtį dolerio.

– O kam man jis? – paklausė anas. – Ką aš su juo darysiu?

– Taip ir maniau, – nusivylė Lasteris. – Eime, asile, – pridūrė. – Eime pažiūrėsim, kaip jie daužo tą kamuoliuką. Še tau žaisliukas, prie tos durnaropės. – Lasteris jį pakėlė ir padavė man. Jis blizgėjo.

– Iš kur jį gavai? – paklausė anas. Kaklaraištis raudonuoja saulėje jam einant.

– Po tuo krūmu radau, – atsakė Lasteris. – Iš pradžių pamaniau, kad čia tas pamestas ketvirtukas.

Anas priėjo ir paėmė tą daiktą.

– Ša, – tildė Lasteris. – Jis pažiūrės ir grąžins.

– Agnė, Meiblė, Bekė*, – ištarė anas. Ir pažvelgė į namą.

– Ša, – tildė Lasteris. – Jis tuoj grąžins tau.

Anas man padavė tą daiktą, ir aš nutilau.

– Kas pas ją buvo vakar? – paklausė anas.

– Nežinau, – atsakė Lasteris. – Jie čia kas vakarą ateina, kai tik jai pavyksta nulipti tuo medžiu. Aš nesekioju jų pėdsakais.

– Vienas jų vis dėlto paliko savo pėdsaką, – pasakė anas. Ir pažvelgė į namą. Paskui nuėjo ir atsigulė į hamaką. – Eikit iš čia, – paliepė. – Neįkyrėkit man.

– Eime, – pasakė Lasteris. – Prisižaidei. Panelė Kventinė tave jau skundžia.

*Populiariausia kontraceptinė priemonė Amerikoje XX amžiaus pradžioje buvo prezervatyvai pavadinimu „Linksmoji našlė“, parduodami apskritose metalinėse dėželėse, po tris vienoje. Ant dėželės buvo užrašas: „Trys linksmosios našlės: Agnė, Meiblė, Bekė“.

Nužingsniavome prie tvoros žiūrėdami pro kiaurymes tarp susivijusių gėlių. Lasteris apieškojo žolę.

– Turėjau jį, kai buvau čia, – pasakė. Mačiau, kaip plaikstėsi ta vėliavėlė ir kaip saulė įkypai krito ant plačios vejos.

– Netrukus jie pasirodys, – pridūrė Lasteris. – Jau dabar matyti keli, bet eina kiton pusėn. Eikš, padėsi man ieškoti.

Mes ėjome palei tvorą.

– Nutilk, – paliepė Lasteris. – Juk negaliu priversti jų ateiti, jeigu jos neina. Palauk. Netrukus pasirodys. Štai ir ateina.

Priėjau palei tvorą prie vartų, kur pro šalį žingsniavo mergaitės su kuprinėmis.

– Ei, Bendži, – pašaukė Lasteris. – Grįžk čionai.

Tuščiai žiūri pro tuos vartus, pasakė Ti Pi. Kedė išvažiavo toli toli. Ištekėjo ir jus visus paliko. Tuščiai žiūri, įsikibęs į tuos vartus, ir verki tuščiai. Ji negirdi tavęs.

Ko jis nori, Ti Pi, paklausė mama. Ar negali pažaisti su juo ir nuraminti?

Jis nori eiti prie vartų ir žiūrėti į kelią, atsakė Ti Pi.

Kaip tik to jam ir negalima daryti, sudraudė mama. Lyja. Tau tereikia pažaist su juo ir jį nutildyti. Liaukis, Bendžaminai.

Niekas jo nenutildys, pasakė Ti Pi. Jis mano, jei nueis prie vartų, tai panelė Kedė sugrįš.

Nesąmonė, tarė mama.

Girdėjau juos kalbant. Išėjau pro duris ir jau nebegirdėjau, patraukiau tiesiai prie vartų, kur ėjo tos mergaitės su kuprinėmis. Jos pažiūrėjo į mane, nusigręžė ir nuskubėjo šalin. Mėginau pasakyti, bet jos nuėjo, o aš sliūkinau palei tvorą, stengdamasis pasakyti, tada jos paspartino žingsnį. Paskui ėmė bėgti, o aš priėjau tvoros galą ir nebegalėjau eiti toliau, įsikibau į tvorą, lydėjau jas akimis ir stengiaus pasakyti.

– Bendži, – pašaukė Ti Pi. – Ir vėl pasprukai. Nori, kad Dilzė tave išpertų?

– Tuščias reikalas va taip vaitoti ir virkaut prie tvoros, – pasakė Ti Pi. – Išgąsdinai tas mergaites. Žiūrėk, jos pereina į kitą gatvės pusę.

Kaipgi jam pavyko išeiti, paklausė tėtis. Džeisonai, ar palikai neužsklęstus vartus, kai įėjai?

Žinoma, ne, atsakė Džeisonas. Aš ne toks kvailas. Negi, manot, norėjau, kad taip nutiktų? Dievaž, mūsų šeima ir taip jau apsišiukšlinusi. Aš visąlaik sakiau jums, kad taip bus. Tikiuos, dabar išsiųsit jį į Džeksoną. Jei ponas Berdžesas nenušaus jo prieš tai.

Nutilk, pasakė tėtis.

Aš visąlaik jums sakiau, kartojo Džeisonas.

Jie buvo atviri, kai prie jų prisiliečiau, ir aš įsikibau į juos, tvyrojo prieblanda. Neverkiau ir stengiausi sustoti, žiūrėdamas, kaip prieblandoje pro šalį eina tos mergaitės. Neverkiau.

– Va jis.

Jos sustojo.

– Jis negali išeiti už tų vartų. Be to, jis nieko neskriaudžia. Eikš.

– Aš bijau. Bijau. Aš pereisiu į kitą gatvės pusę.

– Jis negali išeiti už tų vartų.

Aš neverkiau.

– Nebūk bailė. Eikš.

Jos priėjo arčiau toj prieblandoj. Aš neverkiau ir stovėjau įsikibęs į tvorą. Jos artinosi iš lėto.

– Aš bijau.

– Jis nieko tau nepadarys. Aš kasdien praeinu pro čia. Jis tiktai bėga palei tvorą.

Priėjo. Aš atvėriau vartus ir jos sustojo, pasigręžė. Aš tik stengiausi pasakyti, nutvėriau ją, stengiausi pasakyti, ir ji suriko, o aš vis tiek stengiausi pasakyti, stengiausi, ir tie švytintys pavidalai ėmė stoti, o aš stengiausi išsigauti lauk. Stengiausi nuplėšti tai nuo savo veido, bet švytintys pavidalai vėl ėmė plaukti. Jie plaukė kalvon, ten, kur ji dingsta, ir aš mėginau sušukti. Tačiau, įkvėpus oro, man užspaudė gerklę, ir aš nebegalėjau sušukti, stengiausi nenukristi nuo kalvos, bet nukritau į švytinčius ir sūkuriuojančius pavidalus.

Priekvaili, eikš čionai, pašaukė Lasteris. Eikš čionai. Liaukis seilėjęsis ir vaitojęs.

Jie prisiartino prie vėliavėlės. Jis ją ištraukė, tada jie smogė, paskui jis vėl įkišo vėliavėlę.

– Pone, – prabilo Lasteris.

Anas atsigręžė:

– Ką? – paklausė.

– Ar nenorite nusipirkti golfo kamuoliuko? – paklausė Lasteris.

– Parodyk, – paprašė anas. Priėjo prie tvoros, ir Lasteris prakišo kamuoliuką.

– Kur jį gavai?

– Radau, – atsakė Lasteris.

– Aišku, – pasakė anas. – Kur? Kieno nors golfo krepšyje?

– Radau jį čia, kieme, – paaiškino Lasteris. – Paimsiu už jį tik ketvirtį dolerio.

– O kodėl manai, kad jis tavo? – paklausė anas.

– Aš jį radau, – atsakė Lasteris.

– Tada susirask kitą, – pasiūlė anas. Įsidėjo kamuoliuką į kišenę ir nuėjo.

– Aš turiu patekti į tą vaidinimą šįvakar, – pasakė Lasteris.

– Ką tu sakai? – tarė anas. Ir nužingsniavo prie lygios vietos. – Pasitrauk, kedi, – paliepė. Ir smogė.

– Tavęs nesuprasi, – gūžtelėjo pečiais Lasteris. – Tu nerviniesi, kai nematai jų, ir nerviniesi, kai matai. Kodėl tu negali nutilti? Nejau nesupranti, kad žmonės pavargsta klausytis tavęs visą laiką? Žiūrėk. Numetei savo durnaropę. – Pakėlė ją ir vėl man padavė. – Reikia nuskinti kitą. Šitą visai sutrynei. – Mes stovim prie tvoros ir žiūrim į juos.

– Su tuo baltuoju nesusitarsi, – toliau kalbėjo Lasteris. – Matei, kaip jis pasiėmė mano kamuoliuką? – Jie nuėjo. Mes nužingsniavom palei tvorą. Priėjom sodą ir toliau eiti jau nebegalėjom. Įsikibau į tvorą ir žiūrėjau pro tarpus tarp gėlių. Jie nuėjo tolyn.

– Dabar jau nebėr ko vaitoti, – tarė Lasteris. – Nutilk. Va man tai kitas reikalas, o tau nėra ko dejuoti. Na, ko gi neimi žolės? Tuoj vėl užbliausi. – Jis padavė man gėlę. – Kurgi dabar patraukei?

Mūsų šešėliai krito ant žolės. Jie pasiekė medžius anksčiau už mus. Manasis pasiekė juos pirmas. Paskui prie jų priėjome, ir šešėliai išnyko. Butelyje buvo gėlė. Aš įkišau dar vieną.

– Niekaip nepasakysi, kad tu suaugęs, – kalbėjo Lasteris. – Žaidi su dviem gėlėm butelyje. Ar žinai, ką jie padarys su tavim, kai mis Kehlaina numirs? Išsiųs į Džeksoną, kur tau ir vieta. Taip sako ponas Džeisonas. Galėsi ten laikytis įsitvėręs į grotas kiaurą dieną su kitais puskvailiais ir seilėtis. Ar patiks?

Lasteris sušėrė ranka per gėles.

– Va ką jie padarys tau Džeksone, kai imsi bliauti.

Pamėginau pakelti gėles. Lasteris jas pakėlė, ir jos dingo. Aš pravirkau.

– Bliauk, – erzino Lasteris. – Bliauk. Tau reikia priežasties, kad imtum bliauti? Gerai. Kedė, – sušnibždėjo. – Kedė. Dabar bliauk. Kedė.

– Lasteri, – pašaukė Dilzė iš virtuvės.

Gėlės sugrįžo.

– Nutilk, – sudraudė Lasteris. – Štai jos. Žiūrėk. Aš jas sudėjau vėl taip, kaip buvo iš pradžių. O dabar nutilk.

– Lasteri, ar girdi? – pakartojo Dilzė.

– Taip, – atsakė Lasteris. – Mes ateinam. Prisižaidei. Kelkis.

Jis trūktelėjo mane už rankos, aš atsistojau. Mudu išėjome iš už medžių. Mūsų šešėlių jau nebebuvo.

– Nutilk, – pasakė Lasteris. – Žiūrėk, kaip žmonės žiūri į tave. Nutilk.

– Vesk jį čionai, – paliepė Dilzė. Ji nulipo laipteliais. – Ką tu jam padarei? – paklausė.

– Aš nieko jam nepadariau, – atsakė Lasteris. – Jis paprasčiausiai ėmė bliauti.

– Padarei, – tarė Dilzė. – Tu jam kažką padarei. Kur jūs buvote?

– Ten, po tais kedrais, – pasakė Lasteris.

– Supykdei Kventinę, – papriekaištavo Dilzė. – Kodėl negali laikytis su Bendžiu atokiau nuo jos? Juk žinai, kad jai nepatinka, kai jis sukiojas ten, kur ji.

– Ji galėtų skirti jam tiek pat laiko, kiek ir aš, – pasakė Lasteris. – Juk jis man ne dėdė.

– Nebūk įžūlus, negriuk, – sudraudė Dilzė.

– Aš nieko jam nepadariau, – teisinosi Lasteris. – Jis žaidė ir staiga nei iš šio, nei iš to užbliovė.

– Ar sujaukei jo kapinaites? – paklausė Dilzė.

– Aš neprisiliečiau prie jų, – atsakė Lasteris.

– Nemeluok man, berniuk, – pasakė Dilzė. – Mes užlipome laiptais ir nužingsniavome į virtuvę. Dilzė atvėrė orkaitės dureles, pasistatė priešais ją kėdę, ir aš atsisėdau. Nutilau.

Kam jums reikėjo ją suerzinti, paklausė Dilzė. Juk žinai, kad nereikia su juo ten eiti.

Jis paprasčiausiai žiūrėjo į ugnį, aiškino Kedė. Mama kartojo jam jo naują vardą. Mes nenorėjom jos supykdyti.

Žinau, kad nenorėjot, atlyžo Dilzė. Jis viename namo gale, ji – kitame. O dabar palikit ramybėj mano daiktus, nelieskite nieko, kol sugrįšiu.

– Ar tau ne gėda? – paklausė Dilzė. – Ar ne gėda jį erzinti? – Ji padėjo tortą ant stalo.

– Aš jo neerzinau, – atsakė Lasteris. – Jis žaidė su tuo buteliu, kur buvo pilna bobramunių, ir staiga nei iš šio, nei iš to pradėjo bliauti. Pati girdėjote.

– Tu nelietei jo gėlių? – paklausė Dilzė.

– Aš neliečiau jo kapinaičių, – atsakė Lasteris. – Kam man tos visos jo nesąmonės. Aš tik ieškojau to pinigėlio.

– Tu jį pametei, taip? – paklausė Dilzė. Ir uždegė ant torto žvakeles. Vienos jų buvo mažos. Kitos – didelės, supjaustytos mažyčiais gabalėliais. – Juk sakiau tau, kad eitum ir padėtum jį į vietą. O dabar nori, kad išprašyčiau dar vieną iš Fronės?

– Bendžis kaip Bendžis, bet aš turiu nueiti į tą vaidinimą, – pasakė Lasteris, – nesirengiu valkiotis su juo dieną naktį.

– Darysi tai, ko jis iš tavęs norės, negriuk, – tarė Dilzė. – Ar girdi, ką sakau?

– Ar ne šitai ir darau visą laiką? – paklausė Lasteris. – Argi aš visą laiką nedarau to, ko jis nori? Ar nedarau, Bendži?

– Taip ir turėtum daryti, – pasakė Dilzė. – O ne vesti jį bliaunantį čionai ir erzinti mis Kehlainą! Na, o dabar visi eikit valgyti torto, kol Džeisonas neatėjo. Nes užsipuls mane, nors ir pirkau jį už savo pačios pinigus. Pamėgink tortą iškepti čia, kai jis kiekvieną kiaušinį suskaičiuoja. Nedrįsk jo erzinti, jei nori eiti į tą spiktaklį šįvakar.

Dilzė išėjo.

– Tu nemoki užpūst žvakučių, – pasakė Lasteris. – Žiūrėk, kaip aš darau. – Pasilenkė ir išpūtė skruostus. Žvakutės užgeso. Aš pravirkau. – Nutilk, – sudraudė Lasteris. – Žiūrėk į ugnį, kol aš supjaustysiu tortą.

Girdėjau tiksint laikrodį, girdėjau, kad už manęs stovi Kedė, ir dar girdėjau stogą. Vis dar lyja, pasakė Kedė. Aš nekenčiu lietaus. Aš visko nekenčiu. Paskui jos galva atsidūrė ant mano kelių, ir ji verkė mane apsikabinusi; aš irgi pravirkau. Paskui vėlei žiūrėjau į ugnį, ir tie švytintys, glotnūs pavidalai išplaukė vėl. Girdėjau laikrodį ir stogą, ir Kedę.

Suvalgiau torto gabalą. Lasterio ranka išniro ir paėmė dar vieną gabalą. Girdėjau, kaip jis čepsi. Žiūrėjau į ugnį.

Ilgas metalinis virbas nutįso man virš peties. Pasiekė krosnies dureles, ugnis išnyko vėl. Aš pravirkau.

– Ir ko dabar kauki? – paklausė Lasteris. – Nagi pažvelk čionai. – Ugnis vėl buvo kur buvusi. Aš nutilau. – Ar negali ramiai sėdėti ir žiūrėti į ugnį, kaip mamutė liepė, – pridūrė. – Gėdos turėtum. Še dar gabalėlį torto.

– Ką gi tu vėl jam padarei? – paklausė Dilzė. – Nejau negali duoti jam ramybės?

– Tik mėginau nutildyt, kad jis nevargintų mis Kehlainos, – paaiškino Lasteris. – Kažkas jam vėlei nepatiko.

– Puikiai žinau, kuo vardu tasai kažkas, – pasakė Dilzė. – Liepsiu Veršui, kad paimtų tau lazdą, kai pargrįš. Tiesiog prašyte jos prašaisi. Kiaurą dieną tik tai ir darai. Ar buvai nusivedęs jį prie upės?

– Ne, – atsakė Lasteris. – Mes visą dieną žaidėme kieme, kaip buvo liepta.

Jis ištiesė ranką, vėl siekdamas torto. Dilzė sušėrė per ją.

– Tik pamėgink paimti, ir nukirsiu tau ją su kapokle, – pagrasė Dilzė. – Esu tikra, kad jis negavo nė gabalėlio.

– Gavo, – paprieštaravo Lasteris. – Jis gavo dvigubai daugiau nei aš. Paklausk jo.

– Tik pamėgink paimti dar kartą, – pasakė Dilzė. – Tik pamėgink.

Taigi, pasakė Dilzė. Regis, atėjo mano eilė raudoti. Regis, ir man reikia paverkt truputį dėl Morio.

Dabar jo vardas Bendžis, pasakė Kedė.

Ir kaip tai gali būti, pasakė Dilzė. Juk jis nesudėvėjo to vardo, kur gavo nuo prigimimo, ar ne?

Bendžaminas – vardas iš Biblijos, paaiškino Kedė. Tai geresnis vardas nei Moris, kurį jis turėjo.

Ir kaip tai gali būti, pakartojo Dilzė.

Mama taip sakė, pridūrė Kedė.

Hm, tarė Dilzė. Vardas jam nepadės. Ir nepakenks. Pakeitus vardą laimė neateina. Maniškis buvo Dilzė nuo tada, kai aš save prisimenu, ir bus Dilzė, kai visi jau seniai bus mane užmiršę.

Iš kurgi jie žinos, kad Dilzė, jei jau seniai bus užmiršę, ką, Dilze, paklausė Kedė.

Jis bus Knygoje, širdele, pasakė Dilzė. Įrašytas*.

Ar tu mokėsi jį perskaityti, paklausė Kedė.

Man nereikės to, atsakė Dilzė. Jie perskaitys jį už mane. Man tereikės pasakyti: aš čia.

Ilgas virbas nutįso man virš peties, ir ugnis dingo. Aš pravirkau.

Dilzė ir Lasteris susirėmė.

– Mačiau, ką tu darai, – pasakė Dilzė. – Kurgi ne, mačiau. – Ji ištempė Lasterį iš kertės ir papurtė. – Vadinasi, tu nieko jam nepadarei, taip? Nieko? Palauk, kol pargrįš tėtis. Kad būčiau tokia jauna kaip anksčiau, nuraučiau tau ausis. Va uždarysiu tame rūsy ir neleisiu į tą spiktaklį šįvakar, kaip mane gyvą matai.

– Oi, mamut, – aimanavo Lasteris. – Oi, mamut.

Aš ištiesiau ranką ten, kur buvo ugnis.

– Patrauk ją, – paliepė Dilzė. – Patrauk.

Mano ranka atšoko, aš kyšt ją į burną, tada Dilzė mane sučiupo. Tarpuose tarp savo riksmų vis dar girdėjau tiksint sieninį laikrodį. Dilzė pasigręžė ir sudavė Lasteriui per galvą. Mano balsas kaskart garsėjo.

– Paduok man sodos vandens, – paliepė Dilzė. Ji ištraukė mano ranką iš burnos. Mano balsas ėjo kaskart garsyn, ranka traukėsi prie burnos, bet Dilzė laikė ją. Mano balsas garsiai skardeno. Ji pašlakstė man ranką sodos vandeniu.

– Paieškok podėlyje skuduro, kaba ant vinies, nuplėšk gabalą, – paliepė Dilzė. – O dabar ša, juk nenori vėl susargdinti

*Žr. Apr 20, 12–15.

mamos, nenori? Žiūrėk į ugnį. O Dilzė kaipmat padarys, kad ranka nebeskaudėtų. Žiūrėk į ugnį. – Ji atidarė krosnies dureles. Aš žiūrėjau į ugnį, bet ranka nesiliovė, aš irgi nesilioviau. Ranka traukėsi prie burnos, bet Dilzė laikė ją.

Ji apvyniojo ją audeklu. Mama pasakė:

– Kas gi dabar nutiko? Vadinasi, aš net ir sirgdama neturiu ramybės. Nejaugi privalau lipti iš lovos ir leistis žemyn prie jo, kai dviem suaugusiems negrams patikėta juo pasirūpinti?

– Jam jau viskas praėjo, – pasakė Dilzė. – Tuoj nurims. Nusidegino trupučiuką ranką.

– Du tokie suaugę negrai ir parvedate jį namo bliaunantį, – priekaištavo mama. – Jūs tyčia jį suerzinote, žinodami, kad aš sergu. Ša, – ėmė tildyti mane. – Tuojau pat liaukis. Ar tu davei jam to torto?

– Aš nupirkau jį, – pasakė Dilzė. – Jis ne iš Džeisono podėlio. Jis Bendžio gimtadieniui.

– Nori nunuodyti jį tuo pigiu krautuvės tortu? – supyko mama. – Tai šito tu sieki? Negi negausiu nė minutės ramybės?

– Lipkit į viršų ir atsigulkite, – patarė Dilzė. – Jam tuoj nustos deginti, ir jis nutils. Eime, pailsėsite.

– Ir palikti jį čia, kad jūs iškrėstumėt jam dar ką nors? – pasakė mama. – Kaip aš galiu gulėti ten, kai jis čia apačioje rėkia. Bendžaminai. Tuoj pat nutilk.

– Nėra kur jo išveda, – pasakė Dilzė. – Jau nebėra tiek vietos kiek anksčiau. Juk nelaikysi jo rėkiančio kieme kaimynams matant.

– Žinau, žinau, – pasakė mama. – Tai vis mano kaltė. Netrukus manęs jau nebebus ir judviem su Džeisonu bus lengviau. – Ir pravirko.

– Liaukitės, – tarė Dilzė. – Ir vėl nusikamuosit. Lipkit aukš-
tyn. Lasteris nusives jį į biliteką ir pažais su juo, kol aš išvirsiu
vakarienę.

Dilzė ir mama išėjo.

– Ša, – tarė Lasteris. – Nutilk. Ar nori, kad nudeginčiau ir
kitą ranką? Tau jau neskauda. Nutilk.

– Še, – pasakė Dilzė. Padavė man batelį, ir aš nutilau. – Nu-
vesk jį į biliteką, – paliepė. – Ir jeigu dar išgirsiu jo balsą, pati
tave išpersiu.

Mes nuėjome į biblioteką. Lasteris uždegė šviesą. Langai pa-
juodo, o ant sienos išniro aukšta tamsi dėmė, aš priėjau prie jos
ir paliečiau. Buvo kaip durys, tik tai buvo ne durys.

Ugnis apėjo man už nugaros, aš prisiartinau prie jos ir atsisė-
dau ant grindų su bateliu rankose. Ugnis šoktelėjo aukščiau.
Siekė pagalvę mamos krėsle.

– Ša, – tildė Lasteris, – ar negalėtum trupučiuką patylėti?
Pakursčiau tau ugnį, o tu net pažiūrėt į ją nenori.

Tavo vardas – Bendžis, pasakė Kedė. Ar girdi? Bendžis. Bendžis.

Nekalbėk taip, pasakė mama. Atvesk jį čionai.

Kedė paėmė mane už pažastų.

Kelkis, Mo..., tai yra Bendži, pasakė ji.

Nedrįsk jo nešti, sudraudė mama. Ar negali jo čia atvesti? Ar
tau per sudėtinga šitai sugalvoti?

Aš galiu jį panešti, pasakė Kedė. – Dilze, leisk man nunešti jį
iki ten.

– Kurgi tau, maže, – tarė Dilzė. – Tu net ir blusos nepakel-
tum. Eikit ir nurimkit visi, kaip liepė ponas Džeisonas.

Laiptų viršuje degė šviesa. Ten buvo tėtis, vienmarškinis. Vi-
sa povyza jis bylojo – „Ša!" Kedė pašnibždomis paklausė:

– Ar mama serga?

Veršas nuleido mane ant grindų ir mes nuėjome į mamos kambarį. Ten liepsnojo ugnis. Ji kilo ir leidosi ant sienų. Kita ugnis liepsnojo veidrodyje. Užuodžiau ligą. Ji buvo tame audekle, kuris buvo uždėtas sulankstytas mamai ant galvos. Jos plaukai draikėsi ant pagalvės. Liepsna jų nesiekė, tik švysčiojo ant jos rankos, kur šokinėjo žiedai.

– Eikš palinkėk mamai labos nakties, – paliepė Kedė. Mes priėjome prie lovos. Liepsna iššoko iš veidrodžio. Tėtis pakilo nuo lovos, paėmė mane, ir mama uždėjo ranką man ant galvos.

– Kiek dabar valandų? – paklausė mama. Jos akys buvo užmerktos.

– Be dešimt septynios, – atsakė tėtis.

– Jam dar per anksti gultis, – tarė mama. – Pabus su aušra, o aš nebeištversiu kitos tokios dienos kaip ši.

– Na ką gi tu šneki, – pasakė tėtis. Ir palietė mamos veidą.

– Žinau, kad aš jums tik našta, – pradėjo mama. – Bet greit manęs jau nebebus. Ir niekas jūsų nebevargins.

– Nurimk, – tildė tėtis. – Nunešiu jį apačion. – Pakėlė mane. – Eime, vyruti. Pabūsime truputį apačioje. Turėsim netriukšmauti, kol Kventinas mokosi.

Kedė priėjo prie lovos ir nulenkė galvą prie mamos, o mamos ranka išniro ten, kur buvo židinio liepsna. Jos žiedai šokinėjo ant Kedės nugaros.

Mama serga, pasakė tėtis. Dilzė paguldys jus į lovą. Kur Kventinas?

Veršas nuėjo jo parvesti, pasakė Dilzė.

Tėtis stovėjo ir žiūrėjo, kaip mes einam pro jį. Girdėjome kambaryje dejuojant mamą.

– Tyliau, – tarė Kedė. Džeisonas vis kopia laiptais aukštyn. Jo rankos sukištos į kišenes.

– Šįvakar visi privalot būti geri, – pasakė tėtis. – Ir netriukšmauti, nevarginti mamos.

– Mes netriukšmausim, – pažadėjo Kedė. – Netriukšmauk, Džeisonai, – pridūrė.

Mes nutipenome pirštų galiukais.

Girdėjome stogą. Aš dar mačiau ir liepsnas veidrodyje. Kedė ir vėl mane pakėlė.

– Dabar eime, – pasakė ji. – Paskui galėsi grįžti prie ugnies. O dabar neverk.

– Kendise, – pašaukė mama.

– Ša, Bendži, – pasakė Kedė. – Mama kviečia tave trumpam. Būk geras vaikas. Paskui galėsi grįžti. Gerai?

Kedė pastatė mane ant grindų, ir aš nutilau.

– Tegu jis čia pabūna, mama. Kai jam pabos žiūrėti į liepsnas, pasakysite jam ką norit.

– Kendise, – ištarė mama. Kedė pasilenkė ir mane pakėlė. Mudu susverdėjom. – Kendise, – pakartojo mama.

– Nurimk, – pasakė Kedė. – Juk dar matai jas. Nurimk.

– Atvesk jį čia, – paprašė mama. – Jis per didelis, kad jį nešiotum. Daugiau nė nemėgink. Iškreipsi stuburą. Visos mūsų giminės moterys galėjo didžiuotis savo stotu. Ar nori tapti panaši į skalbėją?

– Jis nesunkus, – pasakė Kedė. – Aš galiu jį panešti.

– Aš draudžiu tau, – paprieštaravo mama. – Kad kas nešiotų penkerių metų vaiką! Ne, ne. Tik jau ne man ant kelių. Tegu pastovi.

– Jei palaikytumėt truputį jį ant kelių, jis liautųsi, – pasakė

Kedė. – Nurimk. Tuoj vėl ten grįši. Žiūrėk. Tavo pagalvėlė. Matai?

– Nereikia, Kendise, – paprašė mama.

– Leiskite jam žiūrėt į ją, ir jis nurims, – pasakė Kedė. – Palauk truputį, kol ją ištrauksiu. Štai, Bendži. Žiūrėk.

Aš žiūriu į ją ir nutilau.

– Tu per daug tenkini visus jo norus, – papriekaištavo mama. – Abu su tėvu. Jūs nesuprantate, kad už visa tai mokėsiu aš. Motutė šitaip sugadino Džeisoną, ir atprast jam prireikė dvejų metų. Nesu tokia stipri, kad tą patį ištverčiau su Bendžaminu.

– Jums visai nereikia dėl jo vargintis, – tarė Kedė. – Man patinka jį prižiūrėti. Ar ne taip, Bendži?

– Kendise, – sudraudė mama. – Juk liepiau nevadint jo šitaip. Gana, kad tėvas nesiliauja vadinęs tave tuo kvailu vardu, nenoriu, kad ir jo vardas būtų darkomas. Mažybiniai vardai vulgarūs. Tiktai prasčiokai juos vartoja. Bendžaminai, – pakėlė balsą. – Žiūrėk į mane, – paliepė. – Bendžaminai, – suėmė mano veidą rankomis ir pagręžė į save. – Bendžaminai, – pakartojo. – Padėk šalin tą pagalvę, Kendise.

– Jis verks, – pasakė Kedė.

– Padėk šalin tą pagalvę, aš tau liepiu, – įsakė mama. – Jis privalo išmokti paklusti.

Pagalvė dingo.

– Nurimk, Bendži, – pasakė Kedė.

– Eik ir atsisėsk ten, – liepė jai mama. – Bendžaminai. – Atgręžė mano veidą į savąjį.

– Liaukis, – pasakė ji. – Liaukis.

Bet aš nesilioviau, ir mama apkabino mane rankomis ir pravirko, aš irgi verkiau. Paskui pagalvėlė vėl sugrįžo, Kedė laikė ją iškėlusi virš mamos galvos. Ji atlošė mamą krėsle, ir mama gulėjo verkdama ant raudonos ir geltonos pagalvės.

– Nurimkit, mama, – pasakė Kedė. – Lipkit į viršų, atsigulkite ir sirkit. Aš nueisiu pakviesti Dilzės. – Ji nuvedė mane prie ugnies, ir aš žiūrėjau į švytinčius glotnius pavidalus. Girdėjau liepsnas ir stogą.

Tėtis pakėlė mane ant rankų. Jis kvepėjo lietumi.

– Na, Bendži, ar šiandien buvai geras berniukas? – paklausė.

Kedė ir Džeisonas grūmėsi veidrodyje.

– Liaukis, Kede, – sudraudė tėtis.

Juodu grūmėsi. Džeisonas pravirko.

– Kede, – sušuko tėtis.

Džeisonas verkė. Jis jau nebesigrūmė, bet veidrodyje mes matėme, kaip Kedė grūmėsi, tada tėtis nuleido mane ant grindų, žengė prie veidrodžio, jis irgi grūmėsi. Pakėlė Kedę. Ji nesiliovė. Džeisonas gulėjo ant grindų ir verkė. Rankose laikė žirkles. Tėtis laikė Kedę.

– Jis sukarpė visas Bendžio lėles, – rėkė Kedė. – Aš jam prarėšiu marmūzę.

– Kendise, – kreipėsi tėtis.

– Prarėšiu, – pakartojo Kedė. – Prarėšiu. – Ji grūmėsi. Tėtis ją laikė. Ji įspyrė Džeisonui. Šis nuriedėjo kampan, dingo iš veidrodžio. Tėtis privedė Kedę prie židinio. Jie visi dingo iš veidrodžio. Jame liko tik liepsnos. Atrodė kaip liepsnos tarpduryje.

– Liaukis, – pasakė tėtis. – Ar nori susargdinti mamą, ji viską girdi savo kambaryje.

Kedė liovėsi grūmusis.

– Jis sukarpė visas lėles, kurias mudu su Mo... Bendžiu pasidarėme, – pasakė Kedė. – Jis taip pasielgė tik iš pykčio.

– Ne iš pykčio, – teisinosi Džeisonas. Sėdėjo ant grindų ir verkė. – Aš nežinojau, kad jos Bendžio. Maniau, kad seni popieriai.

– Tu negalėjai nežinoti, – netikėjo juo Kedė. – Tu tyčia tai padarei...

– Nurimkit, – pasakė tėtis. – Džeisonai, – pridūrė.

– Aš iškarpysiu tau rytoj kitų, – guodė Kedė. – Mes jų prisidarysime daug daug. Eikš, žiūrėk, tavo pagalvėlė.

Įėjo Džeisonas.

Kiek kartų tau sakiau, kad nutiltum.

Kas gi dabar nutiko, paklausė Džeisonas.

– Jis tyčia mus erzina, – pasakė Lasteris. – Jis jau visą dieną taip daro.

– Tai ko tu vis prie jo pristoji? – paklausė Džeisonas. – Jei negali jo nuraminti, veskis virtuvėn. Juk negalime visi užsidaryti kambaryje kaip mama.

– Mamutė liepė išsivesti jį iš virtuvės, kol taiso vakarienę, – paaiškino Lasteris.

– Tada pažaisk su juo ir nutildyk, – pasakė Džeisonas. – Kiaurą dieną plušu, ir to dar negana: grįžtu į bepročių namus. – Atsivertė laikraštį ir ėmė jį skaityti.

Gali žiūrėti į židinį, į veidrodį, į pagalvėlę, pasakė Kedė. Nereikia laukti vakarienės, kad galėtum žiūrėti į pagalvėlę. Mes girdėjome stogą. Ir kaip Džeisonas garsiai verkė už sienos.

Dilzė pakvietė:

– Džeisonai, ateikit. O tu duok jam ramybę, girdi?

– Gerai, – atsakė Lasteris.

– Kur Kventinė? – paklausė Dilzė. – Vakarienė tuoj bus patiekta.

– Nežinau, – pasakė Lasteris. – Aš nemačiau jos.

Dilzė išėjo.

– Kventine, – pašaukė koridoriuje. – Kventine. Vakarienė jau gatava.

Mes girdėjome stogą. Kventinas irgi kvepėjo lietumi.

Ką Džeisonas padarė, paklausė jis.

Sukarpė visas Bendžio lėles, atsakė Kedė.

Mama liepė nevadinti jo Bendžiu, pasakė Kventinas. Jis sėdėjo greta mūsų ant kilimėlio. Kad nors nelytų, pasakė. Bet ką čia padarysi.

Mušeisi, paklausė Kedė. Taip?

Nesmarkiai, atsakė Kventinas.

Galėtum ir prisipažinti, pasakė Kedė. Tėtis vis tiek pamatys.

Man nerūpi, atšovė Kventinas. Norėčiau, kad nelytų.

– Ar Dilzė jau kvietė vakarieniauti? – paklausė Kventinė.

– Taip, – atsakė Lasteris. Džeisonas pažiūrėjo į Kventinę. Paskui vėl įniko skaityti laikraštį. Kventinė įėjo. – Ji sakė, kad vakarienė jau beveik gatava, – pridūrė Lasteris.

Kventinė įšoko į mamos krėslą. Lasteris prabilo:

– Pone Džeisonai.

– Ką? – paklausė Džeisonas.

– Duokit man dvidešimt penkis centus, – paprašė.

– Kam? – paklausė Džeisonas.

– Nueiti šiandien į vaidinimą, – paaiškino Lasteris.

– O aš maniau, kad Dilzė išprašys tau ketvirtuką iš Fronės, – pasakė Džeisonas.

– Ji paprašė, – aiškino Lasteris. – Aš jį pamečiau. Mudu su Bendžiu ieškojome jo visą dieną. Galite jo paklausti.

– Tai iš jo ir pasiskolink, – atrėžė Džeisonas. – Aš savąjį

turiu užsidirbti. – Ir toliau skaitė laikraštį. Kventinė žvelgė į židinio liepsnas. Jos švysčiojo jos akyse ir ant lūpų. Lūpos buvo raudonos.

– Stengiausi kaip galėdamas, kad jis ten neitų, – teisinosi Lasteris.

– Užsičiaupk, – atrėžė Kventinė. Džeisonas pažvelgė į ją.

– Pameni, ką sakiau tau padarysiu, jei dar kartą pamatysiu su tuo tipu iš keliaujančio teatro? – paklausė jis. Kventinė žiūrėjo į židinio liepsnas. – Ar girdi? – perklausė.

– Girdžiu, – atsakė Kventinė. – Tai ko laukiate?

– Nebijok, – tarė Džeisonas.

– Aš nebijau, – atšovė Kventinė.

Džeisonas ir vėl įniko skaityti laikraštį.

Girdėjau stogą. Tėtis palinko į priekį, žiūri į Kventiną.
Sveikas, pasakė. Kas laimėjo?

– Niekas, – atsakė Kventinas. – Jie mus išskyrė. Mokytojai.

– Kas jis buvo? – paklausė tėtis. – Ar pasakysi?

– Viskas vyko sąžiningai, – pasakė Kventinas. – Jis buvo ne mažesnis už mane.

– Puiku, – tarė tėtis. – Ar gali pasakyti, dėl ko visa įvyko?

– Dėl niekų, – atsakė Kventinas. – Jis sakė, kad įdės jai į stalą varlę, o ji nedrįs išplakti jo rykštėmis.

– O! – ištarė tėtis. – Ji. Na, o paskui?

– Na, – atsakė Kventinas, – tada aš jį apkūliau.

Mes girdėjome stogą, liepsnas ir šniurkščiojant už durų.

– Kurgi jis būtų radęs varlę lapkričio mėnesį? – paklausė tėtis.

– Nežinau, – atsakė Kventinas.

Mes girdėjome šniurkščiojant.

– Džeisonai, – pašaukė tėtis. Išgirdome Džeisoną.

– Džeisonai, – pakartojo tėtis. – Eikš čionai ir liaukis šitaip daręs.
Girdėjome stogą, ugnį ir Džeisoną.

– Liaukis, – sudraudė tėtis. – Ar nori, kad vėl išperčiau? –
Tėtis pakėlė Džeisoną ir pasisodino į krėslą šalia savęs. Džeisonas šniurkščiojo. Girdėjome liepsnas ir stogą. Džeisonas ėmė šniurkščioti garsiau.

– Tik pamėgink dar kartą, – pasakė tėtis.
Girdėjome liepsnas ir stogą.

*Dilzė pasakė, na štai. Dabar jau galite sėstis vakarieniauti.
Veršas kvepėjo lietumi. Dar jis kvepėjo šunimi. Girdėjome
liepsnas ir stogą.*

Išgirdome skubrius Kedės žingsnius. Tėtis ir mama pažvelgė
į duris. Kedė praėjo pro jas skubėdama. Net nepažvelgė. Skubinai nužingsniavo.

– Kendise, – pašaukė mama. Kedė sustojo.

– Taip, mama, – atsakė ji.

– Nereikia, Kerolaina, – pasakė tėtis. – Palik ją.
Kedė priėjo prie durų ir sustojo, žiūrėdama į tėtį ir mamą.
Paskui jos akys nukrypo į mane, tada į šalį. Aš pravirkau. Verkiau kaskart garsiau, atsistojau. Kedė įėjo, atsirėmė į sieną, žiūrėjo į mane. Priėjau prie jos verkdamas, o ji susigūžė prie sienos, pamačiau jos akis ir pravirkau dar garsiau, traukiau ją už suknelės. Ji ištiesė priekin rankas, bet aš ją traukiau už suknelės. Jos akys bėgo.

Dabar tavo vardas Bendžaminas, pasakė Veršas. Ar žinai, kodėl dabar vadiniesi Bendžaminu? Jie nori, kad taptum negru su mėlynomis dantenomis*. Mamutė sakė, kad kitados tavo sene-

---

*Negrai su mėlynomis dantenomis *(bluegum negroes)* Amerikos pietuose
buvo laikomi ypač nuožmiais, o jų įkandimas nuodingas.

lis perkrikštijo vieną negrą, ir jis tapo pastoriumi, o kai jie pa-
žiūrėjo į jį, jo dantenos irgi buvo mėlynos. Nors iš prigimties
toks nebuvo. O kai besilaukiančios moterys pažvelgdavo jam į
akis per mėnulio pilnatį, vaikiai irgi gimdavo su mėlynomis dan-
tenomis. Ir kai toje vietovėje prisirinko dvylika vaikų su mėly-
nomis dantenomis, jis vieną vakarą nepargrįžo namo. Oposu-
mų medžiotojai rado jį miške, nugrauztą iki kaulelių. O žinai,
kas jį nugraužė? Tie vaikai su mėlynomis dantenomis.

Mes stovime koridoriuje. Kedė vis dar žiūri į mane. Delną
prispaudusi prie lūpų, bet aš matau jos akis ir verkiu. Užkopė-
me laiptais. Ji vėl sustojo, atsirėmė į sieną ir žiūri į mane, o aš
verkiu, ji nužingsniavo toliau, aš einu jai iš paskos, verkiu, ir ji
susigūžė prie sienos, žiūri į mane. Atidarė duris į savo kambarį,
bet aš įsikibau jai į suknelę, ir mudu nuėjome į vonią, ji atsisto-
jo prie durų, žiūri į mane. Paskui užsidengė veidą ranka, o aš
stumiu ją ir verkiu.

Ką tu darai jam, paklausė Džeisonas. Ko negali nuo jo atstoti?

Aš neprisiliečiau prie jo, pasakė Lasteris. Jis visą dieną buvo
toks. Jam bizūno reikia.

Reikia išsiųsti jį į Džeksoną, pasakė Kventinė. Kaip galima
gyventi tokiuose namuose?

Jei jis tau nepatinka, panele, verčiau jau tu išeik, pasiūlė Džei-
sonas.

Aš tai ir ketinu padaryti, atšovė Kventinė. Nesirūpinkit.

– Pasitrauk biškį, kad kojas galėčiau išsidžiovint, – pasakė
Veršas. Stumtelėjo mane atgal. – Ir nepradėk bliaut. Juk vis
tiek jas matai. Nieko kito ir nedarai. Tau nereik mirkt lietuj
kaip man. Gimei laimingas ir to net nenutuoki.

Jis gulėjo aukštielninkas priešais ugnį.

– Dabar žinai, kodėl Bendžaminu vadiniesi, – toliau kalbėjo Veršas. – Tavo mama pernelyg jau tavimi didžiuojasi. Taip mamutė sako. Sėdėk ramiai ir leisk man išsidžiovinti kojas. O tai žinai, ką padarysiu. Subinę pagramdysiu.

Girdėjome liepsnas, stogą ir Veršą.

Veršas skubiai pašoko ir trūktelėjo kojas atgal. Tėtis pasakė:

– Viskas gerai, Veršai.

– Aš pamaitinsiu jį šįvakar, – pasakė Kedė. – Jis kartais verkia, kai jį maitina Veršas.

– Užnešk viršun šitą padėklą, – paprašė Dilzė. – Ir tuoj pat grįžk maitinti Bendžio.

– Ar nori, kad Kedė tave pamaitintų? – paklausė Kedė.

Ar jam taip būtina laikyti ant stalo tą purviną batelį, paklausė Kventinė. Kodėl jūs nemaitinat jo virtuvėje? Tarsi su kiaule valgytum.

Jeigu tau nepatinka, kaip mes valgom, neik prie stalo, išrėžė Džeisonas.

Nuo Roskaus kyla garas. Jis sėdi priešais krosnį. Orkaitės durelės atviros, o jis įkišęs į ją kojas. Iš dubens kyla garas. Kedė švelniai įkišo man į burną šaukštą. Dubens viduj juoduoja įskilimas.

Nurimk, nurimk, pasakė Dilzė. Jis tau daugiau neįkyrės.

Tai nusileido žemiau ribos. O paskui dubuo buvo tuščias. Tai išnyko.

– Šįvakar jis išalkęs, – pasakė Kedė.

Dubuo sugrįžo. Nebemačiau to įskilimo. Paskui išvydau vėl.

– Šįvakar jis tiesiog peralkęs, – pakartojo Kedė. – Žiūrėkit, kiek suvalgė.

Įkyrės, atsakė Kventinė. Jūs visi siunčiate jį, kad mane šnipinėtų. Nekenčiu šitų namų. Aš pabėgsiu.

Roskus pasakė:

– Dabar jau lis kiaurą naktį.

Tu vis bėgi ir bėgi, bet nubėgi ne toliau pietų arba vakarienės stalo, pasakė Džeisonas.

Dar pamatysit, atšovė Kventinė.

– Tada aš nežinau, ką veiksiu, – pasakė Dilzė. – Šlaunį taip surakino, kad vos bepajudu. Kiaurą vakarą tais laiptais vis aukštyn žemyn.

Nenustebčiau, pasakė Džeisonas. Iš tavęs visko galima tikėtis.

Kventinė numetė servetėlę ant stalo.

Patylėkite, Džeisonai, pasakė Dilzė. Priėjo prie Kventinės, apkabino. Sėskis, širdele, pasakė. Jam reiktų gėdytis priekaištauti tau dėl to, dėl ko tu nekalta.

– Ir vėlek ji niurzga, – tarė Roskus.

– Užčiaupk srėbtuvę, – nutildė jį Dilzė.

Kventinė nustūmė Dilzę. Pažvelgė į Džeisoną. Jos lūpos buvo raudonos. Ji pakėlė stiklinę su vandeniu ir, žiūrėdama į Džeisoną, patraukė ranką. Dilzė čiupo jos ranką. Jiedvi susigrūmė. Atsitrenkusi į stalą, stiklinė sudužo, vanduo pasiliejo per stalą. Kventinė bėgo.

– Mama vėl serga, – pasakė Kedė.

– Žinoma, – atsakė Dilzė. – Tokiu oru bet kas susirgtų. Ar greitai baigsi valgyti, vaikel?

Kad jus kur, šaukė Kventinė. Kad jus kur. Girdėjome, kaip ji bėga laiptais. Įėjome į biblioteką.

Kedė padavė man pagalvėlę, ir aš galėjau žiūrėti į ją, į veidrodį ir į židinį.

– Kai Kventinas mokosi, mes turim netriukšmauti, – pasakė tėtis. – Ką darai, Džeisonai?

– Nieko, – atsakė Džeisonas.

– O jeigu ateitum daryti tai čionai?

Džeisonas išlindo iš kampo.

– Ką kramtai? – paklausė tėtis.

– Nieko, – atsakė Džeisonas.

– Jis ir vėl kramto popierių, – pasakė Kedė.

– Eikš čionai, Džeisonai, – pakvietė tėtis.

Džeisonas įmetė tai į ugnį. Sušnypštė, išsivyniojo, pajuodavo. Paskui dingo. Kedė, tėtis ir Džeisonas sėdėjo mamos krėsle. Džeisono akys buvo paburkusios, užmerktos, o burna krutėjo taip, tarsi jis kažin ką ragautų. Kedė laikė padėjusi galvą tėčiui ant peties. Jos plaukai kaip liepsnos, ir liepsnos žiburiukai švysčiojo jos akyse, aš priėjau, tėtis užsikėlė ant krėslo ir mane, o Kedė mane apkabino. Ji kvepėjo medžiais.

Ji kvepėjo medžiais. Kampe tamsu, bet aš įžiūriu langą. Susigūžiu, laikydamas batelį. Aš nematau jo, bet mano rankos mato, ir aš girdžiu, kaip atslenka naktis, o mano rankos mato batelį, bet pats aš jo nematau, o mano rankos mato, ir aš gūžiuosi, klausydamas, kaip temsta.

Tai štai kur tu, pasakė Lasteris. Žiūrėk, ką aš turiu. Ir parodė man kažką. Žinai, iš kur gavau? Panelė Kventinė man davė. Žinojau, kad jie negali manęs neleisti. Ką gi tu čia veiki? O aš maniau, kad išsmukai pro duris. Ar neprisivaitojai ir neprisiseilėjai į valias šiandieną, kad slapstaisi šitam tuščiam kambary, vapi ir kniauki? Eik lovon, kad spėčiau nueiti ten iki prasidedant vaidinimui. Šiandien neturiu laiko su tavim kvailioti. Vos tik užgaus trimitai, ir manęs čia – nė kvapo.

Nuėjome ne į vaikų kambarį.

– Čia mes sergame tymais, – pasakė Kedė. – Kodėl mums reikia šiąnakt čia miegoti?

– Koks gi jums skirtumas, kur miegoti? – paklausė Dilzė. Ji uždarė duris, atsisėdo ir ėmė mane nurenginėti. Džeisonas pravirko. – Ša, – tildė jį Dilzė.

– Aš noriu miegoti su motute, – zirzė Džeisonas.

– Ji serga, – paaiškino Kedė. – Galėsi su ja miegoti, kai ji pasveiks. Taip, Dilze?

– O dabar ša, – pasakė Dilzė. Džeisonas nutilo.

– Čia mūsų naktiniai marškinėliai ir viskas, – pasakė Kedė. – Lyg būtume čia persikėlę.

– Tai ir vilkitės juos, – paliepė Dilzė. – Atsagstykite Džeisonui sagas.

Kedė atsagstė Džeisonui sagas. Jis pravirko.

– Prašaisi beržinės košės, – pagrasino Dilzė. Džeisonas nutilo.

Kventine, pašaukė mama iš koridoriaus.

Ką, atsišaukė Kventinė kitapus sienos. Mes girdėjome, kaip mama užrakino duris. Ji įkišo galvą į mūsų kambarį, paskui įėjo, sustojo prie lovos ir pabučiavo mane į kaktą.

Kai paguldysi jį, nueik ir paklausk Dilzės, gal ji galėtų paruošti man karšto vandens butelį, pasakė mama. Pasakyk jai: jeigu negali, tai pamėginsiu apsieiti. Pasakyk, kad aš tik noriu žinoti.

Gerai, ponia, atsakė Lasteris. Na, maukis kelnes.

Įėjo Kventinas su Veršu. Kventinas buvo nusigręžęs.

– Ko tu verki? – paklausė Kedė.

– Ša, – pasakė Dilzė. – O dabar visi nusirenkite. Gali eiti namo, Veršai.

Nusirengęs žiūriu į save ir pravirkau. Ša, ramino mane Laste-

ris. Neverta jų ieškoti. Jų nebėra. Jei ir toliau šitaip darysi, nebešvęsim tavo gimtadienio. Jis užvilko man naktinius marškinius. Aš nutilau, tada Lasteris stabtelėjo, pasisukęs į langą. Paskui nuėjo prie lango ir pažiūrėjo. Grįžo, paėmė mane už rankos. Matai ją, paklausė. Tik tyliai. Mudu priėjome prie lango, pažvelgėme pro jį. Kažkas išlindo pro Kventinės langą ir įlipo į medį. Stebėjome, kaip medis virpa. Virpesys nusileido iki apačios, paskui atsiskyrė nuo medžio ir mes stebėjome, kaip jis nuslinko per žolę. Paskui jo jau nebematėme. Na, pasakė Lasteris. Ar jau girdi trimitus? Grįžk lovon, kol man padai nepanižo.

Lovos buvo dvi. Kventinas atsigulė į antrąją. Nusigręžė į sieną. Dilzė paguldė greta jo Džeisoną. Kedė nusivilko suknelę.

– Tik pažiūrėk į savo kelnaites, – tarė Dilzė. – Džiaukis, kad mama jų nemato.

– Aš jau apskundžiau ją, – pasakė Džeisonas.

– Nenuostabu, – atsakė Dilzė.

– Ir ką už tai gavai? – paklausė Kedė. – Skundikas!

– Ką aš už tai gavau?

– Kodėl nesivelki naktinių marškinių? – paklausė Dilzė. Ji priėjo ir padėjo Kedei nusivilkti liemenėlę ir kelnaites. – Tik pažiūrėk į save, – pasakė Dilzė. Sugniaužė kelnaites ir patrynė jomis Kedės užpakalį. – Visas purvas persigėrė kiaurai, – pridūrė. – Bet šįvakar jokios vonios nebus. Nagi! – Apvilko Kedę naktiniais marškiniais, Kedė įlipo į lovą, o Dilzė nuėjo prie durų ir atsistojo, pakėlė ranką užgesinti šviesos. – O dabar kad nė garso negirdėčiau, – paliepė.

– Gerai, – pasakė Kedė. – Mama šįvakar neateis, vadinasi, visi dar turite klausyti manęs.

– Taip, – patvirtino Dilzė. – O dabar miegokite.

– Mama serga, – pasakė Kedė. – Jiedvi abi su motute serga.
– Ša, – pasakė Dilzė. – Miegokite.

Kambarys pasidarė visas juodas, išskyrus duris. Paskui pajuodavo ir durys.

– Ša, Mori, – pasakė Kedė ir uždėjo ant manęs ranką. Tada ir nutilau. Girdėjome save pačius. Ir dar girdėjom tamsą.

Tamsa išnyko, ir į mus žvelgė tėtis. Iš pradžių į Kventiną ir Džeisoną, paskui priėjo prie Kedės, pabučiavo ją ir uždėjo ranką man ant galvos.

– Ar mama labai serga? – paklausė Kedė.
– Ne, – atsakė tėtis. – Ar mokėsi kaip reikia prižiūrėti Morį?
– Taip, – tarė Kedė.

Tėtis nuėjo prie durų ir vėl pažvelgė į mus. Paskui užėjo tamsa, ir jis stovėjo juodas tarpdury, o paskui durys vėl pajuodo. Kedė laikė mane, ir aš girdėjau mus visus, tamsą, ir kažką, ką užuodžiau. O paskui pamačiau langus, kur šnarėjo medžiai. Tada tamsa pamažėle pavirto tais glotniais švytinčiais pavidalais, kaip ji daro visada, net ir tada, kai Kedė sako, kad aš jau užmigau.

1910, birželio antroji

Kai lango staktos šešėlis nukrito ant užuolaidos, buvo jau po septynių, ir aš vėl pasijutau esąs laike, išgirdau tiksint laikrodį. Jis buvo senelio, ir atiduodamas jį man tėvas pasakė: įteikiu tau visų vilčių, visų troškimų mauzoliejų, labiau nei apmaudžiai tikėtina, kad tu pasinaudosi juo, siekdamas žmogiškosios patirties *reducto absurdum**, ir tavo asmeniniai poreikius jis patenkins ne ką daugiau, nei patenkino jo ar jo tėvo poreikius. Duodu jį tau ne tam, kad visad prisimintum laiką, o kad retkarčiais jį trumpam pamirštum ir neeikvotum jam įveikti viso savo įkarščio. Nes kovos niekada nebūna laimimos, pridūrė. Jos netgi nekovojamos. Mūšio laukas tiktai parodo žmogui jo neviltį ir beprotybę, o pergalė – filosofų ir kvailių iliuzija.

Laikrodis buvo atremtas į apykaklių dėžę, o aš gulėjau ir jo klausiausi. Veikiau girdėjau jį. Nemanau, kad kas sąmoningai kada nors klausosi rankinio arba sieninio laikrodžio. Tai nebūtina. Gali ilgam pamiršti jo garsą, tačiau pakanka sekundės, kad tas tik tak atkurtų sąmonėje visą tavo neišgirstų tolydžio mąžtančių sekundžių bėgsmą. Kaip, anot tėčio, tuose ilguose, vienišuose šviesos spinduliuose gali išvysti žengiant Jėzų. Ir ma-

*Iškreiptas lotyniškas posakis *reductio ad absurdum* – privedimas prie nesąmonės.

loningąjį šventą Pranciškų, pavadinusį mirtį Sesute, nors sesers niekad neturėjo*.

Girdėjau, kaip už sienos sugirgždėjo Šrivo čiužinio spyruoklės, paskui, kaip per grindis nutapsėjo jo šlepetės. Atsistojau, nužengiau prie komodos, brūkštelėjau per ją ranka, užčiuopiau laikrodį, apverčiau jį ciferblatu žemyn ir vėl grįžau į lovą. Bet lango staktos šešėlis neišnyko, o aš išmokau spėti laiką pagal jį kone minutės tikslumu, tad gavau pasisukti į jį nugara; kai jis buvo viršuj, jaučiau niežtint akis, kurias gyvūnai kitados turėdavo pakaušyje. Sunkiausiai visada skiriesi su dykinėjimo įpročiais. Taip sakė tėtis. Ir tasai Kristus nebuvo nukryžiuotas: tik visiškai išsekintas uolaus mažų ratukų tik tak. Jis, neturėjęs sesers.

Vos suvokiau, kad jo nebematau, kai man parūpo, kiek dabar valandų. Tėtis minėjo, kad nuolatinis knietulys žinoti tų kaprizingo ciferblato mechaninių rodyklių padėtį – intelekto veiklos požymis. Išskyros, kaip ir prakaitas, sakė tėtis. Na ir tegu, tariau sau. Knietėk. Knietėk toliau.

Jeigu dangus būtų aptrauktas debesų, žiūrėdamas pro langą galėčiau mąstyti apie tai, ką jis kalbėjo apie dykinėjimo įpročius. Galvoti, kad jiems bus smagu tenai, Niu Londone**, jei ir toliau išsilaikys toks oras. Kodėl gi jam neišsilaikius? Nuotakų mėnuo, balsas tyliai skambėjęs*** *Ji išbėgo tiesiai iš veidrodžio,*

*Teigiama, kad mirdamas šventasis Pranciškus Asyžietis pasakė: „Būk pasveikinta, mano sesuo mirtie".
**Miestas Konektikuto valstijoje ant Temzės kranto, kur kasmet vyksta regatos: per jas varžosi Harvardo ir Yale'io universitetai.
***Vėliau (87 p.) Kventinas užbaigia šį sakinį: „Balsas, tyliai skambėjęs virš Edeno". Žr. pirmąją Johno Keble'io (1792–1866) eilėraščio „Šventoji santuoka" eilutę. Šis pirmasis jo posmas dažnai giedamas Jungtinėse Valstijose per vestuvių ceremoniją. Žr. taip pat *Pr* 3, 8.

iš aromatų tirščio. Rožės. Rožės. Ponas ir ponia Džeisonai Ričmondai Kompsonai praneša, kad vestuvės. Rožės. Jos nėra tyros, kaip sedula, karpažolė. Aš juk pasakiau, kad įvykdžiau kraujomaišą, tėve, aš pasakiau. Rožės. Klastingos, tylios. Jei, pasimokęs Harvarde metus, nepamatei irklavimo varžybų, turėtum atgauti pinigus už mokslą. Tegu juos Džeisonas pasiima. Tepasimoko metus Harvarde.

Šrivas stovi tarpduryje ir segasi apykaklę, akiniai rausvai žvilga, tarsi jis būtų juos nusimazgojęs drauge su veidu:

– Nusprendei šįryt nusiplauti nuo paskaitų?

– Argi jau taip vėlu?

Jis pažvelgė į savo laikrodį:

– Skambutis – po dviejų minučių.

– Nemaniau, kad jau taip vėlu. – Jis vis dar žiūri į laikrodį. Išsiviepia. – Teks pasiskubinti. Daugiau negaliu praleisti. Dekanas įspėjo praėjusią savaitę...

Jis įsikišo laikrodį į kišenę. Tada aš nutilau.

– Tai maukis kelnes ir varyk, – pasakė. Ir išėjo.

Aš atsikėliau ir šliurinau po kambarį, klausydamasis jo už sienos. Įėjo į svetainę*, žengė prie durų:

– Tu dar nepasiruošęs?

– Dar ne. Bėk. Aš pasivysiu.

Šrivas išėjo. Durys užsivėrė. Koridoriumi nuaidėjo jo žingsniai. Paskui ir vėl išgirdau tiksint tą laikrodį. Lioviausi šliurinęs po kambarį, nužingsniavau prie lango, atitraukiau užuolaidas ir spoksau, kaip jie skuodžia koplyčion, – vis tie patys, vis gau-

---

*Didžiuosiuose Amerikos universitetuose studentai dažniausiai gyvendavo po du nedideliuose butuose iš dviejų atskirų kambarių ir juos skiriančio bendro kambario, kuris atstodavo svetainę.

do tas pačias švarkų rankoves, besiplaikstančias, su tomis pačiomis knygomis, atsegtomis apykaklėmis – plūsta lyg lūženos po potvynio, ir Spoudas drauge su jais. Spoudas vadina Šrivą mano vyru. Na duok tu jam ramybę, sako Šrivas, jei jis pakankamai protingas nelakstyti paskui tas purvinas kekšes, kokia kam bėda. Pietuose gėda neprarasti skaistybės. Vaikinukams. Vyrams. Jie mums pripasakoja apie tai aibes nebūtų dalykų. Nes moterims šitai ne taip svarbu, sakė tėtis. Jis sakė, kad nekaltybę išgalvojo vyrai, o ne moterys. Tėtis sakė, kad tai – tarsi mirtis, būvis, kai atsiskiri nuo kitų, paprasčiausiai palieki juos, o aš paklausiau Ir negi šitai nieko nereiškia, o jis atsakė Būtent todėl viskas taip liūdna, ne vien tik nekaltybė, o aš tariau Kodėl ne aš, o ji prarado nekaltybę? Ir jis pasakė Būtent todėl tai šitaip liūdna; nėra nieko, ką būtų verta keisti, o Šrivas ir sako: jei jis pakankamai protingas, kad nelaksto paskui tas purvinas kekšes, o aš jam pasakiau Ar esi kada nors turėjęs seserį? Ar esi? Ar esi?

Spoudas tarp jų – kaip balų vėžlys gatvėje, pilnoje lekiančių nublokštų lapų: apykaklė pakelta iki ausų, jis eina neskubėdamas, kaip visada. Jis iš Pietų Karolinos ir mokosi paskutinius metus. Jo klubo bendrai didžiuojas, kad jis niekad nebėga tekinom į koplyčią, niekada neateina ten laiku, per ketverius metus nėra praleidęs nė vienos paskaitos ir niekad neateina į koplyčią ar į pirmą paskaitą su marškiniais ar puskojinėmis. Apie dešimtą jis ateidavo į Tompsono kavinę, užsisakydavo du puodelius kavos, atsisėsdavo, išsitraukdavo iš kišenės puskojines, nusiaudavo batus ir, kavai auštant, jas apsimaudavo. Apie vidurdienį jau būdavo su marškiniais ir su apykakle, kaip ir visi kiti. Kiti jį lenkdavo bėgte, tačiau jis niekad nepaspartindavo žingsnio. Galiausiai kiemas ištuštėjo.

Žvirblis įkypai perskrido per saulės spindulį, nutūpė ant palangės, spokso į mane pakreipęs galvą. Jo akis apskrita ir žvilganti. Iš pradžių žiūrėjo į mane viena akim, paskui tik krypt! Ir jau kita akis įdurta į mane, o gerklė tvinksi greičiau už bet kokį pulsą. Bokšto laikrodis ėmė mušti valandas. Žvirblis liovėsi kraipęs galvą ir žvelgė į mane vis ta pačia akim, kol tie dūžiai nuščiuvo, tarsi irgi būtų jų klausęsis. Paskui tik purpt nuo palangės ir dingo.

Paskutinis bokšto laikrodžio dūžis nuščiuvo ne iš karto, kiek pavirpėjo. Jis dar ilgai tvyrojo ore, veikiau jaučiamas negu girdimas. Kaip ir visi varpai, dar virpa ilguose gęstančiuose spinduliuose, Jėzus ir šventasis Pranciškus, kalbantis apie savo seserį. Nes jei tai būtų tik tiesiai pragaran ir daugiau nieko. Jeigu tai būtų viskas. Baigta. Jeigu dalykai pasibaigtų patys. Nieko daugiau, tik ji ir aš. Jeigu tik mudu būtume galėję padaryti ką nors tokio klaikaus, kad jie visi pabėgtų iš pragaro, palikę mudu du. *Aš įvykdžiau kraujomaišą, tėve, tariau, tai buvau aš, o ne Daltonas Eimsas* Ir kai jis įbruko man Daltonas Eimsas. Daltonas Eimsas. Daltonas Eimsas. Kai jis įbruko man į ranką pistoletą, aš to nepadariau. Būtent todėl nepadariau. Jis būtų čia, kur ji ir aš. Daltonas Eimsas. Daltonas Eimsas. Daltonas Eimsas. Jeigu tik mudu būtume galėję padaryti ką nors tokio klaikaus, ir tėtis tarė Tai irgi liūdna, kad žmonės negali padaryti nieko labai klaikaus, kad jie išvis nesugeba atlikti nieko labai klaikaus, jie netgi prisiminti nesugeba rytojaus dieną, kas šiandien jiems atrodė taip klaiku, ir aš tariau Juk visada gali iš visko išsisukti, o jis pasakė Nejaugi? Aš pažvelgsiu žemyn, išvysiu šnarančius savo kaulus ir gilius vandenis kaip vėją, kaip vėjo padangtę, o po daugybės metų jie jau nebeatskirs net mano kaulų tam vienišam ir nelytėtam smėly. Kol Tądien, kai Jis ištars Kelkitės*, paviršiun išplauks tik laidynė. Ir ne tada, kai tu suvoki, kad niekas nebegali tau padėti – religija, išdidumas, bet kas, – o tada, kai suvoki, kad tau jokios pagalbos nebereikia. Daltonas Eimsas. Daltonas Eimsas. Daltonas Eimsas. O kad būčiau galėjęs būti jo motina, gulinti, jo tėvą pasitikti atvertu ir pakeltu kūnu, besijuokianti, nustumčiau jo tėvą ranka, jį sulaikyčiau, matydamas, stebėdamas, kaip jisai miršta, net nepradėjęs gyventi. *Minutę ji sustingo tarpduryje*

Nuėjau prie komodos, paėmiau laikrodį, vis dar ciferblatu žemyn. Trenkiau jo stiklą į komodos kampą, suglėbiau delnu šukes, subėriau jas į peleninę, susukęs ištraukiau rodykles ir įmečiau į peleninę. Laikrodis ir toliau tiksėjo. Atverčiau jį, o tuščias ciferblatas su tais mažais ratukais už jo vis spragsi nežinia ko, spragsi. Jėzus eina per Galilėją, o Vašingtonas niekad nemeluoja. Tėtis atvežė Džeisonui iš Sent Luiso mugės laikrodžio grandinėlę su karuliu – mažyčiais teatro žiūronėliais: primerkęs vieną akį, išvysdavai dangoraižį, apžvalgos ratą, panašų į voratinklį, Niagaros krioklius – viskas sutilpo ant smeigtuko galvutės. Ant ciferblato – raudona dėmė. Kai pamačiau ją, man veriamai sugėlė nykštį. Padėjau laikrodį ir nuėjau į Šrivo kambarį, paėmiau jodo tirpalo, patepiau įpjovą. Stiklo likučius iš rėmelio išėmiau rankšluosčiu.

Ištraukiau dvi poras apatinių baltinių, puskojinių, marškinių, apykaklių, kaklaraiščių ir sukroviau į lagaminą. Sudėjau į jį viską, išskyrus naująją eilutę ir vieną seną bei dvi batų poras, dvi skrybėles ir knygas. Knygas nunešiau į svetainę ir sukroviau ant stalo, tas, kur atsivežiau iš namų, ir tas *tėtis sakė, kad*

*Žr. *Apr,* 20, 13.

kitados džentelmeną atpažindavo iš jo knygų, o dabar atpažįsta
iš tų, kurių negrąžino užrakinau lagaminą, pridėjau adresą.
Bokšto laikrodis išmušė ketvirtį valandos. Stovėjau ir klausiausi tų dūžių, kol jie nuščiuvo.

Išsimaudžiau, nusiskutau. Vanduo kiek atgaivino perštėjimą nykštyje, ir aš patepiau jį dar kartą. Apsivilkau naująją eilutę, pasiėmiau laikrodį, kitą eilutę ir tualeto reikmenis, skustuvą bei šepetėlius sudėjau į rankinį krepšį, lagamino raktelį įvyniojau į popierių, įdėjau vokan ir užrašiau ant voko tėvo adresą; parašiau dar du laiškelius ir užantspaudavau.

Šešėlis dar nebuvo nuslinkęs nuo prieangio. Sustojau tarpduryje ir žiūrėjau, kaip jis traukiasi. Jis kone matomai judėjo: slinko vidun, stūmė atgal prie durų mano šešėlį. *Tiktai kai*
išgirdau tai, jinai jau bėgo. Ji bėgo veidrodyje dar prieš man
suvokiant, kas tai. Taip greitai, persimetusi per ranką valktį,
išbėgo iš veidrodžio kaip debesis, šydas tik sūkuriavo ilgais blyksniais, kulniukai skubriai švysčiojo, kita ranka gniaužė suknelę
ant peties, bėgo iš veidrodžio, iš rožių, rožių aromatas, balsas,
tyliai skambėjęs virš Edeno. Paskui nubėgo per verandą, ir aš
nebegirdėjau jos kulniukų, o mėnesienoj tarsi debesis plaukė
šydo šešėlis, slinko per žolę, tiesiai į tą bliovimą. Išbėgo iš suknelės, bėgo, sugniaužus šydą, į tą bliovimą, kur Ti Pi rasoje Oooch,
Bendži, gerk sarsparilės bliaunančiam prie dėžės. Tėtis bėgo su
V pavidalo sidabrine kirasa ant krūtinės

Šrivas nustebo:

– Kaip, tu ne... Eini į vestuves ar į budynes?

– Nespėjau, – pasiteisinau.

– Kurgi suspėsi, šitaip čiustytis! Kas tau nutiko? Ar manai, kad šiandien sekmadienis?

– Tikiuosi, policija nesuims už tai, kad apsivilkau naują eilutę, – tariau.

– Aš galvojau apie Harvardo studentus. Jie laiko tave harvardiečiu. Ar šitaip išpuikai, kad paskaitos tau jau nė motais?

– Pirmiausia eisiu pavalgyti.

Šešėlis išnyko iš prieangio. Žengiau saulėkaiton, mano šešėlis vėl išniro. Nužengiau laiptais, tiesiai priešais jį. Bokšto laikrodis mušė pusvalandį. Paskui nuščiuvo ir išnyko.

Diakono ir pašte nebuvo. Užantspaudavau abu vokus: vieną pasiunčiau tėvui, o laišką Šrivui įsidėjau į vidinę kišenę, tada prisiminiau, kur paskutinį kartą mačiau Diakoną. Apdovanojimų dieną* jis vilkėjo G.A.R.** uniforma ir žengė eisenos viduryje. Tik palūkėk ilgiau ties bet kuriuo kampu ir pamatysi jį bet kurioje eisenoje. Prieš tai dar buvo Kolumbo ar Garibaldžio, ar kažkieno kito metinės. Diakonas žingsniavo su gatvių šlavėjų grupe***, nešė dviejų colių dydžio Italijos vėliavėlę, tarp šluotų bei semtuvų stirksojo jo cilindras ir jis rūkė cigarą. Bet paskutinis kartas buvo G.A.R. eisena, nes Šrivas pasakė:

– Na tik pažvelk, kaip tavo senelis pasitarnavo tam kriošai negrui.

– Taip, – atsakiau. – Dabar jis gali kasdien smagintis žingsniuodamas eisenose. Jei ne mano senelis, jam reikėtų dirbti taip kaip baltiesiems.

---

*Apdovanojimų diena (Decoration Day) arba Atminimo diena (Memorial Day) – Jungtinių Valstijų šventė, švenčiama gegužės trisdešimtąją minint per Pilietinį karą žuvusius konfederatų kareivius ir jūreivius.
**G.A.R. – Grand Army of the Republic – veteranų organizacija, sukurta konfederatų kareivių pasibaigus Pilietiniam karui.
***Eisenos grupė, kur gatvių šlavėjų užduotis buvo valyti grindinį paskui defiliuojančius arklius.

Niekur jo nemačiau. Bet, kaip man žinoma, net ir dirbančio negro nesurasi, kai tau jo reikia, tai ką jau kalbėti apie tą, kurs tarpsta nieko neveikdamas. Privažiavo tramvajus. Nuvažiavau į miestą ir gerai pavalgiau Parkerio restorane. Valgydamas girdėjau, kaip laikrodis išmušė valandą. Reikia, man regis, bent jau geros valandos, kad laiko suvokimą prarastų tas, kuris sugaišo daugiau, nei trunka istorija, taikydamasis su jo mechanine tėkme.

Baigęs pusryčiauti nusipirkau cigarą. Patarnaujanti mergina pasakė, esą geriausi tie už penkiasdešimt centų, tad aš nusipirkau vieną, užsidegiau ir išėjau į gatvę. Sustojau, papapsėjau porą kartų, paskui nužingsniavau gatve – cigaras rankoje. Praėjau pro juvelyro parduotuvę, bet nusukau akis pačiu laiku. Ties gatvės kampu mane iš abiejų jos pusių prirėmė du batų blizgintojai, spigūs ir tarškiantys kaip strazdai. Vienam iš jų daviau cigarą, kitam penkis centus. Tada jie nuo manęs atstojo. Tas, kuris gavo cigarą, mėgino jį parduoti kitam už tuos penkis centus.

Labai aukštai saulėje – bokšto laikrodis, ir pagalvojau, kaip, tau norint atsikratyti kokio nors veiksmo, kūnas mėgina įviliot tave į jį tarsi netyčia. Jaučiau, kaip įsitempia sprando raumenys, paskui išgirdau kišenėje tiksint laikrodį, ir netrukus visi garsai išnyko, tik kišenėje tiksėjo tas mano laikrodis. Grįžau gatve atgal, iki laikrodininko vitrinos. Jis plušėjo ties stalu už lango. Buvo beveik plikas. Į akį jam buvo įstatyta lupa – toks metalo vamzdelis, įsriegtas į veidą. Įžengiau vidun.

Dirbtuvė aidėte aidėjo nuo tiksėjimo, nelyginant čirpė žiogai rugsėjo žolėje, ir aš išskyriau didelio sieninio laikrodžio, kabančio virš jo galvos, garsus. Jis pažvelgė į mane pro lupos stiklą savo didžiule išskydusia akim. Ištraukiau savąjį ir padaviau.

– Sudaužiau laikrodį.

Jis pavartė jį rankoje.

– Nieko sau. Tikriausiai ant jo užmynėte.

– Taip. Numečiau nuo komodos ir netyčia užmyniau tamsoje. Bet jis dar eina.

Laikrodininkas atidarė laikrodžio dangtelį ir prisimerkęs pažiūrėjo vidun.

– Rodos, viskas gerai. Bet tiksliau pasakyti negaliu, kol neišrinksiu. Pažiūrėsiu po pietų.

– Atnešiu vėliau, – tariau. – Gal galėtumėte pasakyti, ar kuris nors iš tų laikrodžių vitrinoje rodo tikslų laiką?

Jis laiko mano laikrodį ant delno ir žiūri į mane skubriu išskydusiu žvilgsniu.

– Sukirtau lažybų su draugu, – paaiškinau. – Ir pamiršau šįryt pasiimti akinius.

– Pasitaiko, – pasakė jis, padėjo laikrodį, kilstelėjo nuo taburetės ir pažiūrėjo persilenkęs per prekystalį. Paskui pakėlė akis į sieną. – Dabar dvideš...

– Būkit malonus, nesakykite, – paprašiau. – Tik pasakykite, ar kuris nors iš jų rodo tikslų laiką.

Jis vėl pažvelgė į mane. Vėl atsisėdo ant taburetės, pasislinko lupą ant kaktos. Lupa paliko jam aplink akį raudoną ratą, ir kai tas ratas išnyko, visas jo veidas atrodė tarsi plikas.

– Ką gi jūs šiandien švenčiate? – paklausė. – Juk regata bus tiktai kitą savaitę, ar ne?

– Tikrai taip, pone. Šiandien – asmeninė šventė. Gimtadienis. Ar kuris nors iš jų rodo teisingai?

– Ne, juos reikia dar sureguliuoti ir nustatyti. Jeigu norite nusipirkti vieną iš jų...

– Ne, pone. Man nereikia laikrodžio. Mes turime svetainėj sieninį. Jeigu reikės, paprašysiu pataisyti šitą. – Ištiesiau ranką.

– Verčiau palikit jį dabar.

– Atnešiu vėliau. – Jis atidavė man laikrodį. Įsidėjau jį į kišenę. Dabar tarp viso to tiksėjimo jo nesigirdi. – Labai jums ačiū. Tikiuosi, nelabai sugaišinau.

– Nieko baisaus. Atneškit jį, kai panorėsit. O savo šventę verčiau jau atidėkit iki to laiko, kai mes laimėsime regatą.

– Gerai, pone. Tikriausiai taip ir padarysiu.

Išėjau lauk ir uždariau tiksėjimui duris. Atsigręžiau į langą. Laikrodininkas žvelgė į mane per prekystalį. Vitrinoje buvo išrikiuota kokie dvylika laikrodžių – dvylika skirtingų valandų, ir kiekvienas jų gieda savo giesmę taip pat tvirtai, nenuneigiamai ir prieštaringai kaip ir manasis be rodyklių. Jie prieštaravo vieni kitiems. Girdėjau savąjį, tiksintį kišenėje, nors niekas jo nematė, o jei ir pamatytų – nieko neįžiūrėtų.

Ir aš tariau sau, reikia paimt tą didelį. Nes tėtis sakė, kad sieniniai laikrodžiai užmuša laiką. Jis sakė, kad laikas būna negyvas, kol jį tiksi tie mažyčiai ratukai, o kai sieninis laikrodis sustoja, laikas atgyja. Jo rodyklės buvo pailgintos, ne visiškai horizontalios, vos vos palinkusios kampu, kaip tos žuvėdros vėjyje. Sutelkusios savyje viską, dėl ko gailestavau, kaip kad jaunas mėnulis, pasak negrų tikėjimų, sutelkia savyje vandenį*. Palinkęs ties stalu, laikrodininkas vėl įniko į darbą, tasai vamzdelis buvo įstatytas jam į veidą kaip mažas tunelis. Plaukai perskirti per patį vidurį. O sklastymas nusidriekęs iki pat plikės, tarsi kokia nusausinta pelkė gruody.

*Jeigu pusmėnulio ragai nukreipti viršun, jis „laiko vandenį", oras bus sausas, priešingu atveju jis vandenį išlies ir pradės lyti.

Kitapus gatvės pamačiau metalo dirbinių parduotuvę. Nežinojau, kad laidynės parduodamos pagal svorį.

– Gal norite siuvėjo laidynės*? – paklausė pardavėjas. – Ji sveria dešimt svarų.

Tik ji buvo didesnė, nei aš maniau. Todėl nusipirkau dvi mažesnes, sveriančias po šešis svarus: suvyniotos jos bus panašios į batų porą. Abi sykiu – pakankamai sunkios, bet vėl prisiminiau tėčio kalbas apie žmogiškosios patirties *reducto absurdum,* apie tą, regis, vienintelę galimybę pritaikyti mano Harvarde įgytas žinias. Gal kitąmet, pagalvojau, gal reikia dvejus metus praleisti universitete, kad išmoktum tai padaryti deramai.

Tačiau lauke jos svėrė gana padoriai. Atvažiavo tramvajus. Įlipau. Nepažiūrėjau į maršruto lentelę priekyje. Jis buvo pilnas: daugiausia pasiturimai atrodantys žmonės, skaito laikraščius. Vienintelė laisva vieta buvo prie negro. Jam ant galvos – katiliukas, batai nublizginti, o rankoje – užgesusio cigaro kotas. Buvau įpratęs manyti, kad pietietis privalo niekad neišmesti iš galvos negrų. Maniau, kad to iš jo tikisi šiauriečiai. Kai atvykau į Rytus pirmąsyk, nesilioviau sau kartojęs Neužmiršk, privalai laikyti juos ne nigeriais, o spalvotosios rasės atstovais, ir dar gerai, kad nebuvau tarp jų daugybės, nes būčiau sugaišęs marias laiko ir daug vargo padėjęs, kol būčiau supratęs, kad geriausias būdas elgtis su žmonėmis, juodaodžiais ar baltaodžiais, – priimti juos tokius, kokie jie manosi esą, o paskui duoti jiems ramybę. Tada ir supratau, kad negras – ne asmenybė, o veikiau elgsenos forma, savotiškas atvirkščias atspindys tų baltųjų, tarp kurių jis gyvena. Iš pradžių maniau, kad priva-

*Tvirtai prispaudžianti audeklą laidynė su karštu vandeniu viduje.

lau jaustis kaip nesavas, nes aplink mane nėra gausybės negrų, kadangi įsivaizdavau, jog šiauriečiai mano, kad privalau taip jaustis, tačiau iš tikro supratau, kad ilgiuosi Roskaus, Dilzės ir visų kitų tiktai tą rytą Virdžinijoje. Kai nubudau, traukinys stovėjo, aš pakėliau žaliuzes ir pažvelgiau laukan. Vagonas užstojo sankryžą, kur nuo kalvos žemyn leidosi dvi baltos tvoros, apačioje jos skyrėsi platyn tarsi vėduoklė, tarsi koks rago apvadas, ir tenai, sukietėjusiose provėžose, ant mulo sėdėjo negras ir laukė, kol traukinys pravažiuos. Nežinau, kiek laiko jis ten laukė, tačiau, apžergęs mulą, galvą apmuturiavęs paklodės skiaute, sėdėjo taip, tarsi juodu su mulu būtų čia pastatyti drauge su ta tvora ir tuo keliu ar net su ta kalva išrėžti iš jos pačios, tarsi čia įkurdintas ženklas, sakantis Štai tu ir vėl namuos. Balno nebuvo, kojos karojo kone iki žemės. O mulas buvo panašus į kiškį. Pakėliau langą.

– Ei, dėde*, – pašaukiau. – Ar mes tikrai geru keliu važiuojame?

– Ką, sere? – Pažvelgė į mane, paskui palaisvino paklodę ir apnuogino ausį.

– Kalėdų dovaną!** – sušukau.

– Gerai, šeimininke. Juk pričiupote mane.

– Šįkart tiek to. – Nusitraukiau kelnes nuo rezginės ir išėmiau dvidešimt penkis centus. – Bet kitąsyk, žiūrėk, nežiopsok. Grįšiu pro čia trečią dieną po Naujųjų metų, tada žiūrėk man. – Nusviedžiau tą ketvirtuką pro langą. – Nusipirk ką nors Kalėdoms.

*Žodis „dėdė" amerikiečių vartojamas išreikšti familiariems ryšiams, ne tik giminiškiems.
**Tradicinis Amerikos pietiečių pasveikinimas Kalėdų proga, įpareigojantis tą, kuriam jis pasakomas, padovanoti menkutę dovanėlę (pinigais arba maistu) tam, kuris tai sako (dažniausiai tarnui).

– Gerai, sere, – pasakė. Pasilenkė, pakėlė monetą, patrynė ją sau į šlaunį. – Ačiū, jaunasis šeimininke. Ačiū.

Ir tada traukinys pajudėjo. Išlindau pro langą į šaltą orą, atsigręžiau. Jis vis dar stovėjo šalia savo sulysusio kiškiško mulo, abu tokie nuskurę, sustingę, kantrūs. Garvežiui sunkiai pūškuojant su pertrūkiais pūkš pūkš, traukinys darė posūkį, o jie ramiai sau nyko iš akiračio, persmelkti to nuskurusio, amžino kantrumo, tos nekintamos giedros: toks mišinys to vaikiško ir visad parankaus nemokšiškumo ir to paradoksalaus patikimumo, kuris apsiaučia ir globoja tuos, kuriuos jie myli be jokios priežasties, nuolatos apvogdami ir vengdami atsakomybės bei įsipareigojimų taip atvirai, kad negalėtum pavadinti to net gudravimu, todėl, netgi pagavęs vagiant arba sprunkant, taip nuoširdžiai ir savaimingai susižavi tuo nugalėtoju, kaip žavisi džentelmenas tuo, kuris jį nugalėjo sąžiningoje kovoje: o dar – buvau pamiršęs – tasai švelnus, niekad nemąžtantis jų pakantumas baltųjų užgaidoms, kaip tas senelių pakantumas nenuspėjamoms vaikaičių šelmystėms. Visą tą dieną, kol traukinys vingiavo tarp staiga užgriūvančių tarpeklių ir kyšulių, kur judėjimą liudijo tik sunkūs išmetamo garo kvėpsniai kartu su ratų dejone, o amžini kalnai vis tirpo tirštam danguj, galvojau apie namus, apie tą niūrią pliką stotį, purvą, negrus ir vietinius kaimiečius, iš lėto besigrūdančius aikštėje, su jų žaislinėm beždžionėlėm, furgonais, saldainiais maišeliuose su kyšančiomis iš jų Romos žvakių tūtomis, ir mano viduriai taip susitraukdavo, kaip susitraukdavo mokykloje, skambučiui nuskambėjus.

Skaičiuot pradėdavau tik laikrodžiui išmušus tris. Suskaičiuodavau iki šešiasdešimties ir užlenkdavau vieną pirštą, galvodamas apie kitus, kurie jau laukė, kada bus sulenkti: keturiolika, trylika, dvylika, aštuoni, septyni, kol netikėtai suvokdavau, kad įsivyravo tyla, o protai būdrauja, ir pasakydavau: „Taip, madam?" – „Jūs vardu Kventinas, jeigu neklystu?" – paklausdavo panelė Lora. Paskui vėl stodavo tyla, tie žiaurūs įsitempę protai, ir rankos, staiga pakilusios tyloje. „Henri, pasakyk Kventinui, kas atrado Misisipės upę." – „De Sotas." Paskui protai išnykdavo, ir aš netrukus išsigąsdavau, kad jau atsilikau, ir imdavau skaičiuot greičiau, užlenkdavau dar vieną pirštą, o paskui išsigąsdavau, kad jau per greit skaičiuoju, sulėtindavau tempą, tada baimė ir vėl mane apnikdavo, aš vėl pradėdavau skaičiuoti greitai. Todėl ir niekad nepataikydavau drauge netgi su skambučiu ir išlaisvintu besiveržiančių priekin, jaučiančių po savim žemę kojų bangavimu, brūkšėjimu per grindis, o diena tarsi stiklo luitas įžiebdavo šviesą – toksai staigus sprogimas, ir aš ramiai sėdėdamas pajusdavau, kaip susitraukia mano viduriai. *Susitraukdavo, kai sėdėdavau ramiai. Tau mano įsčios susitraukdavo. Minutę ji sustingo tarpduryje. Bendžis. Baubimas. Bendžaminas, mano senatvės vaikas*, baubia. Kede! Kede!*

Pabėgsiu iš namų. Jis pravirko, ji priėjo, prisilietė prie jo. Nurimk. Aš nedarysiu to. Nurimk. Ir jis nurimo. Dilzė:

Jis užuodžia, ką jam sakai, kai nori. Nereikia nei klausytis, nei kalbėti.

Ar gali jis užuosti tą savo naują vardą? Ar gali užuost nelaimę? Kas jam ta laimė ar nelaimė? Jos nebegali jo įskaudint.

Tai kam jie pakeitė jam vardą, jeigu ne tam, kad padarytų jį laimingą?

Tramvajus sustojo, vėl pajudėjo, vėl sustojo. Po langu – žmo-

*Žr. Pr 21, 7.

nių viršugalviai, žingsniuoja po naujomis šiaudinėmis skrybėlėmis, dar nepageltusiomis. Dabar tramvajuje jau atsirado moterų su turgaus krepšiais, ir vyrai darbiniais drabužiais jau pranoko skaičiumi išblizgintus batus ir prisegamas standžias apykakles. Negras palietė mano kelį. Pasakė: „Atsiprašau". Patraukiau kojas ir jį praleidau. Važiavome pro akliną sieną, atmušančią tramvajaus dardesį atgal į vagoną, jis persidavė moterims su turgaus krepšiais ant kelių ir vyrui su dėmėta skrybėle ir užkišta už kaspinėlio pypke. Užuodžiau vandenį, ir sienos pralaužoje sužibo jo atspindys, du laivo stiebai, žuvėdra, sustingusi ore, tarsi tupėtų ant nematomos vielos tarp tų stiebų, kilstelėjau ranką ir užčiuopiau pro švarką parašytus laiškus. Kai tramvajus sustojo, išlipau.

Tiltas buvo pakeltas, kad praleistų dvistiebį burlaivį. Vilkikas stūmė jį, bakštindamas į laivagalį, paskui juos slinko dūmų valktis, tačiau atrodė, kad laivas juda priekin pats, niekieno nepadedamas. Iki pusės nuogas vyriškis vyniojo lyną priekiniame denyje. Įdegęs jo kūnas buvo tabako lapų spalvos. Prie vairo stovėjo kitas vyriškis su šiaudine skrybėle be dugno. Laivas šliaužia pro tiltą be burių lyg kokia pamėklė vidur dienos, trys žuvėdros plevena virš laivagalio tarsi žaislai ant nematomų virvelių.

Kai tiltą nuleido, perėjau į kitą pusę ir užsikvempiau ant turėklų virš valčių stoginės. Pontonas buvo tuščias, durys uždarytos. Irkluotojai treniruosis tik vėlią popietę, dabar jie ilsisi. Tilto šešėlis, turėklų ruožai, mano šešėlis, plokščias, nutįsęs ant vandens: kaip lengvai apgavau jį, nenorintį manęs paleisti. Mažiausiai penkiasdešimties pėdų ilgio, – o kad būčiau turėjęs, kas nugramzdintų jį vandenin ir palaikytų, kol jis nuskęs; šešė lis ryšulio, primenančio suvyniotų batų porą, išdrikęs ant vandens paviršiaus. Negrai sako, esą skenduolio šešėlis visąlaik stebi jį vandenyje. Jis mirga, žvilga, tarsi kvėpuotų, pontonas irgi tarsi kvėpuoja, o plūduriuojantys lūžgaliai grįžta jūron – į urvus, į olas. Išstumto skysčio kiekis lygus kažko kažkam*. Žmogiškosios patirties *reducto absurdum* ir dvi šešių svarų laidynės sveria daugiau nei siuvėjo laidynė. Koks nuodėmingas švaistūniškumas, pasakytų Dilzė. Bendžis žinojo, kai motutė mirė. Jis verkė. *Jis tai užuodė. Jis tai užuodė.*

Vilkikas grįžo, vandenį perskrodė du ilgi siūbuojantys velenai, galiausiai jie savo proveržio aidu išsiūbavo pontoną, šis susverdėjo ant to linguojančio veleno, pliupsėdamas ir pratisai girgždėdamas. Durys atsivėrė ir išėjo du vyrai, nešini lengva lenktynine valtimi. Jie nuleido valtį į vandenį, o po valandėlės išėjo irklais nešinas Blendas. Jis vilkėjo flanelės kelnėmis, pilku švarku ir buvo užsidėjęs kietą šiaudinę skrybėlę. Jis ar jo motina kažin kur perskaitė, kad Oksfordo studentai irkluodavo mūvėdami flanelės kelnėmis ir užsivožę šiaudines skrybėles, tad kovo pradžioje Džeraldui buvo nupirkta valtis, ir jis išsirengė į upę, apsimovęs flanelės kelnėmis ir užsivožęs šiaudinę skrybėlę. Stoginės tarnautojai grasinosi pakviesią jam policininką, tačiau jis jų nepaisė. Motina atvažiavo samdytu automobiliu, kailiniuota kaip Arkties tyrinėtojas ir išlydėjo sūnų į pasiplaukiojimą pučiant dvidešimt penkių mylių vėjui ir plaukiant ledo lytims, panašioms į purvinas avis. Tądien ir supratau, kad Dievas ne tik šaunuolis džentelmenas, bet ir gimęs Kentukyje. Kai valtis nuplaukė, ponia Blend padarė lankstą, vėlei privairavo prie upės ir dabar jau važiavo lygiagrečiai su juo, mažu greičiu. Žmonės pasakojo, esą niekas

*Aliuzija į Archimedo dėsnį.

niekada nebūtų pasakęs, kad jie pažįsta vienas kitą, – kaip karalius ir karalienė, net nepažvelgdami vienas į kitą, jie paprasčiausiai judėjo priekin greta viens kito per Masačusetsą: tokia planetų pora, judanti lygiagrečiomis orbitomis.

Jis įlipo į valtį ir nusiyrė. Irklavo neprastai. Ir nenuostabu. Sklido kalbos, kad motina mėgino priversti jį mesti irklavimą ir imtis ko kito, ko jo bendrakursiai negalėjo ar nenorėjo imtis, bet šįkart jis buvo užsispyręs. Jei užsispyrimu galima pavadinti tai, kaip jis sėdi, nutaisęs karališko nuobodulio miną, su tais geltonais garbanotais plaukais, aksominėmis akimis, tomis ilgomis blakstienomis, apsivilkęs niujorkietiškais drabužiais, o tuo tarpu jo motina mums pasakoja apie Dželaldo arklius, Dželaldo negrus ir Dželaldo moteris. Kentukio vyrai ir tėvai, matyt, labai apsidžiaugė, kai ji išvežė Dželaldą į Kembridžą. Ji turėjo butą mieste, ir Dželaldas taip pat, be savo kambarių universitete. Ji palankiai žiūrėjo į Dželaldo bendravimą su manimi, nes aš bent jau parodžiau suvokiąs, nors negrabiai, *noblesse oblige** taisykles tuo, kad gimiau į pietus nuo Meisono ir Diksono linijos ir dar kelių kitų miestų, kurių geografija atliepė jų reikalavimus (minimalius). Bent jau žiūrėjo į tai atlaidžiai. Ar toleravo. Bet nuo tada, kai susitiko Spoudą, išeinantį iš pirmosios koplyčios Jis sakė kad ji negalinti būti dama nes jokia dama nebūtų buvus gatvėje tokią nakties valandą, ji nebesugebėjo atleisti jam už tai, kad jo penkios pavardės, kurių viena priklausė dar neišmirusiai anglų grafų giminei. Neabejoju, kad ji guodžia save mintim, jog kuris nors netikša Mengo ar Mortemaras** susidėjo su sargo dukterimi. Kas buvo visiškai tikėtina, nesvar-

*Kilmingumas įpareigoja *(pranc.).*
**Europiečių aristokratų pavardės.

bu, ar ji tai išsigalvojo, ar ne. Juk Spoudas buvo dykaduonių čempionas varžybose be jokių apribojimų ir subtilumų.

Valtis jau virto mažyčiu taškeliu, irklai protarpiais blyksteldavo saulėje, rodės, kad mirksi pats valties korpusas. *Ar esi kada nors turėjęs seserį? Ne, bet jos visos kalės. Ar esi kada nors turėjęs seserį? Vieną minutę ji buvo. Kalės. Ne kalė – vieną minutę ji stovėjo tarpduryje* Daltonas Eimsas. Daltonas Eimsas. Daltono marškiniai*. Aš visąlaik maniau, kad jie chaki spalvos, kaip kariuomenės marškiniai, kol pamačiau, kad jie pasiūti iš sunkaus kiniško šilko arba plonos flanelės ir todėl suteikdavo tokį rudą atspalvį jo veidui ir tokį mėlyną akims. Daltonas Eimsas. Nedaug trūko, kad būtų aristokratiškas. Teatrinė butaforija. Papjė mašė, o palytėsi – ak! Asbestas. Visgi ne bronza. *Bet namuose jo nepamatysi.*

Kedė – moteris, nevalia to pamiršti. Vadinasi, ji turi moteriškų priežasčių taip elgtis.

Kodėl neatsivedi jo į namus, Kede? Kodėl elgiesi kaip negrės ganykloje grioviuose tamsiame miške karštai paslapčia nirtulingai tamsiame miške.

Po valandėlės kuris laikas girdėjau, kaip tiksi mano laikrodis, jaučiau, kaip laiškai traška po švarku, kai, persilenkęs per turėklą, žiūrėjau į savo šešėlį – kaip mikliai aš jam iškrėčiau tą pokštą. Einu palei turėklą, mano eilutė irgi tamsi, tad aš galiu nusivalyti į ją rankas, stebiu savo šešėlį – kaip mikliai aš jam iškrėčiau tą pokštą. Privedžiau prie krantinės šešėlio ir suliejau juos draugėn. Paskui nužingsniavau į rytus.

Harvardo mano sūnus Harvardo studentas Harvardo harvardo Tasai spuoguotas vaikėzas, su kuriuo ji susipažino per bėgi-

---

*Tais laikais Amerikos pietuose labai madinga marškinių firma.

mo su spalvotais kaspinais varžybas. Sėlinantis palei tvorą, mėginantis ją prisišaukti švilpimu, kaip šuniuką. Kadangi nepavyko jo prisišaukti meilumu į valgomąjį, mama pamanė, kad jis ketina ją kažin kaip užkerėti, kai juodu pasiliks vieni. Ir bet kuris niekšas *Jis gulėjo prie dėžės po langu ir baubė* galintis atsiboginti limuzinu su gėle atlape. *Harvardo. Kventinai, susipažink su Herbertu. Mano sūnus – Harvardo studentas. Herbertas bus jums vyresnysis brolis, jau pažadėjo Džeisonui* Malonus, celiulioidinis, kaip komivojažieriaus. Veidas pilnas baltų dantų, bet nesišypso. *Aš jau girdėjau apie jį ten kalbant.* Pilnas dantų, bet nesišypso. *Vairuosi pati?*

Lipk vidun, Kventinai.

Vairuosi pati.

Tai jos mašina ar tu nesididžiuoji kad pirmas automobilis mieste priklauso tavo sesei Herberto dovana. Luisas mokė ją kiekvieną rytą ar negavai mano laiško Ponas ir ponia Džeisonai Ričmondai Kompsonai praneša, kad jų dukters Kendisės vestuvės su ponu Sidniu Herbertu Hedu įvyks tūkstantis devyni šimtai dešimtųjų metų balandžio dvidešimt penktąją Džefersone, Misisipės valstijoje. Savo namuose jaunieji priims svečius po rugpjūčio pirmosios, numeris toks ir toks, tokia ir tokia aveniu, Pietų posūkis, Indiana. Šrivas paklausė Negi tu jo net neatplėši? *Trys dienos. Kartai. Ponas ir ponia Džeisonai Ričmondai Kompsonai* Jaunasis Lochinvaras* kiek per anksti išjojo iš vakarų, ar ne?

*Žr. Sero Walterio Scotto poemą „Marmionas", anksčiau cituotą daugelyje Amerikos pradinės mokyklos vadovėlių. Penktojoje giesmėje jos herojus Lochinvaras išgelbsti gražiąją Eleną, beištekančią už „slunkiaus meilėje, bailio kare". Lochinvaras atvyksta į mergvakarį, pareikalauja savo damos, užsimeta ją ant arklio ir nujoja.

Aš iš pietų. O tu tiesiog juokingas, pripažink. O taip, žinojau, kad iš kažkokio kaimo. Tu juokingas. Tau reikia stoti į cirką. Aš jau buvau ten. Ir praradau akis girdydamas dramblių blusas. *Trys kartai* Tos kaimo mergaitės. Niekada nežinai, ko iš jų sulauksi, tiesa? Na, šiaip ar taip, Byronas, ačiū Dievui, taip ir negavo, ko norėjęs*. *Juk nevalia mušti žmogų su akiniais* Negi tu jo net neatplėši? *Vokas gulėjo ant stalo ant jo dvi dirbtinės gėlės surištos purvinu rausvu keliaraiščiu žvakės degė ties kiekvienu jo kampu. Nevalia mušti žmogų su akiniais.*

Vargšeliai kaimiečiai daugelis dar niekada nematė automobilio Kendise paspausk sireną kad *Ji vengė į mane žiūrėti* jie pasitrauktų iš kelio *vengė į mane žiūrėti* tėčiui nepatiktų jeigu sužeistum kurį nors iš jų dabar jau tavo tėtis gaus nusipirkti automobilį aš jau beveik gailiuosi kad jūs jį atgabenote čionai Herbertai nors man tai baisiai smagu žinoma mes turime karietą bet dažniausiai kai aš norėdavau kur išvažiuoti ponas Kompsonas įkinkydavo juodžius į darbą ir būčiau galva rizikavusi jei būčiau atitraukusi juos nuo darbo jis nuolat tvirtina kad Roskus visą laiką mano paslaugoms bet aš žinau ką šitai reiškia žinau kaip dažnai žmonės duoda pažadus tik tam kad nuramintų sąžinę ar ir jūs šitaip elgsitės su mano mažyle Herbertai žinau kad ne Herbertas mus visus mirtinai išpaikino Kventinai ar aš rašiau tau kad jis rengiasi priimti į savo banką Džeisoną kai šis pabaigs mokyklą Džeisonas bus puikus bankininkas jis vienintelis iš mano vaikų turi sveiką praktišką protą galit už tai

*Priešingai, nei mano Kventinas, daugumas nūdienos mokslininkų teigia, kad, galimas daiktas, Byroną ir jo įseserę Augustą Leigh siejo ne tik platoniškas meilės ryšys.

man padėkoti jis paveldėjo mano giminės savybes visi kiti Kompsonai *Džeisonas atveždavo miltų. Ir jie klijavo aitvarus užpakalinėje verandoje ir parduodavo juos po penkis centus vieną, jis ir tas Petersonų berniukas. Iždininkas buvo Džeisonas.*

O šitame tramvajuje nebuvo nė vieno negro, ir dar neišblukusios šiaudinės skrybėlės plaukte plaukė už lango. Jis važiuoja į Harvardą. Mes pardavėme Bendžio *Jis gulėjo po langu ant žemės ir bliovė. Mes pardavėme Bendžio ganyklą, kad Kventinas galėtų važiuoti mokytis į Harvardą* jums brolis. Jaunėlis brolis.

Jums būtina įsigyti mašiną tai bus jums tik į gera ar ne taip Kventinai matote aš iš karto kreipiuosi į jį vardu tiek daug girdėjau apie jį iš Kendisės.

O kaipgi kitaip aš noriu kad visi mano berniukai būtų daugiau negu draugai kaip kad Kendisė ir Kventinas daugiau negu draugai *Tėve aš įvykdžiau* kaip gaila kad jūs neturite brolio ar sesers *Neturi sesers neturi sesers neturėjo sesers* Neklauskite Kventino juodu su ponu Kompsonu jaučiasi truputį įžeisti kai aš randu jėgų nusileisti į valgomąjį dabar laikausi tik nervų įtampa sumokėsiu už visa tai kai viskas baigsis kai išsivešite mano dukrelę *Mano sesutė dar neturėjo**. *Jei tik galėčiau pasakyti Mama. Mama*

Jei tik nepadarysiu to kas man taip maga neišsivešiu jūsų vietoj jos nemanau kad ponas Kompsonas galėtų pavyti šitą automobilį.

Ak Herbertai Kendise ar girdi ką jis kalba *Ji vengė į mane žiūrėti švelnus ir užsispyrėliškai nusuktas jos smakras vengė atsigręžti* Nepavydėk jis tiktai meilikauja senai moteriai mano duktė jau suaugusi ir ištekėjusi tiesiog negaliu patikėti.

*Žr. *Gg* 8, 8.

Nesąmonė jūs atrodot visai kaip mergaitė jūs daug jaunesnė už Kendisę jūsų skruostų spalva tokia jaunatviška *Priekaišto kupinas ir apsiašarojęs veidas kamparo bei ašarų kvapai tolydžio švelniai virkaujantis balsas už prieblanda aptrauktų durų prieblanda nuspalvintas sausmedžio aromatas. Neša žemyn tuščius lagaminus palėpės laiptais jie bilda kaip karstai Prancūzų Druskynėje*. Nerado mirties sūrožemyje*

Nespėjusios išblukti skrybėlės ir galvos visai be skrybėlių. Per trejus metus nesunešiojau skrybėlės. Nesugebėjau. Buvau. Ar skrybėlės dar bus kadangi manęs nebuvo vadinasi ir Harvardo. Kur anot tėčio giliausios mintys kabinasi į senas nebegyvas plytas it nudžiūvęs vijoklis kaip sako tėtis. Tada – jokio Harvardo. Bent jau man. Vėl. Liūdniau nei buvo. Vėl. Visų liūdniausia. Vėl.

Spoudas jau su marškiniais, vadinasi, jau. Tuoj vėl išvysiu, kaip šešėlis vėl mindys mano nepaveikiamą šešėlį, jei būsiu neatsargus su tuo, kur apgavau vandenyje**. Bet ne sesers. Nebūčiau to padaręs. *Aš neleisiu šnipinėti savo dukters* Nebūčiau.

Kaip aš galiu priverst kurį nors jų paklusti kai tu juos visą laiką mokei negerbt manęs ir mano norų žinau kad niekini mano giminę bet argi tai priežastis mokyti mano vaikus mano vaikus dėl kurių aš tiek iškentėjau negerbti Minu kietais kulnais savo šešėlio kaulus į betoną, vėl išgirdau tiksint laikrodį ir užčiuopiau per švarką laiškus.

Neleisiu šnipinėti savo dukters nei tau nei Kventinui nei kam kitam kad ir ką tu įsivaizduotum ją padarius

*Pažodžiui – Prancūzų druskos laižykla. Sieringų vandenų kurortas Indianos valstijoje. Tolesnio sakinio prasmė: medžiotojai nudobia gausybę žvėrių, atėjusių ten palaižyti druskos. Šiuo atveju Kendisė vyksta į Prancūzų Druskynę ieškoti vyro.
**Yra toks prietaras: jei užlipsi ant savo šešėlio, numirsi.

Vadinasi tu pripažįsti kad yra priežasčių ją šnipinėti

Nebūčiau to padaręs nebūčiau. *Žinau kad nebūtum aš ne-*
norėjau būti toks šiurkštus bet moterys viena kitos negerbia ne-
gerbia savęs

Bet kaipgi ji galėjo Kai užmyniau ant savo šešėlio, suskambo
bokšto laikrodis, tačiau tai buvo tik ketvirtis valandos. Diako-
no niekur nesimatė. *pamanyti kad aš būčiau galėčiau*

Ji nenorėjo to moterims taip tiesiog išeina ir tik todėl kad
jinai myli Kedę

Gatvės žibintai leidžiasi kalva žemyn paskui kyla į viršų
miesto link Užmyniau savo šešėliui ant pilvo. Galėjau pasiek-
ti už jo ištiesęs ranką. *už nugaros jaučiau tėtį už tos šaižios*
vasaros ir rugpjūčio šviesos gatvės žibintai mudu su tėčiu gi-
name tas moteris vieną nuo kitos nuo jų pačių tas mūsų mote-
ris *Tokios jau moterys yra jos neišmoksta pažinti mūsų būdo*
nes tiesiog gimsta patręštos įtarumu tokiu galingu kad kas aki-
mirką iš jo išauga visas derlius dažnai jos būna teisios jos turi
blogio nuojautą gebėjimą susekti blogio trūkstamas grandis
instinktyviai juo apsisupti kaip apsisupi antklode miegodamas
patręšti jam savo sąmonę kol tasai blogis galiausiai pasiekia
savo tikslą nesvarbu buvo jis ten ar ne Ana jis eina, lydimas
dviejų pirmakursių. Neatsipeikėjo dar po eisenos, nes pasvei-
kino mane labai iš aukšto, kaip karininkas.

– Norėčiau šį bei tą tau pasakyti, – tariau sustojęs.

– Pasakyti? Gerai. Iki pasimatymo, vyručiai, – pasakė Dia-
konas sustodamas ir pasigręždamas atgal, – malonu buvo su
jumis šnektelti.

Toks tad jis buvo, Diakonas nuo galvos iki kojų. Psichologas
iš Dievo malonės. Sklido kalbos, kad per keturiasdešimt metų

jis nepraleido nė vieno mokslo metų pradžios traukinio ir kad pietietį atpažindavo iš pirmo žvilgsnio. Niekada nesuklysdavo ir, vos tik tau prašnekus, iš karto pasakydavo, iš kurios valstijos atvykai. Traukinius pasitikdavo vilkėdamas savo nuolatinę uniformą – savotišką Dėdės Tomo trobelės apdarą, su lopais ir visais kitais atributais.

– Sveiki, sere. Štai čionai, jaunasis šeimininke, čionai, – ir paimdavo krepšius. – Ei, berniuk, eikš čionai ir paimk tuos lagaminėlius. – Sulig tais žodžiais judantis bagažo kalnas priartėdavo, atidengdamas penkiolikmetį baltaodį berniuką, Diakonas užkraudavo jam dar vieną krepšį ir nusiųsdavo šalin. – Žiūrėk, nenumesk jų. Taip, sere, jaunasis šeimininke, tik pasakykite senam juodukui savo kambario numarį ir atėjęs jau viską ten rasite.

Ir nuo tada iki pat to meto, kai tave pavergs galutinai, jis tik ir vaikščios pirmyn atgal po tavo kambarius, toks visur esantis, plepus, nors, apdarams gerėjant, jo manieros darėsi vis šiaurietiškesnės kol galiausiai, kai taip nuleisdavo tau kraują, kad rimtai kibdavai į mokslus, įnikdavo vadinti tave Kventinu ar kokiu kitu vardu, o paskui jau, žiūrėk, jis su palaike eilute iš Brukso parduotuvės ir skrybėle, papuošta kažin kokio, nebepamenu kokio, Prinstono klubo kaspinu, kurią kažkas padovanojo jam, o jis buvo tvirčiausiai įsitikinęs, kad tasai kaspinas – nuo Eibo Linkolno kariškos juostos. Prieš daugel metų, kai jis tik pasirodė universitete, kažkas paleido gandą, esą jis mokęsis čia kunigų seminarijoje. Kai Diakonas suprato, ką tai reiškia, taip įsijautė į tą išmonę, kad ėmė pats ją pasakoti su visomis smulkmenomis, kol galiausiai pats įtikėjo. Žodžiu, jis porindavo ilgas lėkštas istorijas apie savo studijų metus, minėdavo jau mirusius arba išvykusius profesorius, familiariai vadindavo juos vardais, dažniausiai iškraipytais. Tačiau jis buvo gidas, mentorius ir draugas aibės pirmakursių, tyrų ir vienišų, ir aš manau, kad, nepaisant jo smulkmeniškos sofistikos ir veidmainystės, Viešpaties šnervėms jis dvokė ne labiau nei kuris kitas.

– Nemačiau jūsų jau tris ar keturias dienas, – pasakė jis, žiūrėdamas į mane iš savo vis dar kariškų aukštybių. – Sirgote?

– Ne, anaiptol. Tiesiog mokiausi. Užtat aš tave mačiau.

– Tikrai?

– Anądien eisenoje.

– Ak, iš tikrųjų. Taip, dalyvavau joje. Aš nelabai mėgstu tokius dalykus, suprantat, bet mūsų vyrukams, na, tiems veteranams, patinka, kai būnu tarp jų. Be to, ir damos nori, kad susirinktų visi veteranai, suprantat. Tai negaliu joms atsakyti.

– Per tą italų šventę irgi mačiau, – pridūriau. – Tada tikriausiai negalėjai atsakyti W.C.T.U.*?

– A, tąkart tai dariau dėl žento. Jis ketina įsidarbinti viešųjų darbų tarnyboje. Gatvės šlavėju. O aš jam ir sakau: tokiam miegaliui kaip tu tik šluotos po galva ir trūksta. Vadinasi, jūs mane matėt?

– Taip. Abu kartus.

– Anądien su uniforma? Kaip aš atrodžiau?

– Atrodei puikiai. Geriausiai iš visų. Jie turėtų skirti tave generolu, Diakone.

Jis vos vos palietė man alkūnę – tuo švelniu išvargusiu negro rankos prisilytėjimu:

*Woman's Christian Temperance Union (Krikščioniškoji moterų blaivybės sąjunga). Italų šventę Kventinas čia vadina Kolumbo dieną.

– Klausykit, pasakysiu jums kaip paslaptį. Jums aš galiu pasakyti, juk mudu, taip sakant, to paties krašto žmonės. – Jis truputį palinko prie manęs, prakalbo greitai, nežiūrėdamas. – Mano reikalai jau užsukti. Palaukite metus. Tik palaukite. Ir pamatysite, kur aš žygiuosiu eisenoje. Nepasakosiu, kaip visa šitai sutvarkiau, tiesiog palaukite ir pamatysite, mano berniuk. – Jis pažvelgė į mane, švelniai patapšnojo per petį ir pasisupo ant kulnų, reikšmingai linguodamas man galva. – Taip, sere. Ne veltui prieš trejus metus įstojau į Demokratų partiją. Mano žentas viešųjų darbų tarnyboje, o aš... taip, sere. Tik kad tapęs demokratu tas kalės vaikas atprastų tinginiauti... O aš – tik atsistokit po metų prie to paties kampo ir pamatysit.

– Tikiuosi. Tu nusipelnei to, Diakone. Va štai, kol neužmiršau... – Išsitraukiau iš švarko kišenės laišką. – Rytoj nunešk jį į mano kambarį ir paduok Šrivui. Jis turės tau šį bei tą. Bet tik rytoj, supratai.

Jis paėmė laišką, apžiūrėjo jį.

– Jis užantspauduotas.

– Taip. Ir viduje parašyta, bet nedera atplėšti jo iki rytojaus.

– Hm, – numykė jis. Ir papūtęs lūpas pažvelgė į voką. – Sakote, man bus kažkas?

– Taip. Mano dovana tau.

Dabar jis žiūrėjo į mane, vokas baltavo saulėje ant juodo jo delno. Akys buvo švelnios, rudos, be rainelių, ir staiga pro visus tuos baltųjų niekalus: uniformas, politiką, Harvardo manieras, išvydau žvelgiantį į mane Roskų – drovų, slaptingą, bežadį ir liūdną.

– Jūs juk nesišaipot iš seno negro, tiesa?

– Juk žinai, kad ne. Ar kada nors pietietis iš tavęs pasijuokė?

– Jūs teisus. Pietiečiai – geri žmonės. Bet gyventi su jais neišeina.

– Ar esi kada nors mėginęs? – paklausiau.

Bet Roskus jau buvo dingęs. Diakonas vėl tapo toks, koks seniai įprato rodytis kitų akyse: pompastiškas, netikras, bet ne storžievis.

– Padarysiu, ką pageidaujate, berniuk.

– Tik neužmiršk, ne anksčiau kaip rytoj.

– Žinoma, – atsakė. – Supratau, berniuk. Gerai...

– Linkiu... – tariau. Jis pažvelgė į mane kiek iš aukšto, toks geranoriškas, gilus. Staiga aš ištiesiau jam ranką, jis padavė savąją: rimtai, iš pompastiškų savo municipalinės ir kariškos svajos aukštybių. – Tu šaunus žmogus, Diakonai. Linkiu... Padėjai daugeliui jaunuolių per savo gyvenimą.

– Stengiausi elgtis su žmonėmis teisingai, – pasakė. – Neskirstau smulkmeniškai žmonių pagal visuomeninę padėtį. Man žmogus yra žmogus, visur.

– Linkiu, kad visada turėtum tiek draugų tarp studentų, kiek turėjai.

– Sutariu su jaunimu. Ir jie manęs nepamiršta, – pasakė jis mojuodamas voku. Įsidėjo jį į kišenę ir susisagstė švarką. – Taip, sere, tikrai turėjau gerų draugų.

Bokšto laikrodis vėl suskambo, mušė pusvalandį. Stovėjau savo šešėlio pilve ir klausiausi, kaip tie dūžiai ramiai, ritmingai slysta saulės spinduliais pro plonus, nejudančius lapelius. Ritmingi, ramūs ir giedri, su kurantams visad, net jaunavedžių mėnesį, būdinga rudeniška nuotaika. *Gulėjo ant žemės po langu bliaudamas* Vos tik pažvelgęs į ją, iškart suprato. Kūdikių lūpomis*. *Gatvės žibintai* Bokšto laikrodis liovėsi aidėjęs. Aš

*Žr. *Mt* 21, 16; *Ps* 8, 3.

vėl patraukiau į paštą, mindamas savo šešėlį į šaligatvį. *leidžiasi kalva paskui kyla aukštyn miesto link tarsi šviestuvai kabantys ant sienos vienas viršum kito.* Tėtis sakė, nes ji myli Kedę, nes ji myli žmones už jų ydas. Dėdė Moris, iškėtęs kojas priešais židinį, gauna pakelti ranką, kol geria Kalėdų taurę. Džeisonas bėga, susikišęs rankas į kišenes, parkrito ir riogso kaip paruošta kepti višta surištomis kojomis ir sparnais, kol Veršas jį pakėlė. *Kodėl neišsitrauki rankų iš kišenių kai bėgi taip bent jau atsikelt galėtum* Kraipo galvą į šonus lopšyje, užverčia ją aukštyn. Kedė pasakė Džeisonui ir Veršui, kad dėdė Moris niekada nedirbo dėl to, jog įprato gulėti užvertęs galvą lopšyje, kai buvo kūdikis.

Šrivas klišuodamas artinosi šaligatviu, toks tukliai rimtas, jo akinių stiklai blizgėjo lyg mažos balutės po mirgančiais lapais.

– Aš padaviau Diakonui laiškelį, kad pasiimtų šį bei tą. Po pietų tikriausiai nebūsiu, tai tu neduok jam nieko iki rytojaus, gerai?

– Gerai. – Žiūri į mane. – Tai ką gi tu vis dėlto šiandieną veiksi? Toks išsičiustijęs, apspangęs, tarsi tai būtų našlės susideginimo prologas. Ar buvai šįryt psichologijos paskaitoje?

– Nieko neveiksiu. Vadinasi, iki rytojaus nieko neatiduodi.

– Ką čia nešiesi?

– Nieko. Batus, daviau pakalti puspadžius. Iki rytojaus nieko, girdi?

– Žinoma. Gerai. Beje, ar pasiėmei šįryt nuo stalo laišką?

– Ne.

– Jis ten guli. Nuo Semiramidės*. Vairuotojas jį atvežė prieš dešimt.

– Gerai. Paimsiu. Kažin ko šįkart ji užsigeidė?

*Garsioji asirų princesė.

– Tikriausiai dar kokio rečitalio. Tra to to to, Džeraldas va-
lio. „Garsiau būgnu, Kventinai." Viešpatie, kaip aš džiaugiuo-
si, kad nesu džentelmenas. – Ir nužingsniavo, meiliai prispau-
dęs knygą, toks truputį beformis, tukliai susikaupęs. *Gatvės
žibintai* ar tu manai šitaip dėl to, kad vienas tavo prosenelių iš
tėvo pusės buvo gubernatorius, o kiti trys – generolai, o iš ma-
mos pusės tokių nebuvo

bet kuris gyvas žmogus geriau už mirusį tačiau joks gyvas ar
miręs žmogus nėra geriau už kitą gyvą ar mirusį žmogų *Ma-
mos sąmonėje ji jau žlugusi. Baigta. Baigta. Ir tai apnuodijo
mus visus* tu painioji nuodėmę ir dorovingą elgesį moterys to
nedaro tavo mama galvoja apie dorovingumą bet jai nė motais
pagalvoti ar tai nuodėmė ar ne

Džeisonai aš privalau išvykti paliksiu tau visus kitus pasiim-
siu tik Džeisoną ir važiuosiu ten kur niekas mūsų nepažįsta jis
ten užaugs ir pamirš visa šitai kiti manęs nemyli jie niekad nie-
ko nemylėjo su tuo būdingu jiems kompsonišku savanaudišku-
mu ir netikru išdidumu Džeisonas vienintelis prie kurio mano
širdis linko be jokios baimės

nesąmonė su Džeisonu viskas gerai aš galvojau kad judvi su
Kede kai tik geriau pasijusi galėsit vykti į Prancūzų Druskynę

ir palikti Džeisoną čia tik su tavim ir tais juodžiais

ten ji užmirš jį ir visos tos kalbos nunyks *nerado mirties
sūrožemyje*

Tramvajus privažiavo, sustojo. Bokšto laikrodis vis dar mušė
pusę valandos. Įlipau, tramvajus nuvažiavo, užgoždamas tą pus-
valandį. Ne: tris ketvirčius. Netrukus bus likę tik dešimt minu-
čių. Tolyn nuo Harvardo *tavo mamos svajonė kad pardavus
Bendžio ganyklą*

ką gi aš padariau kad susilaukiau tokių vaikų Bendžaminas buvo jau pakankama bausmė o dabar ji visai negerbia manęs savo motinos aš kentėjau dėl jos svajojau planavau aukojau nusileidau į slėnį* bet nuo pat tos dienos kai atsimerkė ji nė karto nepagalvojo apie mane nesavanaudiškai kartais žiūriu į ją ir klausiu savęs ar ji mano duktė tik vienas Džeisonas nesuteikė man nė trupučio liūdesio nuo pat akimirkos kai paėmiau jį pirmąsyk ant rankų aš jau tada žinojau kad jis bus mano džiaugsmas ir mano išsigelbėjimas** maniau kad Bendžaminas jau pakankama bausmė už visas mano nuodėmes maniau jis buvo man bausmė už tai kad pamynusi išdidumą ištekėjau už vyro kuris manė esąs už mane pranašesnis aš nesiskundžiu aš jį mylėjau labiau už juos visus iš pareigos nors širdis visą laiką labiau linko prie Džeisono tačiau dabar matau kad nepakankamai kentėjau dabar matau kad tenka sumokėti ir už tavo nuodėmes kaip už savąsias ką gi tu padarei kokias gi nuodėmes tavo kilminga ir galinga giminė užkrovė man bet tu juos visada užtarsi tu visad rasdavai pateisinimų savo kraujo giminei tau tiktai Džeisonas atrodo prastas nes jis veikiau Beskombas negu Kompsonas o tuo tarpu tavo duktė mano dukrelė mano mergytė ne geresnė nei tos kai buvau vaikas jaučiausi nelaiminga dėl menkos mūsų Beskombų kilmės bet buvau mokoma kad vidurio nėra kad moteris arba dama arba nėra ja tik aš nė nesvajojau kai laikiau ją ant rankų kad mano dukrelė galėtų sau leisti šitaip ar nežinai kad man pakanka pažvelgt jai į akis ir viskas tampa aišku gal tu manai kad ji tau pasakys ką nors kur tau ji nieko nepasako ji slapukė tu nepažįsti jos aš žinau ką ji daro

*Žr. *Ps* 23, 4.
**Žr. *Ps* 51, 14.

bet aš greičiau numirsiu nei pasakysiu tau apie tai varyk savo toliau peik Džeisoną kaltink mane kad priverčiau jį šnipinėti ją tarsi tai būtų nusikaltimas kai tavo paties duktė tuo tarpu gali žinau kad jo nemyli kad nori tikėti jog visad kaltas jis tu niekada jo nemylėjai ką gi tyčiokis iš jo kaip visad tyčiodavaisi iš Morio tu jau nebegali įskaudinti manęs labiau nei tai padarė tavo vaikai ir greit manęs jau nebebus ir nebeliks kam mylėti Džeisoną ir saugot jį nuo viso šito žiūriu į jį kasdien bijodama išvysti pasirodant Kompsonų kraują kai turi tokią seserį sprunkančią pasimatyti su balažin kuo ar esi kada matęs jį gal leistum man bent pamėginti sužinoti kas jis aš tai ne dėl savęs jį pamačiusi neištverčiau tai dėl tavęs tave reikia apginti bet kas gi gali kovoti su tuo netikusiu kraujú jei tu neleidi man pamėginti vadinasi mes turime sėdėti rankas sudėję kai ji ne tik kad valkioja po purvą tavo vardą bet dar ir teršia orą kuriuo tavo vaikai kvėpuoja Džeisonai tu privalai man leist išvykti aš negaliu ištverti to leisk pasiimti Džeisoną o pats lik su kitais jie ne mano kūno ir kraujo kaip jis jie svetimi ir jie neturi nieko mano aš jų bijau aš pasiimsiu Džeisoną ir vyksiu ten kur mūsų niekas nepažinos ir atsiklaupsiu ir melsiuos kad man būtų atleistos nuodėmės idant jisai išvengtų šito prakeikimo ir pasistengsiu užmiršti kad yra buvę ir kiti

Jeigu tada jis mušė tris ketvirčius, tai dabar liko dešimt minučių. Vienas tramvajus ką tik nuvažiavo, o jau prisikaupė ir laukiančiųjų kito. Aš paklausiau, ar kitas atvažiuos iki vidurdienio, tačiau jis nežinojo, nes, žinote, tie priemiestiniai. Taigi pirmasis atvažiavęs buvo dar vienas miesto tramvajus. Aš įlipau. Vidurdienį juste junti. Kažin ar jį pajunta ir šachtininkai žemės gelmėse. Tam ir yra tie švilpukai: nes žmonės, kurie prakaituoja, bet jeigu tu esi pakankamai toli nuo ten, kur pila prakaitas, švilpukų neišgirsi, o po aštuoneto minučių jau būsi labai toli nuo Bostono prakaito. Tėtis sakė, kad žmogus yra savo nelaimių suma. Kartais atrodo, kad nelaimės pavargs ir liausis, tačiau tada tavo nelaime tampa laikas, sakė tėtis. Erdvėje sklandė žuvėdra, pririšta ant nematomos vielos. Nusineši savo nusivylimų simbolį į amžinybę. Tada sparnai didesni, sakė tėtis, tik kas gi moka skambint arfa?

Kiekvienąsyk, kai tik tramvajus sustodavo, aš išgirsdavau tiksint savo laikrodį, bet tai būdavo nedažnai jie jau valgė *Kas gi skambintų ta* Valgymas valgymo procesas tavyje irgi yra erdvė erdvė ir laikas susipina Pilvas sakantis kad jau vidurdienis smegenys sakančios kad jau atėjo laikas valgyti Na ir gerai Kažin kiek dabar valandų bet kas iš to jei ir žinosi. Žmonės lipo iš tramvajaus. Dabar jis, ištuštėjęs nuo poreikio valgyti, nebestodavo taip dažnai.

Paskui jau buvo po vidurdienio. Aš išlipau, pastovėjau savo šešėlyje, po valandėlės atvažiavo tramvajus, aš įlipau ir vėl grįžau į priemiestinę stotį. Tenai stovėjo jau benuvažiuojąs tramvajus, aš susiradau vietą prie lango, ir tramvajus pajudėjo, o aš stebėjau, kaip miestas tarsi pleišėja pavirsdamas patižusiomis atoslūgio seklumomis, o paskui medžiais. Retkarčiais pamatydavau tą upę ir pamanydavau, kaip jiems dabar malonu Niu Londone, jeigu tik oras, o Džeraldo valtis iškilmingai įslysta į spindinčią popietę, kažin ko gi norėjo ta pagyvenusi moteris, pasiųsdama man laiškelį prieš dešimtą. Kokiam gi Džeraldo paveikslui turėčiau būti vienas iš stovinčių *Daltonas Eimsas ak tas asbestas Kventinas nušovė* fone. Aišku, paveikslui su merginomis. Moterys turi *nuolat prasimušantis pro lalėjimą jo*

balsas balsas tyliai skambėjęs kažką bendra su blogiu, su tikė-
jimu, kad nė viena iš jų negalima pasikliauti, o kai kurie vyrai
pernelyg jau tyri, kad apsigintų. Negražios merginos. Tolimos
pusseserės, šeimos draugės, kurioms vien tik pažintis primeta
savotišką *noblesse oblige* kraujo įsipareigojimą. O ji tenai sėdės
ir taukš mums jų akivaizdoje, kaip esą gaila, kad Džeraldas pa-
veldėjo visą jų giminei būdingą grožį, nes vyrui jo nereikia, jam
net geriau be jo, o merginai be grožio – tikra prapultis. Taukš
mums apie Džeraldo moteris *Kventinas nušovė Herbertą jis
sušaudė jo balsą pro Kedės kambario grindis* pritariamu ir pa-
sitenkinimo kupinu tonu. „Kai jam buvo septyniolika, aš jam ir
pasakiau vieną dieną 'Kaip gaila, kad tavo tokios lūpos, jos
labiau tiktų merginos veidui', ir žinote *užuolaidos išsigaubu-
sios į sutemas virš obels aromato jos sutemų aprėminta galva
rankos su kimono sparnais sudėtos už galvos balsas tyliai skam-
bantiš virš edeno o ant lovos drabužiai kuriuos išvysta nosis pro
obels* ką jis atsakė man? Neužmirškite, jam buvo tik septynio-
lika. 'Mama, – pasakė jis, – jos dažnai jas paliečia'.“ O jis sėdi
karališka poza ir žiūri iš po blakstienų į dvi ar tris iš jų sykiu.
Jos praneria lyg kregždės jam pro blakstienas. Šrivas sakė, esą
jam visada *Ar pasirūpinsi Bendžiu ir tėčiu?*

*Geriau jau mažiau kalbėtum apie Bendžį ir tėtį kada jie tau
rūpėjo Kede*

Pažadėk

Tau neverta nerimauti dėl jų tu išvažiuoji puikios formos

Pažadėk aš sergu tu privalai pažadėti knietėjo sužinoti, kas
sugalvojo tą anekdotą, tačiau jam visada atrodė, kad ponia
Blend – puikiai išsilaikiusi moteris, jis sakė, esą ji rengianti Dže-
raldą kokios nors grafienės sugundymo karjerai. Šrivą ji vadi-

no tuo storuliu kanadiečiu, dusyk, neatsiklaususi manęs, mėgi-
no mudu išskirti ir įtaisyti man naują buto draugą, vienąkart
turėjau išsikraustyti aš, kitąkart

Sutemus jis pravėrė duris. Veidas atrodė kaip moliūgų py-
ragas.

– Ką gi, turiu tau pasakyti meilės kupiną sudie. Žiauri lemtis
mus išskiria, bet kito aš nemylėsiu niekad. Niekada.

– Ką tu čia suoki?

– Byloju tau apie tą žiaurią lemtį, apsigobusią aštuoniais jar-
dais abrikosų spalvos šilko ir apsikarsčiusią metalu – daugiau
negu galerų vergas, skaičiuojant pagal jo kiekį vienam gyvo
svorio svarui, be to, vienintelę valdovę ir savininkę nepranoks-
tamo velionės Konfederacijos peripatetiko meilės žaidimų gar-
bintojo. – Paskui jis papasakojo man, kaip ji nuėjo pas prokto-
rių pareikalauti, kad jį iškeldintų, ir kaip tas proktorius buvo
toks niekingas ir užsispyręs, kad pasakė, jog iš pradžių reikėtų
atsiklausti paties Šrivo. Tada jinai pasiūlė jam tuojau pat išsi-
kviesti Šrivą ir šitai padaryti, bet jis to nepadarė, todėl dabar ji
sunkiai prisiverčia būti su Šrivu mandagi. „Aš laikausi taisyklės
niekada nekalbėti šiurkščiai apie moteris, – pridūrė Šrivas, –
tačiau šita ponia turi tiek kalės manierų, kiek nė viena kita
dama mūsų nepriklausomose valstijose ir dominijose." o štai
dabar josios ranka rašytas Laiškas guli ant stalo, – toks orchi-
dėjos aromatų ir spalvų įsakymas Jei ji nutuoktų kad praėjau
beveik po langu žinodamas kad jis ten guli ir ne Mano bran-
gioji Ponia dar neturėjau progos susipažinti su Jūsų laišku ta-
čiau prašau atleisti man iš anksto dėl šios dienos ar vakar ar
rytojaus ar bet kurios kitos dienos Kaip prisimenu kita istorija
bus apie tai kaip Džeraldas nusviedžia savo nigerį nuo laiptų o

tas maldauja kad tik jam būtų leista užsirašyti į teologijos mokyklą ir šitaip likti prie savo šeiminyko prie šminyko džeraldo ir Kaip jis bėgo visą kelią iki stoties greta karietos paplūdęs ašaromis kad išlydėtų šminyką džeraldą Aš palauksiu dienos kai jūs papasakosit mums istoriją apie pavyduolį vyrą iš lentpjūvės kaip jis priėjo prie užpakalinių durų su šratiniu šautuvu o Džeraldas nusileido perlaužė pusiau tą šautuvą jo nuolaužas grąžino vyrui nusišluostė rankas į šilkinę nosinę o paskui įmetė tą nosinę į krosnį šitą istoriją girdėjau tik du kartus

nušovė jį pro Mačiau kaip jūs įejote tad pamaniau kad tai bus gera proga ir štai aš čia mums derėtų susipažinti pasivaišinkite cigaru

Ačiū aš nerūkau

Ne tikriausiai universitete daug kas gerokai pasikeitė nuo mano laikų jūs nieko prieš jei užsidegsiu

Prašom

Ačiū aš daug girdėjau tikiuosi jūsų motina nesupyks jei numesiu degtuką už skydo taip daug girdėjau apie jus Kendisė nesiliaudavo apie jus kalbėjusi Druskynėje Kaip reikiant ėmiau pavyduliauti sakau sau kas gi tas Kventinas turiu gi pamatyti kaip tas padaras atrodo nes vos pamatęs tą mergytę įsimylėjau iki ausų suprantate man nėra reikalo nuo jūsų slėpti kad niekada nepagalvojau jog tasai tas apie kurį ji nesiliauja kalbėjusi galėtų būti jos brolis ji nebūtų kalbėjusi apie jus daugiau net jeigu būtumėte jai vienintelis vyras pasaulyje jeigu būtumėte jos vyras gal apsigalvojote ir užtrauktumėte cigarą

Aš nerūkau

Tokiu atveju neatkaklausiu nors ta žolė puiki ji atsieina man po dvidešimt penkis dolerius už šimtinę didmenine kaina pas vieną draugą iš Havanos taip manau kad daug kas ten labai pasikeitė kaskart žadu nuvykti bet taip ir nerandu laiko jau dešimt metų kai įsikinkęs negaliu niekaip palikti banko suprantate kai mokais universitete įpročiai pakeičia daugelį dalykų kurie studentui atrodo svarbūs papasakokit man kaip ten viskas dabar

Aš nesakysiu tėvui ir motinai jei sunerimote būtent dėl šito

Nesakysite nesakysite tai šit apie ką jūs ką gi ar jūs negalite suprasti kad man nė motais ar jūs jiems pasakysite ar ne suprantat na nekaip išėjo bet tai ne kriminalinis nusikaltimas aš gi ne pirmas ir ne paskutinis tiesiog man nepavyko jums gal pavyks geriau

Jūs meluojate

Nesikarščiuokit aš visiškai neketinu priversti jus kalbėti apie dalykus apie kuriuos nenorite kalbėti ir visiškai neketinu užgauti jūsų jūsų amžiuje žinoma į tokius dalykus žiūri kur kas rimčiau bet praeis penkeri metai ir jūs žiūrėsite į juos

Nežinau kaip kitaip būtų galima žiūrėti į sukčiavimą ir nemanau kad Harvarde įgysiu kitą požiūrį

Aktoriai nesuvaidintų geriau už mus jūs matyt lankėte teatro seminarą ką gi jūs visiškai teisus neverta pasakoti jiems kas buvo tas pražuvo et kam gi leisti tokiam niekniekiui gadinti mūsų santykius jūs man patinkat Kventinai man patinka jūsų išvaizda jūs visiškai nepanašus į tuos kaimo jurgius džiaugiuosi kad viskas šitaip klojasi aš pažadėjau jūsų motinai pasirūpinti Džeisonu bet norėčiau ir jums padėti Džeisonui šičia bus visai gerai tačiau tokiam jaunuoliui kaip jūs šita skylė be ateities

Ačiū verčiau jau rūpinkitės Džeisonu jis jums labiau pritiks nei aš

Labai apgailestauju dėl tos istorijos bet tada buvau vaikas ir neturėjau tokios motinos kaip jūsų nebuvo kam išmokyti mane visų tų subtilybių jei ji tai sužinos ją šitai tik be reikalo įskaudins taip jūs teisus nereikia jai to pasakoti ir žinoma Kendisei taip pat

Aš pasakiau – motinai ir tėvui

Klausykit nagi pažvelkit į mane kaip ilgai manot atsilaikysit prieš mane

Man nereikės ilgai laikytis jeigu ir kautis jūs išmokote universitete pamėginkit ir pamatysit kiek aš ištversiu

Nelemtas pienburni ko gi jūs siekiate

Pamėginkit ir pamatysit

Viešpatie cigaras ką pasakytų jūsų motina jei pamatytų iškilus pūslę ant savo židinio atbrailos pačiu laiku suspėjau Kventinai mudu tuoj padarysim tai dėl ko paskui abu gailėsimės jūs man patinkat jūs man patikot vos jus pamačiau jis matyt velniškai šaunus vaikinas tariau sau kad ir kas būtų jei Kendisė taip apie jį kalba klausykit aš jau dešimt metų kaip voverė sukuosi verslo pasauly tie dalykai pamažėle praranda savo reikšmę pats įsitikinsit tad susitaikykim kaip senojo Harvardo auklėtiniai garbės žodis jaunuoliui nėra geresnės vietos pasaulyje aš ir savo sūnus ten leisiu suteiksiu jiems geresnį šansą nei pats turėjau palaukite nenueikit dar aptarkim tą reikalą jaunuolis susikuria kilnių idėjų ir aš visai joms pritariu jam tai į naudą kol mokos universitete tada formuojasi charakteris universiteto tradicijos tačiau kai jis išeina į pasaulį privalo verstis kaip išmano nes pamato kad ir visi kiti trauk juos velniai taip daro paspauskim viens kitam ranką ir te kas buvo pražuvo jūsų mamos labui prisiminkit kokia jos sveikata duokit man ranką žiūrėkit kokia ji kaip ką tik išėjusio iš vienuolyno žiūrėkit jokios dėmelės jokios raukšlelės tik pažiūrėkit

Eikite po velnių su savo pinigais

Ne ne ką gi jūs čia dabar aš jūsų šeimos narys suprantat žinau kaip būna su jaunuoliais jie turi krūvas asmeninių reikalų o iš tėvelio ką nors išspausti visad labai sunku pats tai žinau perėjau per tai ir ne taip seniai tačiau dabar kai ruošiuosi vesti o ypač čia na nekvailiokit paklausykit kai gausim progos rimtai pasikalbėti papasakosiu apie vieną našlelę mieste

Ir šitai girdėjau pasilaikykite tuos savo prakeiktus pinigus

Vadinkit tai skola paskui tik valandėlei užsimerkit ir būsit jau penkiasdešimtmetis

Patraukit nuo manęs rankas ir tą cigarą verčiau patrauktumėt nuo židinio atbrailos

Ir pasakokite trauk jus velniai tada ir pamatysit kas iš to išeis jeigu nebūtumėte toks neraliuotai kvailas pamatytumėte jog per tvirtai laikau jas savo gniaužtuose kad kažin koks čia geltonsnapis Galahadas* broliukas kaip pasakojo jūsų motina apie jus ir visas tas idėjas nuo kurių jums ištino galva įeik ak įeik brangioji mudu su Kventinu pažindinamės kalbamės apie Harvardą ar norėjai mane pamatyti pasiilgai savo senuko

Herbertai išeikit valandėlei aš noriu pasikalbėti su Kventinu

Eikš gi eikš šnektelsim visi trys arčiau susipažinsime aš ką tik minėjau Kventinui

Nagi išeikit valandėlei Herbertai

Ką gi regis judu su broliuku panorote pasimatyti dar kartą ek

Verčiau patrauktumėte tą cigarą nuo židinio atbrailos

*Seras Galahadas – kilniausias ir tyriausias Apskritojo stalo riteris, Lanseloto ir Eleinės sūnus, radęs Gralio taurę.

Kaip visados esi teisus berniuk tai aš jau pasitraukiu tegu įsakinėja jos kol gali Kventinai nuo porytojaus gaus ploninti liežuvį prieš savo senuką argi ne taip brangioji pabučiuok mus širdele

O liaukitės pasilaikykite tai porytojui

Aš procentų pareikalausiu todėl neleisk Kventinui daryti nieko ko jis nebaigtų beje ar aš papasakojau Kventinui istoriją apie to tipelio papūgą ir apie tai kas jai nutiko liūdna istorija primink man ją ir prisimink pati ate ir iki greitučių

Na

Na

Ką gi tu dar susigalvojai?

Nieko

Ir vėl kišiesi į mano reikalus ar aną vasarą jau buvo negana Kede tu juk karščiuoji *Tu juk sergi kuo tu sergi*

Tiesiog sergu. Negaliu paprašyti.

Sušaudė jo balsą pro

Tik ne už šito pašlemėko Kede

Retkarčiais upė blyksteldavo už daiktų, sužioruodavo spinduliais, neriančiais per vidurdienį, už jo. Jau gerokai po jo, tariau sau, nors mes pravažiavome pro ten, kur jis vis yrėsi prieš srovę, toks didingas dievo, dievų akivaizdoje. Taip geriau. Dievai. Dievas būtų padugnė Bostone, Masačusetse. O gal tiesiog ne sutuoktinis. Drėgni irklai tolydžio mirksi, neša jį per švytinčių akių žvilgsnius ir moteriškus delnus. Meilikautojas. Meilikautojas ir ne sutuoktinis jis nepaisytų Dievo. *To pašlemėko, Kede* Upė žybsėdama išsilenkė ir dingo.

Aš sergu tu privalai man pažadėti

Sergi kuo tu sergi

*Tiesiog sergu negaliu paprašyti nieko kito pažadėk gi kad pa-
darysi tai*

*Jei jiems ir reikia dabar kokios nors priežiūros tai tiktai dėl
tavęs kuo tu sergi* Po langu išgirdome nuvažiuojant į stotį auto-
mobilį: traukinys atvyksta 8:10. Nuvežė giminaičius. Galvas*.
Galva po galvos jis tolydžio didėjo, bet kirpėjų nebuvo. Mani-
kiūrininkės. Kitados laikėme grynaveislį žirgą. Arklidėje – taip,
bet po pakinktais – šuo. *Kventinas sušaudė jų visų balsus pro
Kedės kambario grindis.*

Tramvajus sustojo. Aš išlipau, į patį savo šešėlio vidurį. Jo
bėgius kirto kelias. Po medine markize kažkoks senukas kaž-
ką valgė iš popierinio maišelio, paskui tramvajus irgi dingo iš
klausos rato. Kelias įsuko į medžius, kur lauktumei pavėsio,
tačiau Naujojoj Anglijoj birželio lapija ne ką tankesnė už ba-
landžio mūsų kraštuose. Įžvelgiau kaminą. Patraukiau kiton
pusėn, mindamas savo šešėlį į dulkes. *Kartais naktį manyje
rasdavos kažkas šiurpaus matydavau kaip tatai viepias man
matydavau kaip tatai viepias pro jų veidus dabar tai dingo ir
aš sergu*

Kede

Neliesk manęs tik pažadėk

Jei tu sergi tai negali

*Galiu paskui viskas susikratys bus nesvarbu neleisk išsiųsti jo
į Džeksoną pažadėk man*

Pažadu Kede Kede

Neliesk manęs neliesk manęs

O kaip tatai atrodo Kede

Kas

*Žodžių žaismas: Herberto pavardė Head angliškai reiškia galvą.

Tai kas tau viepiasi kas viepiasi pro juos

Vis dar mačiau tą kaminą. Ten ir turėtų būti tas vanduo, tekantis jūron, į tas taikias olas. Jie taikiai vartaliosis sau dugne, o kai Jis ištars Kelkitės, išnirs tiktai laidynės. Kai mudu su Veršu medžiodavome kiaurą dieną, priešpiečių nesiimdavome, ir dvyliktą aš jau praalkdavau. Taip gangariuodavau maždaug iki pirmos, paskui staiga pamiršdavau apie alkį. *Gatvės žibintai leidosi kalva žemyn paskui girdėjau kaip kalva rieda žemyn tramvajus. Plokščias krėslo ranktūris vėsus ir glotnus po mano kakta krėslo išlinkis o ant plaukų palinkus obelis virš tų edeniškų drabužių kuriuos išvysta nosis* Tu karščiavai, aš pajutau tai vakar, tarsi būčiau stovėjęs prie krosnies.

Neliesk manęs.

Kede tau negalima to daryti jei tu sergi. Tas niekšas.

Juk turiu už ko nors ištekėti. *Tada jie man pasakė kad vėl teks laužti kaulą*

Galiausiai nebemačiau to kamino. Kelias driekėsi palei kažkokią tvorą. Medžiai sviro per ją nutvieksti saulės spindulių. Tvoros akmuo buvo vėsus. Jutau tą vėsą žingsniuodamas greta. Tik kad mūsų kraštuose viskas būna kitaip. Ten vos išėjęs pajunti kažką. Kažkokį ramų, nirtulingą vaisingumą, kuris patenkina tave, kaip duona nuramina alkį. Ir visa šitai aplink tave srūte srūva, be jokių svarstymų, be gaišaties ties kiekvienu menkiausiu akmenėliu. Tarsi čia kas būtų sukūręs laikiną pakaitalą, kad vaikštinėdamas tarp šitų medžių jaustum daugiau žalumo, ir net tas tolių mėlynumas – toli gražu ne mūsų prašmatnusis fantastiškasis mėlis. *pasakė man kad vėl teks laužti kaulą ir manyje netrukus nuskardeno Ak Ak Ak ir prakaitas išpylė. Na ir kas gi čia tokio aš juk žinau ką reiškia susilaužyt koją visa tai*

gryni niekai man tik reikės ilgiau pabūti namie ir tiek o žandi-
kaulio raumenys nutirpo ir lūpos vis kartojo Palaukit Palaukit
tik minutę prakaitas pila ak ak ak sukandau dantis o tėtis tas
prakeiktas arklys tas prakeiktas arklys. Palaukit kaltas aš pats.
Kas rytą braukdamas lazda jis praeidavo su tuo krepšiu palei
tvorą virtuvės link kas rytą aš nuklibikščiuodavau sugipsuota
koja iki lango ir tykodavau jo su anglių luitu rankoje. Dilzė
sakydavo tujen save pribaigsi nejau tau trūksta proto juk susi-
laužei ją prieš keturias dienas. Palauk aš tuoj priprasiu po mi-
nutės jau viskas bus gerai

Net garsas, rodės, nuščiūdavo tame ore, tarytum oras būtų
pavargęs nešiot garsus šitaip ilgai. Šuns lojimas nuaidi toliau
nei traukinio dundėjimas, bent jau tamsoje. Ir kai kurių žmo-
nių. Negrų. Luisas Hečeris niekad nesinaudodavo trimitu, kai
nešdavosi jį su tuo senu žibintu.

– Luisai, – paklausiau, – kada valei šitą žibintą paskutinį kartą?

– Neseniai. Ar pamenat kaip tasai potvynio* vanduo nuplo-
vė tuos žmogelius? Išvaliau jį tą pačią dieną. Mudu su senute
sėdėjome tą vakarą prie ugnies, ji man ir sako: „Luisai, ką tu
veiktum, jeig tasai potvynis ateitų ligi čia?", o aš jai atsakiau:
„Tikrai. Gal reiktų išvalyti tą žibintą". Tada ir išvaliau jį, tą patį
vakarą.

– Tas potvynis buvo toli, Pensilvanijoje, – tariau. – Jis nega-
lėjo atsiristi iki čia.

– Tai jūs taip sakote, – atsakė Luisas. – O aš manau, kad
vanduo gali pakilti taip aukštai ir būt toks šlapias tiek Džefer-
sone, tiek ir Pensilvane. Yra žmonių, kur sako, kad vanduo

*Tikriausiai aliuzija į Džonstauno potvynį Pensilvanijoje, įvykusį 1889 metų
gegužės 31 dieną.

negali pakilti taip aukštai, o, žiūrėk, jau plaukia ant savo namo stogo.

– Ar judu su Marta buvote tą vakarą išėję?

– Būtent taip mudu ir padarėme. Aš išvaliau žibintą ir mudu išsėdėjome ant tos kalvos už kapinių likusią nakties dalį. O jeig būčiau žinojęs kokią aukštesnę, būtume nuėję ant jos.

– Ir nuo to laiko tu to žibinto nevalei?

– O kam man jį valyt, jeig reikalo nėra?

– Vadinas, iki kito potvynio jo nevalysi?

– Jis mus išgelbėjo nuo pirmojo.

– Na jau, dėde Luisai, – pasakiau.

– Taip, sere. Jūs darote, kaip jums atrodo, ir aš taip pat. Jeig tam, kad išsigelbėčiau nuo potvynio, man reikia tiktai išsivalyt šitą žibintą, kodėl turėčiau su kuo nors pyktis.

– Dėdė Luisas nieko nepagaus su tokiu žibintu, kuris šviečia, – pareiškė Veršas.

– Aš dar tada medžiodavau oposumus šitoj šaly, vaikeli, kai tavo tėvo galvoje utėles žibalu skandino, – pasakė Luisas. – Ir sumedžiodavau.

– Teisybė, – tarė Veršas. – Man regis, dėdė Luisas pagavo tiek oposumų, kiek niekas kitas šituos kraštuos.

– Taip, sere, – patvirtino Luisas – Mano oposumams šviesos užtenka. Negirdėjau, kad kuris jų skųstųsi. O dabar cit. Na štai. Užuodė! Dumk, šunie. – Ir mes taip sėdim tarp sausų lapų, jie mažumėlę šnara nuo mūsų lėtai alsuojančio laukimo ir nuo to lėto žemės ir nevėjuoto spalio alsavimo, laiškus žibinto dvokas teršia tą dužų orą, mes klausomės šunų lojimo ir tolumoje nykstančio Luiso balso aido. Jis niekada jo nepakeldavo, tačiau tykiomis naktimis mes jį girdėdavome mūsų priekinėje verandoje. Kai šaukdavo šunis namo, jo balsas nuskardendavo tarsi trimitas, kurį jis nešdavosi ant perpetės, nors niekad juo nesinaudodavo, – tiktai aiškiau, sodriau, tarsi jo balsas būtų tos tamsos ir tos tylos dalis, iš jų išsirangantis ir vėlei įsirangantis. Ūūūūūūūū. Ūūūūūūūū. Ūūūūūūūūūūūūūūūūūūū. *Juk turiu už ko nors ištekėti*

Kede tu jų turėjai labai daug

Nežinau pernelyg daug ar pasirūpinsi Bendžiu ir tėčiu

Vadinasi tu nežinai kieno jis o jis ar žino

Neliesk manęs ar pasirūpinsi Bendžiu ir tėčiu

Dar nepriėjęs tilto pajutau vandenį. Tiltas buvo iš pilko apkerpėjusio akmens, išmargintas lėtai plintančio grybo drėgmės. Po juo vanduo buvo skaidrus ir tykus, apgaubtas pavėsio, šnarėjo ir taškėsi į akmenį blėstančiuose sūkuriuojančio dangaus verpetuose. *Kede tas*

Turiu už ko nors ištekėti Veršas man pasakojo, kaip vienas vyras pats save susižalojo. Nuėjo miškan ir padarė tai skustuvu sėdėdamas griovyje. Kai skustuvas sulūžo, jis nusviedė juos abu sau per petį tokiu pat nepriekaištingu judesiu, jį ir tą kruviną raizginį tiesut tiesiausiai. Bet šito negana. Negana jų nebeturėti. Reikia išvis nebūti jų turėjus. Tada galėčiau pasakyti O tai... Tai – kinų raštas, aš kiniškai – nei bū, nei mė. O tėtis man pasakė Visa šitai dėl to, kad tu esi skaistus, supranti? Moterys niekada nebūna skaisčios. Skaistumas – negatyvi būsena, todėl ir prieštarauja gamtai. Tave žeidžia ne Kedė, o gamta, ir aš tariau Tai tiktai žodžiai, o jis pasakė Skaistybė – irgi žodis ir aš tada tariau Jūs nežinote. Jūs negalit žinoti, ir jis atsakė Galiu. Akimirką, kai mes šitai suvokiame, tragedija praranda dalį vertės.

Ten, kur krito tilto šešėlis, mačiau labai giliai, tačiau ne iki dugno. Kai lapas labai ilgai išbūna vandenyje, laikui bėgant jo audinys išnyksta ir pamažėle skaidulos banguoja: taip juda miegas. Jos nesiliečia, kad ir kaip andai buvo susipynusios, kad ir kaip andai buvo priartėjusios prie griaučių. Ir gal, kai Jis ištars Kelkitės, akys irgi išplauks paviršiun, iš tų tykių gelmių ir miego, pažvelgt į šlovę. O po kurio laiko išplauks paviršiun ir laidynės. Paslėpiau jas už tilto krašto, grįžau ir persilenkiau per turėklą.

Dugno įžvelgti negalėjau, tačiau akis užmatė gilią vandens versmę, ir išvydau šešėlį, pakibusį nelyg į versmę įsmigusi stora strėlė. Lašalai slysdavo tilto šešėlin ir iš jo, ties pat vandens paviršiumi. *Jeigu už viso to galėtų būti tiktai pragaras: tyra liepsna* ir mudu su tavim labiau nei mirę. Tada turėsi tik mane tiktai mane tada mudu abudu tarp to badymo pirštais ir siaubo už tyros liepsnos* Strėlė išsipūtė be jokio judesio, tada, vikriai išsukęs ratą, upėtakis įtraukė po vandeniu muselę su milžino delikatumu: šitaip drambys kelia nuo žemės riešutą. Nykstantis verpetėlis nuplaukė upe žemyn, aš vėl išvydau tą strėlę, švelniai linguojančią vandens ritmu, nosis nutaikyta srovėn, o virš vandens įkypai leidžias ir plevena lašalai. *Tik tu ir aš tada lydimi to badymo pirštais ir siaubo apsiausto tyra liepsna*

Delikatus, sustingęs upėtakis pakibo tarp tų judrių šešėlių. Ant tilto pasirodė trys berniukai su meškerėmis, visi mes persilenkėm per turėklą ir stebėjom upėtakį. Jis buvo senas geras jų pažįstamas. Tokia kvartalo įžymybė.

– Žmonės stengiasi jį pagauti jau dvidešimt penkerius me-

*Žr. *Lk* 16, 24–25.

tus. Viena Bostono parduotuvė pažadėjo padovanoti dvidešimt penkių dolerių vertės meškerę tam, kuris jį pagaus.

– Tai kodėl jūs jo nepagaunate? Ar nenorėtumėte meškerės už dvidešimt penkis dolerius?

– Norėtume, – atsakė jie, persilenkė per turėklą ir žvelgė žemyn į tą upėtakį.

– Ir dar kaip norėčiau, – pridūrė vienas.

– Aš neimčiau tos meškerės, – pasakė kitas. – Verčiau paimčiau pinigus.

– O gal jie nesutiktų, – suabejojo pirmasis. – Kertu lažybų, jie priverstų paimti meškerę.

– Tada aš ją parduočiau.

– Dvidešimt penkių dolerių už ją negautum.

– Tada paimčiau tai, ką gaučiau. Su šita meškere galiu pagauti tiek pat žuvų kiek su ana už dvidešimt penkis dolerius. – Ir jie ėmė svarstyti, ką padarytų su tais dvidešimt penkiais doleriais. Kalbėjo visi drauge, karštai, paneigdami viens kito žodžius, nekantriai, paversdami nerealumą galimybe, paskui tikėtinu dalyku, paskui neginčijamu faktu, kaip daro žmonės, kai jų troškimai tampa žodžiais.

– Aš nusipirkčiau arklį ir furgoną, – pasakė antrasis.

– Kur jau ne! – pasišaipė kiti du.

– Nusipirkčiau. Žinau, kur galėčiau nusipirkti arklį už dvidešimt penkis dolerius. Pažįstu tokį žmogų.

– Kas jis?

– Tai mano reikalas. Aš galiu nusipirkti arklį už dvidešimt penkis dolerius.

– Taip tavimi ir patikėsim, – tarė anuodu. – Jis nieko neišmano. Tik niekus paisto.

– Jums taip atrodo? – pasiteiravo berniukas.

Jie vis dar iš jo tyčiojosi, bet jis tylėjo. Tik persilenkė per turėklą ir žiūrėjo į upėtakį, kurį jau pardavė, ir staiga visas kandumas, priešprieša dingo iš anųdviejų balsų, tarsi ir jie būtų jau įtikėję, kad jis pagavo tą upėtakį ir nusipirko arklį su furgonu: juos paveikė tas išdidus tylėjimas, kuris suaugusiuosius įtikina bet kuo. Manau, kad, šitaip stengdamiesi įtikinti vieni kitus ir patys save vien tik žodžiais, žmonės yra nuoseklūs, tylėjimą laikydami išmintimi; valandėlę jaučiau, kaip anuodu paskubom ieško būdų su juo susirungti, atimt iš jo tą arklį ir furgoną.

– Tu negautum dvidešimt penkių dolerių už tą meškerę, – tarė pirmasis. – Kertu lažybų iš bet ko, kad negautum.

– Jis juk dar nepagavo to upėtakio, – staiga pasakė trečiasis, paskui abu sušuko: – Taip, o ką aš tau sakiau? Kuo gi vardu tasai žmogus? Na, pasakyk. Nėra tokio žmogaus.

– Ak, užsičiaupkite, – nutraukė juos antrasis. – Žiūrėk, jis vėl išniro. – Jie persilenkė per turėklą, sustingę, visi trys vienodi, jų meškerės šiek tiek palinko saulės spinduliuose, irgi visos vienodos. Upėtakis iškilo neskubėdamas, toks tolydžio didėjantis šešėlis mirgančiame vandenyje; paskui tas sūkuriukas ir vėl išnyko plaukdamas upe žemyn. – Tai bent, – sumurmėjo pirmasis.

– Mes jau nebemėginam jo pagauti, – pasakė. – Tik stebim bostoniečius, kurie čia atvažiuoja pamėginti.

– Ar jis – vienintelė žuvis šituose vandenyse?

– Taip. Jis išvarė visas kitas. Geriausia vieta meškerioti – Verpetas.

– Na jau ne, – paprieštaravo antrasis. – Prie Bigelou malūno pagausi du sykius daugiau.

Jie valandėlę pasiginčijo, kuri vieta geriausia meškerioti, pas-

128) William Faulkner

kui staiga nutilo ir žiūrėjo, kaip upėtakis vėl išnyra, o perskrostas vandens verpetas įtraukia savin dangaus lopelį. Paklausiau, kaip toli nuo čia iki artimiausio miestelio. Jie man pasakė.

– Bet arčiausia tramvajaus linija – ana tenai, – patikslino antrasis, rodydamas ton pusėn, iš kur aš atėjau. – Kur jums reikia patekti?

– Niekur. Šiaip vaikštinėju.

– Jūs iš universiteto?

– Taip. Ar šitame mieste yra fabrikų?

– Fabrikų? – Žiūri į mane.

– Ne, – atsakė antrasis. – Čia nėra. – Jie nužvelgė mano drabužius. – Jūs ieškot darbo?

– O Bigelou malūnas? – tarė trečiasis. – Juk tai fabrikas.

– Nieko sau fabrikas! Jis klausia apie tikrą fabriką.

– Tokį su sirena, – tariau. – Aš negirdėjau čia pirmą valandą skelbiančios sirenos.

– O, – įsiterpė antrasis. – Unitų bažnyčios varpinė turi laikrodį. Ten ir galite sužinoti valandas. Argi ant tos grandinėlės – ne laikrodis?

– Sudaužiau šįryt. – Parodžiau jiems savo laikrodį. Jie rimtai apžiūrėjo jį.

– Jis vis dar rodo valandas, – pasakė antrasis. – Kiek toksai laikrodis kainuoja?

– Jis – dovana, – paaiškinau. – Tėvas jį man padovanojo, kai baigiau gimnaziją.

– Jūs kanadietis? – paklausė trečiasis. Jis buvo raudonplaukis.

– Kanadietis?

– Jis kalba ne taip kaip kanadiečiai, – patikslino antrasis. – Aš girdėjau, kaip kanadiečiai kalba. Jis kalba kaip negrų dainų atlikėjai per pasirodymus.

– Aha, – sutiko trečiasis. – Ar nebijai, kad jis tau užvažiuos per marmūzę?

– Kodėl gi?

– Tu pasakei, kad jis kalba kaip juodukas.

– Užsičiaupk, – atrėžė antrasis. – Varpinę pamatysit užlipęs ant tos kalvos.

Aš padėkojau jiems.

– Sėkmės gaudant žuvį. Tik nepagaukit to senuko. Jis vertas, kad jam duotų ramybę.

– Niekas tos žuvies nepagaus, – užtikrino pirmasis. Jie palinkę ant tilto turėklo žiūri į vandenį, trys meškerės panašios į tris įkypus geltonos liepsnos siūlus, nutviekstus saulės. Einu, lipdamas ant savo šešėlio, vėl jį įmindamas į dėmių išmarguliuotą medžių šešėlį. Toldamas nuo vandens, kelias išrietė vingį. Kirto kalvą, paskui ringuodamas leidosi žemyn, traukdamas paskui save akį ir mintis į žalią tykų tunelį, o ten virš medžių – kvadratinis kupolas ir apskrita laikrodžio akis, bet dar gana toli. Atsisėdau šalikelėje. Žolė iki kulkšnių, stiebų – galybė. Šešėliai ant kelio sustingę, lyg būtų įbrėžti pagal šabloną įkypais saulės spinduliais. Bet tai būta tik traukinio, po valandėlės jis išnyko už medžių pratisai kaukdamas, tada ir išgirdau tiksint savo laikrodį ir nutolstant tą traukinį, tarsi jis būtų pralėkęs kažin kur, pro kitą mėnesį ar kitą vasarą, praskriejęs po plevenančia žuvėdra ir lėkęs, kaip ir visa kita. Išskyrus Džeraldą. Jam irgi nestigs didybės irkluojant vienišam vidurdienį, išsiveržiant iš jo, kylant ton švytinčion erdvėn, tarsi kokia apoteozė, išnyrant svaiginančioje begalybėje, kur bus tik jis ir ta žuvėdra, ji – nuostabiai sustingusi, jis – tolydžio kartojantis ritmingai savo judesį – pirmyn atgal, – kuris yra pati inercija, pasaulis po jų šešėliais saulėje – niekingai menkas. *Kede tas niekšas tas niekšas Kede*

Išgirdau jų balsus, artėjančius kalva, ir pasirodė trys plonytės meškerės, lyg bėgančios liepsnos pagauti siūlai. Praeidami jie pažvelgė į mane, žingsnio nesulėtino.

– Na kaip? Aš nematau jo, – tariau.

– O mes ir nemėginom jo pagauti, – paaiškino pirmasis. – Tos žuvies nepagausi.

– Laikrodis ana ten, – parodė antrasis pirštu. – Valandas pamatysite, kai prieisite arčiau.

– Taip, – atsakiau. – Puiku. – Atsistojau. – Jūs traukiate į miestą?

– Mes einam į Verpetą gaudyt šapalų, – paaiškino pirmasis.

– Verpete nieko nepagausi, – pasakė antrasis.

– Regis, tau norisi eiti į malūną, kur tuntas vaikių pleškenasi ir baido žuvis.

– Verpete niekas nekimba.

– Mes niekur nieko nepagausim, jei nenueisim, – nutraukė trečiasis.

– Nesuprantu, kodėl tu visą laiką kalbi apie Verpetą, – tarė antrasis. – Tenai juk niekas nekimba.

– Jeigu nenori, gali neiti, – įsižeidė pirmasis. – Mes juk nesurišti.

– Eime į malūną, išsimaudysim, – pasiūlė trečiasis.

– Aš einu į Verpetą meškerioti, – spyrėsi pirmasis. – O jūs galite daryti ką norit.

– Na pasakyk man, ar esi girdėjęs, kad kas būtų ką sumeškeriojęs Verpete? – paklausė antrasis trečiojo.

– Eime į malūną ir išsimaudysim, – pakartojo trečiasis.

Kupolas pamažėle slepiasi už medžių, o apskritas laikrodžio ciferblatas dar gana toli. Mes žengiam per dėmių išmargintą šešėlį. Priėjom rausvai baltą sodą. Jis pilnas bičių: jau girdime jas dūzgiant.

– Eime į malūną maudytis, – mygo trečiasis. Palei tą sodą iš kelio suko takas. Trečiasis berniukas sulėtino žingsnį, sustojo. Pirmasis žingsniavo toliau, saulės taškeliai slydo per jo meškerę, per petį, marškiniais žemyn. – Eime, – paragino trečiasis. Antrasis irgi sustojo. *Kam tau reikia už ko nors ištekėti Kede Nori kad pasakyčiau manai kad tai išnyks pasakius*

– Eime į malūną, – kvietė trečiasis. – Judinkis.

Pirmasis berniukas nužingsniavo toliau. Basos jo kojos žengia be jokio garso, leidžias ant žemės tyliau nei lapai. Bitės dūzgia sode – tarytum kyla vėjas, toks pačiu *crescendo* kerų pagautas ir sustabdytas garsas. Takas driekiasi palei pat tvorą, po lapijos skliautais, visas žiedų aptėkštas, dingsta tarp medžių. Saulė krinta ant jo įkypai, reta, karšta. Geltonos peteliškės miruliuoja šešėlyje it saulės dėmės.

– Kodėl tu nori eiti į Verpetą? – paklausė antrasis berniukas. – Juk meškeriot galėsi ir prie malūno, jei norėsi.

– Tegu sau eina, – tarė trečiasis. Jie nužvelgė pirmąjį berniuką. Saulė slysčiojo dėmėmis jo judančiais pečiais, tarsi geltonos skruzdėlės žybčiojo ant meškerės.

– Keni, – pašaukė antrasis. *Pasakyk šitai tėčiui ar pasakysi aš pasakysiu aš savo tėvo Pirmtakas aš jį sukūriau sugalvojau Pasakyk jam ir tai išnyks nes jis tau pasakys Manęs nėra ir tada tu ir aš kadangi savo kūrinius pamilsti*

– Na eime gi, – skubino trečiasis berniukas. – Jie jau maudosi. – Jie nužvelgė pirmąjį berniuką. – Gerai, – staiga tarė abu, –

na ir eik sau, mamos sūneli. Jis mat sušlapins plaukus, jei nusi-maudys, ir gaus pylos. – Jie įsuko į takelį ir nužingsniavo, aplinkui juos šešėlyje pleveno geltonos peteliškės.

tai todėl kad nieko kito nėra aš manau kad yra dar kažkas bet gal to ir nėra ir aš Tu suprasi kad netgi neteisybė vargiai verta to kuo tu tiki esąs Jis nekreipia į mane jokio dėmesio, smakras pasuktas profiliu, veidas truputį nusuktas šalin po ta sulamdy-ta kepure.

– Kodėl tu neini su jais maudytis? – paklausiau. *tas pašlemėkas Kede*

Ar mėginai susigrumti su juo ar mėginai

Jis melagis ir niekšas Kede išvytas iš savo klubo už sukčiavi-mą lošiant kortomis išsiųstas į Koventrį* pagautas nusirašinė-jant per semestro vidurio egzaminus ir išvarytas

Na ir kas aš nesirengiu lošti kortomis su

– Ar meškerioti tau labiau patinka negu maudytis? – paklausiau. Bičių dūzgimas prityko, netgi įtviro, tarsi ne jis nugrimzdo tylon, o tyla pati ėmė tarp mūsų augti it kylantis vanduo. Kelias ir vėlei darė vingį, virto gatve, o ši driekėsi tarp pavėsingų vejų su baltais namais. *Kede tas pašlemėkas ar gali pagalvoti apie Bendžį ir tėtį ir padaryti tai ne apie mane*

Tai apie ką gi dar aš galiu galvoti apie ką dar galvojau Berniukas išsuko iš gatvės. Perlipo per statinių tvorą neatsigręžęs, nuėjo veja prie medžio, padėjo po juo meškerę, įlipo į šakumą ir atsisėdo nugara į kelią ir saulės taškučius, galiausiai sustingu-

---

* Išsiųsti ką į Koventrį reiškia nekreipti į jį dėmesio, užtraukti jam gėdą jį ignoruojant. Pasakojama, esą Koventrio gyventojai kartą taip užsidegė neapykanta kareiviams, kad iš karto ištrėmė moterį, kurią pamatė kalbant su vienu iš jų; todėl, kai koks kareivis būdavo atsiunčiamas į Koventrį, jis būdavo visiškai ignoruojamas.

sius ant jo baltų marškinių. *ką dar galvojau aš negaliu net verkti pernai aš jau buvau negyva aš tau sakiau kad aš negyva bet tąsyk dar nežinojau ką norėjau pasakyti nesupratau ką sakiau* Vėlų rugpjūtį ir pas mus būna tokių dienų: oras toks pats lengvutis ir gaivus kaip šitas, kažin kas jame liūdna, ilgesinga ir pažįstama. Žmogus – tai jo klimatinių patyrimų suma, sakė tėtis. Žmogus – suma to, iš ko jisai susideda. Lieka išspręsti – ką daryti su tomis netyromis savybėmis, kurios nuobodžiai išsirutulioja į nekintamą nulį: į dulkių ir aistrų aklavietę. *o dabar žinau kad esu negyva sakau tau*

Tai kam tada tau jų klausyti mes galime išvykti tu Bendžis ir aš tenai kur mūsų niekas nepažįsta Brikelę traukia baltas arklys, jo kanopos kaukši į lengvą žemę; voriški ratai girgžda plonai, sausai, ji kopia aukštyn į kalvą po raibuliuojančia lapų skraiste. Po guobomis. Ne: gubojomis, gubojomis.

Už ką už tuos tavo universiteto pinigus už pinigus dėl kurių jie pardavė ganyklą kad tu galėtum vykti mokytis į Harvardą ar tu nesupranti kad dabar privalai jį baigti jeigu nebaigsi jis nieko neturės

Pardavė ganyklą Balti jo marškiniai sustingo medžio šakume, tam mirgančiam šešėlyje. Ratai voriški. Po nusėdusia brikele kanopos juda tiksliai ir skubriai, toks damos, kai ji siuvinėja, rankų mostas, brikelė mąžta, nejuda į priekį, tarsi kokia marionetė, skubiai nutraukiama į užkulisius nuo teatro scenos. Gatvė vėl daro posūkį. Išvydau baltą kupolą, apskritą kvailą laikrodžio teigimą. *Pardavė ganyklą*

Jie kalbėjo esą tėtis numirs po metų jei nepaliaus gėręs o jis juk nepaliaus negali liautis gėręs po to kai aš kai pernykštę vasarą ir tada jie išsiųs Bendžį į Džeksoną aš negaliu verkti net

verkti aš net minutę negaliu paverkti ji stovi tarpduryje o ne-
trukus jisai jau traukia ją už suknios ir bliauna jo balsas daužo-
si į sienas bangomis o ji susigūžia prie jos ir vis mažėja mažėja
veidas toksai išbalęs akys tarsi nykščiu į jį įspaustos kol jis ga-
liausiai ją išstūmė iš kambario jo balsas daužosi į sienas tarsi
patsai tas jo įsisiūbavimas neleistų jam sustoti tarsi nebūtų jam
vietos tyloje bliauna

Kai kas atidarydavo duris, varpelis skimbteldavo, bet tiktai
vieną kartą, – toks aukštas, aiškus, laibas garsas švarioje tamso-
je virš durų, tarsi ten būtų buvę pamatuota ir nustatyta, kad
turi pasigirsti tik tas vienas aiškus, laibas garsas, taupant varpe-
lį ir tam, kad ta tyla per daug nesieikvotų vėl įsivyraudama, kai
durys atsiverdavo į šiltą ką tik iškeptos duonos kvapą; ten stovi
mažytė purvina mergaitė pliušinio meškio akimis ir dviem la-
kuotomis kaselėmis.

– Sveika, sesute. – Toje malonioje šiltoje tuštumoje jos vei-
das – tarsi puodelis pieno, praskiesto šlakeliu kavos. – Ar čia
yra kas nors?

Bet ji tik žiūri į mane, kol durys prasivėrė ir įėjo toji ponia.
Viršum prekystalio, kur už stiklo sukrautos krūvos paskrudu-
sių pavidalų, – švarus jos pilkas veidas, reti plaukai, kietai su-
rišti ant švaraus ir pilko sprando, akiniai su švariais pilkais ap-
sodais, – ir visa tai artėjo, tarsi pakibę ant vielos, lyg būtų kokia
parduotuvės kasa. Ji buvo panaši į bibliotekininkę. Į kažką, gy-
venantį tarp dulkinų lentynų, kur išdėlioti sutvarkyti įsitikini-
mai, seniai atskilę nuo tikrovės, ramiai sau džiūstantys, tarytum
oro, matančio, kad įvyko neteisybė, dvelksmas

– Prašom dvi tokias, ponia.

Ji ištraukė iš po prekystalio į kvadratus supjaustyto laikraščio skiautę, paklojo ją ant viršaus ir paėmė dvi bandeles. Mergytė žiūrėjo į jas ramiomis nemirksinčiomis akimis, – du serbentai, sustingę puodelyje silpnos kavos: žydpalaikių žemė, italpalaikių tėvynė*. Žiūrėjo į bandeles, į tas švarias pilkas rankas, į platų aukso žiedą ant smiliaus, prilaikomą pamėlusio sąnario.

– Ar jūs pati jas kepat, ponia?

– Sere? – pasakė ji. Būtent taip. Sere? Lyg scenoje. Sere? – Penki centai. Ar dar ko pageidautumėt?

– Ne, ponia. Man nieko. Šita panelė kažko nori.

Ji buvo neaukšta, tad per prekystalį nematė, todėl priėjo prie jo galo ir pažvelgė į mergytę.

– Ar jūs ją čia atsivedėt?

– Ne, ponia. Ji jau buvo čia, kai įėjau.

– Ak tu maža nenaudėle, – sušuko ji. Išėjo iš už prekystalio, tačiau nepalietė mergaitės. – Ar jau prisprogai kišenes?

– Ji neturi kišenių, – paaiškinau. – Ji nieko nepadarė. Ji tik stovėjo čia ir laukė jūsų.

– Tai kodėl gi varpelis nesuskambėjo? – Įsispitrijo į mane. Jai trūko tik rykščių ir lentos už nugaros su užrašu: 2 x 2 = 5. – Ji gali taip pakišti ką po suknele, kad nieks nepamatys. Tai kaipgi, vaike, tu įėjai? – Mergytė nieko neatsakė. Žiūrėjo į moterį, paskui vogčiomis žvilgtelėjo į mane ir vėl įsistebeilijo į pardavėją. – Tie svetimšaliai, – iškošė moteris. – Tai kaipgi ji įėjo, kad varpelis nesuskambo?

– Ji įėjo kartu su manimi, – paaiškinau. – Varpelis suskambo mums abiem. Be to, nuo čia ji nieko nepasiektų. Beje, aš nemanau, kad ji norėjo tai padaryti. Juk nenorėjai, sesut? –

*Parodijuojanti aliuzija į nacionalinį amerikiečių himną „Laisvų žmonių žemė, narsuolių tėvynė“.

Mergytė žvelgė į mane, tokia slapukė, susimąsčiusi. – Ko tu norėtum? Duonos?

Ji atkišo kumštelį. Atgniaužė ir parodė penkių centų monetą, drėgną, nešvarią, o delne – įsigėręs ir drėgnas purvas. Moneta buvo drėgna ir šilta. Užuodžiau ją, tokį silpną metalo kvapą.

– Ar turit kepalėlį už penkis centus, ponia?

Ji ištraukė kvadratinę laikraščio skiautę, paklojo ją ant prekystalio ir suvyniojo kepalėlį. Aš padėjau monetą, paskui dar vieną ant prekystalio.

– Ir prašom dar vieną iš tų bandelių.

Ji paėmė bandelę iš vitrinos.

– Duokit man tą paketą, – paprašė. Aš padaviau, ji išvyniojo jį, pridėjo trečią bandelę, vėl suvyniojo, paėmė monetas, suieškojo prijuostėje du variokus ir padavė juos man. Aš atidaviau juos mergytei. Jos piršteliai sugniaužė juos, drėgni ir šilti, kaip kirminukai.

– Tą bandelę jūs jai? – paklausė moteris.

– Taip, ponia, – atsakiau. – Manau, kad jai jūsų kepinių kvapas patinka ne mažiau nei man.

Paėmiau abu paketus, padaviau duoną mergytei. Pilkai geležinė moteris už prekystalio žvelgė į mus šaltu ir nenumaldomu žvilgsniu.

– Luktelkit trupučiuką, – pasakė. Ir nuėjo į parduotuvės galą. Durys vėl atsidarė ir užsidarė. Mergytė žiūri į mane, prispaudusi duoną prie purvinos suknelės.

– Kuo tu vardu? – paklausiau. Ji nuleido akis, bet vis dar nejudėjo. Regis, net nekvėpavo. Moteris grįžo. Rankose laikė kažkokį keistą daiktą. Laikė jį taip, tarsi tai būtų kokia padvėsusi prijaukinta žiurkė.

– Imk, – tarė. Mergytė stebeilijo į ją. – Paimk, – paragino kišdama tą daiktą mergaitei. – Jis tik atrodo keistai. Bet valgydama, manau, skirtumo nepajusi. Imk. Negaliu čia stovėti visą dieną. – Mergaitė paėmė tą daiktą, vis dar žiūrėdama į moterį. Ši nusišluostė rankas į prijuostę. – Reikės pritvirtint tą skambutį, – pridūrė. Nužengė prie durų ir jas pastūmė. Varpelis skimbtelėjo vieną kartą, toks laibas, aiškus ir nematomas. Mudu nuėjome prie durų, ir moteris atsigręžė.

– Ačiū už pyragaitį, – padėkojau.

– Tie svetimšaliai, – pasakė ji, spitrindama į tamsų kampą, kur skimbčiojo varpelis. – Paklausykite mano patarimo ir laikykitės atokiau nuo jų, jaunikaiti.

– Taip, ponia, – atsakiau. – Eime, sesute. – Mudu išėjome. – Ačiū jums, ponia.

Ji uždarė duris, paskui vėl stumtelėjusi atidarė, varpelis vėl išleido savo laibą vienkartinį garsą.

– Tie svetimšaliai, – pakartojo žiūrėdama į varpelį.

Mudu patraukėme šaligatviu.

– Na? – kreipiausi į mergytę. – O gal suvalgytume ledų? – Ji kramsnojo savo subjaurotą pyragaitį. – Ar mėgsti ledus? – Žiaumodama nužvelgė mane juodu ramiu žvilgsniu. – Eime.

Mudu įėjome į vaistinę, aš paprašiau ledų. Ji nepaleido savo kepalėlio.

– Kodėl tau jo nepadėjus? Taip bus patogiau valgyti, – pasisiūliau paimti jį. Tačiau ji nepaleido kepalėlio iš rankų, o ledus čiulpė taip, tarsi jie būtų skystas irisas. Atkąstas pyragaitis gulėjo ant stalo. Ledus ji suvalgė nesustodama, paskui vėl puolė prie pyragaičio, dairydamasi po vitrinas. Baigiau valgyti savo ledus, ir mudu išėjome.

– Kur tu gyveni? – paklausiau.

Brikelė, toji su baltu arkliu. Tik kad daktaras Pybodis storas. Trys šimtai svarų. Su juo į kalvą važiuoji įsikibęs. Vaikai. Kopti į kalvą lengviau negu važiuoti įsikibus. *Ar jau matei daktarą Kede ar jau matei jį*

Kol kas nereikia aš negaliu dabar prašyti o paskui viskas bus gerai jau bus nebesvarbu

Juk moterys taip subtiliai, taip paslaptingai sudarytos, sakė tėtis. Tokia subtili periodiškų nešvarumų pusiausvyra tarp dviejų pakibusių mėnulių. Pilni ir geltoni mėnuliai, sakė, jos klubai, šlaunys kaip javapjūtės mėnuliai. Jos visada, visada išsilieja per kraštus bet. Geltoni. Kaip padai, pageltę nuo vaikščiojimo. Paskui sužinai, kad kažin koks vyras, kad visas tas užmaskuotas paslaptingumas ir įsakmumas. Kad visos tos vidinės formos iš-silieja į išorinį lipšnumą, laukiantį prisilytėjimo. Skystas puvė-sis kaip tie išplaukę į paviršių nuskendę daiktai, tarsi kokia iš-blyškusi glebnai pripūsta guminė kamera, persismelkusi saus-medžio aromato, viskas su juo sumišę.

– Verčiau jau tu nunešk namo tą duoną, gerai?

Ji pažiūrėjo į mane. Ramiai ir nesustodama žiaumojo; mažy-tis gumulėlis vienodais tarpais glotniai nuslysdavo jos gerkle. Aš prakėčiau savo maišelį, padaviau jai bandelę.

– Sudie, – tariau.

Nužingsniavau tolyn. Paskui atsigręžiau. Ji eina paskui.

– Ar tau namo į šitą pusę? – Ji nieko neatsakė. Žingsniuoja greta manęs, tarsi man po alkūne, valgo. Mes einame tolyn. Aplinkui tylu, beveik nė gyvos dvasios *viskas sumišę su saus-medžio aromatu Tikriausiai ji man būtų liepusi nesėdėti tenai ant laiptų nesiklausyti kaip trinktels sutemose jos miegamojo*

durys nesiklausyti kaip Bendžis vis dar verkia Vakarieniauti jai
teks nusileist žemyn paskui viskas sumyšta su sausmedžių aro-
matu Mudu priėjome gatvės kampą.

– Na, o dabar man reikia sukt čionai, – pasakiau. – Sudie.

Ji irgi sustojo. Nurijo paskutinį pyragaičio kąsnį, paskui įniko
į bandelę, nenuleisdama nuo manęs akių. – Sudie, – pakartojau.
Pasukau į tą gatvę ir nužengiau, sustojau tik prie kito kampo.

– Tai kurgi tu gyveni? – paklausiau. – Šitoje pusėje? – Paro-
džiau tolyn į gatvę. Ji tik žiūrėjo į mane. – Ar anoje? Tikriausiai
tu gyveni prie stoties, kur traukiniai važiuoja. Atspėjau? – Ji tik
žiūrėjo į mane, tokia giedra, žiaumojanti ir paslaptinga. Gatvė
buvo tuščia į vieną ir į kitą pusę: ramios vejos, švarūs namai
tarp medžių, tačiau nė gyvos dvasios, tik kažkas ten, iš kur
mudu atėjome. Apsisukome ir grįžome atgal. Priešais kažkokią
parduotuvę ant kėdžių sėdėjo du vyriškiai.

– Ar jūs pažįstat šitą mergaitę? Ji tiesiog prilipo prie manęs,
o aš niekaip negaliu išgauti, kur ji gyvena.

Jie nusuko akis nuo manęs į mergaitę.

– Tikriausiai ji iš tų naujai atvykusių italų, – tarė vienas. Jis
vilkėjo rūdžių spalvos redingotu. – Esu ją matęs. Kuo tu vardu,
mergyt? – Ji valandėlę žiūrėjo į juos savo juodomis akimis, žan-
dikauliai krutėjo be paliovos.

– Gal ji nemoka angliškai? – pasakė kitas.

– Ją pasiuntė nupirkti duonos, – paaiškinau. – Vadinas, mo-
ka šį bei tą.

– Kuo vardu tavo tėtis? – paklausė pirmasis. – Pitas? Džo? Jo
vardas Džonas, ar ne? – Ji vėl atsikando bandelės.

– Ką man su ja daryti? – paklausiau. – Ji visą laiką seka man
iš paskos. O man reikia grįžti į Bostoną.

– Jūs iš universiteto?

– Taip, sere. Ir turiu grįžti.

– Paėjėkite ta gatve ir perduokit ją Ensui. Jis turėtų ten būti, nuomojamų arklių arklidėje. Jis policijos nuovados viršininkas.

– Regis, nieko kito nebelieka, – tariau. – Turiu kažką su ja daryti. Labai jums ačiū. Eime, sesut.

Mes nutapenome gatve, jos pavėsingąja puse, kur laužyto fasado šešėlis palengva liejosi šaligatviu. Priėjome nuomojamų arklių arklidę. Ten nuovados viršininko nebuvo. Tarp gardų eilių pučia vėsus tamsus vėjelis, atsiduodantis amoniaku, vyras, sėdintis ant kėdės, atremtos į plačių žemų vartų staktą, patarė man ieškot pašte. Jis irgi nepažįstąs tos mergaitės.

– Aš neskiriu tų užsieniečių, – pasakė. – Pamėginkit nuvesti ją už geležinkelio, kur jie gyvena, gal kas pašauks ją.

Patraukėme atgal gatve į paštą. Vyras, vilkintis redingotu, vartė laikraštį.

– Ensas ką tik išvyko iš miesto, – paaiškino. – Verčiau nueikite už geležinkelio stoties, praeikite pro tuos namus prie upės. Kas nors ten atpažins ją.

– Tikriausiai taip ir reiks daryti, – tariau. – Eime, sesut. – Ji įsigrūdo į burną paskutinį bandelės kąsnį ir jį nurijo. – Dar nori? – paklausiau. Ji pažiūrėjo į mane, žiaumodama, akys – juodos, nemirksinčios ir draugiškos. Ištraukiau kitas dvi bandeles, daviau jai vieną, pats atsikandau kitos. Paklausiau to vyriškio, kur stotis, jis man parodė. – Eime, sesut.

Priėję stotį, perėjom per bėgius ties ta vieta, kur teka upė. Per ją nutiestas tiltas, gatvė su statytais iš akies mediniais namais, rodės, gręžės nuo jos. Tokia apšiurus gatvė, tačiau atrodė marga ir net gyva. Vidury piktžolėmis apželusios dykros, ap-

tvertos aplūžusiais ir išretėjusiais statiniais, riogsojo sena krei-
va dvivietė karieta, toliau – visokio oro matęs namas, viršuti-
niame jo lange karojo kažkoks ryškiai rausvas drabužis.

– Ar tai tavo namai? – paklausiau. Ji žiūri į mane per bande-
lės viršų. – Šitie? – paklausiau rodydamas. – Ji tik žiaumoja ir
daugiau nieko, tačiau man pasirodė, kad išvydau kažką patvir-
tinančio, netgi kažkokį sutikimą jos veide, nors be jokio entu-
ziazmo. – Šitie? – perklausiau. – Tada eime. – Įžengiau pro
sulūžusius vartelius vidun. Atsigręžiau į ją. – Čia? – perklausiau
dar kartą. – Atpažįsti savo namus?

Ji paskubomis linktelėjo galvą ir žiūri į mane, kąsdama drėg-
ną duonos pusmėnulį. Einame prie namo. Takas iš sutrūkinėju-
sių paskirų plokščių su tarpuose išdygusiais šviežiais šiurkščios
žolės stiebais vedė prie aplūžusio prieangio. Aplinkui namą –
visai ramu, jokio judėjimo, net tas rausvas drabužis, karantis
viršutiniame lange, nekrustelėjo. Duryse – skambutis su apskrita
porceliano rankenėle, pririšta prie maždaug šešių pėdų ilgio
vielos, aš lioviausi ją traukęs ir pabeldžiau. Mergytei iš burnos
kampu išlindusi duonos pluta.

Duris atidarė kažkokia moteris. Ji pažiūrėjo į mane, paskui,
pasisukusi į mergaitę, pradėjo berti itališkus žodžius tokia ky-
lančia intonacija, tada nuščiuvo ir žiūrėjo klausiamai. Po to vėl
kreipėsi į mergaitę, o ši žiūrėjo į ją pro duonos plutą, stumda-
ma ją į burną purvina ranka.

– Ji sakosi, kad čia gyvena, – tariau. – Sutikau ją mieste. Tai
jūs ją pasiuntėte duonos?

– Nekalbėti angliški, – pasakė moteris. Ir vėl prakalbo, kreip-
damasi į mergaitę. Mergaitė tik žiūri į ją ir tyli.

– Ji negyventi čia? – paklausiau. Parodžiau į mergaitę, paskui į ją pačią, paskui į duris. Moteris papurtė galvą. Ji kalbėjo skubriai. Priėjo prie verandos krašto ir, nesiliaudama kalbėti, parodė į gatvės galą.

Aš irgi ėmiau uoliai linguoti galvą.

– Jūs eisit su mumis ir parodysit? – paprašiau. Paėmiau ją už alkūnės, kita ranka mojau į kelią. Rodydama pirštu, ji tarškėte tarškėjo. – Eime, parodysit, – pasakiau stengdamasis nuvesti ją žemyn laipteliais.

– *Si, si**, – pasakė ji traukdamasi atgal ir balažin ką rodydama. Aš vėl ėmiau linksėti galvą.

– Ačiū. Ačiū. Ačiū. – Nulipau laipteliais ir nužingsniavau prie vartų, ne bėgte, bet gana greitai. Priėjęs prie vartelių sustojau ir valandėlę žiūrėjau į mergaitę. Pluta jau buvo dingusi, o ji žvelgė į mane savo juodomis draugiškomis akimis. Moteris vis dar stovi ant tų laiptelių, nenuleidžia nuo mūsų akių.

– Eime, – pasakiau. – Anksčiau ar vėliau vis tiek surasime tą, kurio reikia.

Ji tipena tiesiog man po alkūne. Traukiame tolyn. Visi namai atrodė kaip išmirę. Nesimatė nė gyvos dvasios. Tokia kvėpavimo stoka, būdinga tuštiems namams. Ir vis dėlto jie visi negalėjo būti tušti. Jeigu staiga tas sienas perkirstum, atsivertų visi skirtingi kambariai. Ponia, prašom jūsų duktė. Ne jūsų? Vadinas, jūsų, dėl Dievo meilės, ponia. Ji vis dar tipeno man po alkūne su tomis blizgančiomis, kietai supintomis kaselėmis, o štai jau ir paskutinis namas, ir kelias suka iš akių už aklinos sienos palei upę. Sulūžusiuose vartuose išniro moteris su skepeta ant galvos, spaudžia ją po smakru. Kelias vinguioja tolyn,

*Taip, taip *(it.)*.

tuščias. Sugrabaliojau monetą ir padaviau mergaitei. Dvidešimt penkis centus.

– Sudie, sesut, – tariau. Ir nubėgau.

Bėgau kiek įkabindamas, neatsigręždamas. Tik keliui jau pasukus žvilgtelėjau atgal. Ji stovi vidur kelio, tokia mažytė figūrėlė, prispaudusi duonos kepalėlį prie purvinos suknelės, akys juodos, sustingusios, nemirksinčios. Nubėgau tolyn.

Iš kelio suko gatvelė. Įbėgau į ją ir perėjau į spartų žingsnį. Gatvelė buvo įsispraudusi tarp nedažytų namų užpakalinių kiemų, – čia irgi ant virvių kabojo margaspalviai ryškūs drabužiai, daugiau jų; daržinė aplūžusiu galu, ramiai trūnijanti tarp nenugenėtų, piktžolių užgožtų vešlių vaismedžių rausvais ir baltais žiedais, dūzgiančių nuo saulės ir nuo bičių. Atsigręžiau. Gatvelės pradžia – tuščia. Dar labiau sulėtinau žingsnį, mano šešėlis žengė drauge su manimi, vilkdamas savo galvą per tvorą apaugusias piktžoles.

Gatvelė baigėsi prie užklėstų vartų, tiesiog išnyko piktžolėse – virto tik takeliu, vos vos įsibrėžusiu į jauną žolę. Perlipau per tuos vartus, perėjau medžiais apsodintą ruožą, priėjau kitą tvorą, nukiūtinau palei ją, dabar mano šešėlis vilkosi užpakaly. Čia auga laukinės vynuogės ir vijokliai ten, kur mūsų kraštuose augtų sausmedis. Vis smarkiau plūstantis, ypač per sutemas, nulijus lietui, tasai sausmedžio kvapas, kuriame viskas sumišę, lyg ir be jo dar būtų negana, negana nepakenčiama. *Kam leidaisi jo bučiuojama bučiuojama*

Aš nesileidau aš jį priverčiau ir stebi kaip mane ima siutas Ir ką gi tu į tai? Raudonas mano plaštakos atspaudas išdriko jai ant skruosto tarsi būčiau ranka įjungęs šviesą jos akys žėruoja

Ne už tą bučinį aš skėliau tau per veidą. Penkiolikmetės mer-

William Faulkner

*ginos alkūnės kalbėjo tėtis tu ryji taip tarsi tavo gerklėje būtų
įstrigus ašaka kas tau nutiko o Kedė vengia mano žvilgsnio kita-
pus stalo. Aš skėliau tau per veidą už tai kad leidai kažin ko-
kiam sumautam miesto pliuškiui ar dar darysi taip ar darysi
pasakyk kalės uodega. Raudonas mano plaštakos atspaudas ant
jos veido. O ką jeigu nušveitus jai veidą į. Susipynę žolės stiebai
įsispaudė į dilgčiojantį jos skruostą šveičia veidą. Pasakyk kalės
uodega pasakyk*

Aš bent jau nesibučiavau su tokia sutre kaip Natali Tvora pa-
lindo po šešėliu, tada vėl apgavau jį. Buvau pamiršęs apie upę,
vingiuojančią palei tą kelią. Užlipau ant tvoros. O mergytė, pri-
spaudusi prie suknios duonos kepalėlį, spokso, kaip aš nušoku.

Stoviu tarp piktžolių, valandėlę stebeilijam vienas į kitą.

– Kodėl gi tu nepasakei, sesut, kad gyveni čionai prie upės? –
Kepalėlis pamažėle jau slysta iš to sutrinto popieriaus, reikėtų
kito. – Na, eikš, parodyk, kur tavo namai. *su tokia sutre kaip
Natali. Lyja mes girdime lietaus barbenimą į stogą jo dūsavimą
tam aukštam maloniam klojimo tuštume.*

Čia? liesdamas ją

Ne čia

*Čia? Lyja nesmarkiai bet mes nieko negirdim tik stogą ir taip
tarsi tai būtų mano arba jos kraujas*

*Ji nustūmė mane nuo kopėčių ir nubėgo palikusi mane Kedė
nubėgo*

Ar čia užsigavai kai Kedė nubėgo ar čia

Ak Ji žingsniuoja man po alkūne, tasai lakuotas jos pakaušis,
kepalėlis kyšo iš popieriaus.

– Jei negrįši tuoj pat namo, tos duonos nebeliks. Ką tada
pasakys mama? *Kertam lažybų kad aš galiu tave pakelti*

Negali aš tau per sunki

Ar Kedė pabėgo ar ji nudūmė prie namo iš mūsų namo kloji-
mo nesimato ar esi kada mėginęs pamatyti klojimą iš

Tai ji buvo kalta ji nustūmė mane ir pabėgo

Galiu tave pakelti žiūrėk kaip galiu

Ak jos kraujas ar mano kraujas Ak Mudu žingsniuojam per
tas smulkutes dulkeles, kojos tapnoja tyliai, tarsi per gumą tose
smulkutėse dulkelėse, kur saulės spinduliai įkypai sunkiasi pro
medžius. Ir vėl jaučiu tekant vandenį, skubrų, tykų, tame pa-
slaptingame šešėlyje.

– Tu gyveni toli, tiesa? Esi gudruolė, kad nueini šitaip toli į
miestą pati viena. *Tai kaip tada kai šoki sėdėdamas ar esi kada*
šokęs sėdėdamas? Mes girdėjom barbenant lietų, krebždant žiur-
kę, tuščią klojimą be arklių. Kaip tu laikai rankas kai šoki ar va
šitaip laikai

Ak

Aš buvau pratęs laikyti va šitaip tu manei kad aš nepakanka-
mai stiprus ar ne

Ak Ak Ak Ak

Aš pratau buvęs laikyti va šitaip tai yra ar girdėjai ką pasa-
kiau ką pasakiau

ak ak ak ak

Kelias driekias tolyn, ramus ir tuščias, saulės spinduliai krin-
ta vis įkypiau. Jos kietai supintos kaselės galuose surištos ryš-
kiai raudono audeklo skiautelėmis. Popieriaus kampas plaiks-
tosi jai žengiant, iš po jo vis išlenda plikas duonos galas. Aš
sustojau.

– Klausyk. Ar tu prie šito kelio gyveni? Mes nužingsniavome
jau visą mylią, o dar nebuvo nė vieno namo.

Ji žiūri į mane, juoda, slaptinga, draugiška.

– Kurgi tavo namai, sesut? Tikriausiai liko ten, mieste?

Kažkur giraitėj būta paukščio, už tų įkypų, retų, užlūžusių saulės spindulių.

– Tavo tėtis jau ims nerimauti dėl tavęs. Ar negausi pylos, kad iškart negrįžai namo su duona?

Paukštis vėl sučiepsėjo, nematomas, – toksai bereikšmis ir gilus garsas, be moduliacijų, staiga nutrūkęs, it peiliu nupjautas, ir dar kartą pasikartojęs, ir tas skubraus, taikaus vandens virš paslaptingų vietų pojūtis, nei matomo, nei girdimo, tik jaučiamo.

– Ak, kad jį kur, sesut. – Pusė popieriaus tįso šleivai nukarę. – Dabar iš jo jau nieko gero. – Nuplėšiau jį ir numečiau į šalikelę. – Eime. Turim grįžti į miestą. Eisime paupiu.

Išsukome iš kelio. Tarp samanų augo blyškios gėlytės ir buvo justi nebylus ir nematomas vanduo. *Aš pratau buvęs laikyti va šitaip tai yra aš buvau pratęs laikyti Ji stovi tarpduryje ir žiūri į mus rankomis įsirėmusi į klubus*

Tu nustūmei mane tu kaltas aš irgi užsigavau

Mes šokome sėdėdami kertu lažybų kad Kedė nemoka šokti sėdėdama

Liaukis liaukis

Aš tik valau šapus tau nuo suknelės nugaros

Patrauk savo bjaurias senas rankas tai tu kaltas tu nustūmei mane žemyn aš pykstu ant tavęs

Man tai nė motais ji žiūri į mus na ir pyk sau ji nuėjo Dabar mes jau girdėjome riksmus, teškenimą, blykstelėjo rudas kūnas.

Na ir pyk sau. Mano marškiniai ir plaukai sudrėko. Dabar girdžiu kaip lietus garsiai barbena per visą stogą matau kaip

Natali eina per sodą lietui lyjant. Na ir sušlapk tai gal susirgsi plaučių uždegimu eik sau namo Karvės snuki. Iš visų jėgų atsispyręs šokau į kiaulių valką apsitaškiau geltonu dvokančiu purvu iki pusės ir murdžiausi jame kol parkritau ir ėmiau voliotis „Ar girdi, kaip jie maudosi, sesut. Ir man neprošal būtų issimaudyti." Jeigu turėčiau laiko. Kai turėsiu laiko. Išgirdau tiksint savo laikrodį. *purvas buvo šiltesnis už lietų ir baisiai dvokė. Ji buvo nusisukusi aš apėjau ją iš priekio. Žinai ką aš dariau? Ji nusigręžė aš apėjau ją iš priekio lietus žliaugė per purvą priplojo jai prie kūno suknelę išryškino liemenėlę dvokas buvo baisus. Aš glamonėjausi su ja štai ką aš dariau. Ji nusigręžė aš apėjau ją iš priekio. Aš glamonėjausi su ja sakau tau.*

Man nusišvilpt ką tu darei

Tau nusišvilpt tau nusišvilpt aš padarysiu taip kad tau nebūtų nusišvilpt. Ji sušėrė man per rankas vieną nustūmė aš ėmiau tepti ją kita ranka ir nejaučiau kaip ji drėgnai pliaukšėjo man valiausi nuo kojų purvą ir tepiau juo drėgną kietą ir vingrų jos kūną girdėjau kaip jos pirštai drasko man veidą bet man neskaudėjo net tada kai lietus man ant lūpų pasidarė salsvas

Tie, kurie maudėsi, pamatė mus pirmieji, galvos ir pečiai. Jie ėmė rėkti, ir vienas nuo kranto šoko susirietęs į jų tarpą. Jie panašūs į bebrus, vanduo vis laižo jiems smakrus, jie šaukia.

– Vesk šalin tą mergiotę! Kurio galo ją čia atsitempei? Dinkit iš čia!

– Ji nieko jums nepadarys. Mes tik truputį pažiūrėsim, kaip jūs plaukiojat.

Jie buvo sutūpę vandenyje. Žiūrėjo į mus sukišę galvas krūvon, paskui puolė, pildami ant mūsų vandenį rieškučiomis. Mes atšokome.

– Klausykit, berniukai, ji nieko jums nepadarys.

– Dink iš čia, Harvarde! – Tai buvo antrasis berniukas, tas, kuris ant tilto kalbėjo apie arklį ir furgoną.

– Aptaškykime juos, vyručiai!

– Išlipkim ir įmeskim juos į vandenį, – pasiūlė kitas. – Aš nebijau jokių mergaičių.

– Aptaškykime juos! Aptaškykime! – Jie pripuolė prie mūsų taškydami vandenį. Mes atsitraukėme. – Dinkit iš čia! – šaukė jie. – Dinkit iš čia!

Mes nuėjome. Jie susibūrė prie kranto, glotnios galvos išsirikiavo žvilgančiame vandenyje. Mes einame šalin.

– Šita vieta ne mums. – Saulė skverbiasi įkypai vienur kitur iki pat samanų, nuožulniau. – Vargšas vaikeli, juk tu mergaitė. – Tose samanose augo mažos gėlytės, dar nebuvau matęs tokių mažų. – Tu juk mergaitė. Vargšas vaikeli. – Palei vandenį vinguriavo takelis. Vanduo jau vėl nurimo, toks tamsus, ramus ir skubrus. – Tik mergaitė. Vargšė sesutė *Mes gulime drėgnoj žolėj dūsuojame lietus tarsi šalti šratai man į nugarą. Ar tau dar vis nė motais ar vis dar*

Viešpatie nagi ir gražūs mes stokis. Ten kur lietus paliesdavo man kaktą staiga taip veriamai suskausdavo ranka atšokdavo raudona ir nuvarvėdavo rausvais ruoželiais lietuje. Ar skauda

Žinoma o kaip tu manai

Norėjau išlupti tau akis Viešpatie kaip mes dvokiame verčiau nusimazgokime upelyje

– Na va, mes jau ir vėl mieste, sesut. Dabar tau reikia eiti namo. O aš turiu grįžti į universitetą. Žiūrėk, jau vėlu. Dabar jau tu eisi namo, taip? – Bet ji tiktai žiūrėjo į mane savo juodu, slaptingu ir draugišku žvilgsniu, prispaudusi prie krūtinės be-

veik jau išsinėrusį iš popieriaus duonos kepalėlį. – Duona su-
šlapo. O man atrodė, kad mes suspėjome atšokti. – Išsitraukiau
nosinę, pamėginau nusausint tą kepalėlį, bet pluta atsiknojo, ir
aš lioviausi tai daręs. – Tegu pati išdžiūsta. Laikyk ją va šitaip. –
Ji laiko ją taip. Dabar duona atrodė tarsi apgraužta pelių. *o
vanduo vis aukštyn aukštyn besimurdančia nugara uždžiūvęs
dvokiantis purvas kyla paviršiun pašiaušdamas jį teškančiomis
rauplėmis it būtų riebalai ant įkaitintos keptuvės. Sakiau aš pa-
darysiu taip kad tau nebūtų*

Daryk ką nori man nusišvilpt

Paskui mudu išgirdom kažką bėgant, sustojome, atsigręžėme
ir išvydome jį, artėjantį taku, jam ant kojų švysčiojo horizonta-
lūs šešėliai.

– Jis skuba. Geriau pasi... – tada išvydau kitą vyrą, vyresnį,
sunkiai risnojantį iš paskos, su lazda rankoje, ir berniuką, lig
pusės nuogą, bėgdamas jis prilaikė kelnes.

– Tai Džulijas, – pasakė mergaitė, ir kai jis šoko ant manęs,
išvydau jo itališką veidą ir akis. Mudu parkritom. Jis talžė kumš-
čiais mano veidą, kažką vebleno ir, regis, stengėsi įkąsti, paskui
jie atitraukė jį ir laikė, o jis trūkčiojo, priešinosi, šaukė, jie laikė
jį už rankų, o jis mėgino man įspirti, kol galiausiai jie nutempė
jį šalin. Mergytė klykė, suglėbusi duoną abiem rankom. Pus-
nuogis berniukas šokinėjo ir trypčiojo, prilaikydamas kelnes,
kažkas pačiu laiku mane pakėlė: aš spėjau pamatyti kitą visiš-
kai nuogą figūrą, išnyrančią iš už to ramaus tako posūkio, ji
bėgo, paskui staiga tik šmurkšt į giraitę, pamojusi styrančiais
standžiais drabužiais. Džulijas vis dar grūmėsi.

– Nagi raminkis. Visgi sučiupome tave, – tarė mane pakėlęs
vyriškis. Jis buvo su liemene, bet be švarko. Į ją buvo įsegtas

metalinis policininko ženklas. Kita ranka gniaužė gumbuotą poliruotą lazdą.

– Jūs Ensas, taip? – paklausiau. – Aš jūsų ieškojau. Kas čia nutiko?

– Įspėju: viskas, ką pasakysite, bus panaudota prieš jus, – pasakė jis. – Jūs areštuotas.

– Aš jį užmušti, – šaukė Džulijas. Jis nesiliovė grūmęsis. Du vyrai laikė jį. Mergytė vis dar spiegė, laikydama duoną. – Tu pavogti mano seserį, – rėkė Džulijas. – Paleisk mane, sinjorai.

– Aš pavogiau jo seserį? – perklausiau. – Nieko sau, aš...

– Gana, – pasakė Ensas. – Papasakosit tai teisėjui.

– Aš pavogiau jo seserį? – perklausiau dar sykį. Džulijas išsprūdo ir vėl šoko ant manęs, tačiau policininkas čiupo jį, ir juodu grūmėsi, kol kiti du vėl surakino jam rankas. Ensas paleido jį, dūsuojantį.

– Tu prakeiktas užsienieti, – įspėjo. – Suimsiu ir tave už užpuolimą ir sumušimą. – Ir vėl pasigręžė į mane. – Ar eisit paskui mane ramiai, ar antrankius uždėti?

– Eisiu ramiai, – atsakiau. – Darykite ką norit, tik kad galėčiau pasikviesti ką... padaryti ką nors... Aš pavogiau jo seserį. Aš pavogiau jo...

– Aš jus įspėjau, – pasakė Ensas. – Jis ketina apkaltinti jus tyčiniu mergaitės pagrobimu kriminaliniais tikslais. Ei jūs, nutildykit tą mergiotę.

– Oho! – tariau. Paskui ėmiau juoktis. Iš krūmų išlindo dar du berniukai sulipusiais plaukais ir išsišovusiomis akimis, jie sagstėsi marškinius, kurie jau spėjo sudrėkti ant jų pečių ir rankų, o aš stengiausi sulaikyti juoką, bet nevaliojau.

– Būk atsargus, Ensai, regis, jis išprotėjęs.

– Tttuoj liausiuos, – pralemenau. – Tttuojau nutilsiu. Anąsyk tai buvo ak, ak, ak, – ištariau juokdamasis. – Leiskit man atsisėsti trupučiuką. – Aš atsisėdau, o jie spokso į mane, ir ta mergytė su dryžiais išpurvintu veideliu ir duonos kepalėliu, kuris atrodė kaip apgraužtas, ir tas vanduo tako apačioje, skubrus, taikus. Po valandėlės juoko priepuolis atslūgo. Tačiau burną vis dar buvo iškreipę juoko traukuliai, kaip žiaukčiojant, kai skrandis būna tuščias.

– Nagi raminkitės, – sudraudė Ensas. – Pasistenkit susivaldyti.

– Gerai, – atsakiau, įtempdamas gerklę. Nupleveno kitas geltonas drugelis, lyg būtų kokia išsilaisvinusi saulės dėmelė. Po valandėlės man jau nebereikėjo taip įtempti gerklės. Atsistojau. – Aš jau pasiruošęs. Kur eiti?

Mes leidžiamės taku, kiti du vyrai veda Džuliją ir mergytę, o berniukai žingsniuoja kažkur užpakaly. Takas išvingiavo palei upę iki pat tilto. Mes perėjom per jį ir per geležinkelio bėgius. Žmonės prieidavo prie durų paspoksot į mus, iš kažin kur vis atsirasdavo naujų jaunikaičių, kol galiausiai, mums įsukus į pagrindinę gatvę, jau buvome beveik procesija. Prie vaistinės stovėjo automobilis, didžiulis, bet aš jų taip ir neatpažinau, kol ponia Blend sušuko:

– Nieko sau, Kventinas! Kventinas Kompsonas! – Paskui išvydau Džeraldą ir Spoudą, atlošusį galvą užpakalinėje sėdynėje. Ir Šrivą. Abiejų merginų nepažinojau.

– Kventinas Kompsonas! – sušuko ponia Blend.

– Labas vakaras, – pasakiau kilstelėdamas skrybėlę. – Aš suimtas. Atsiprašau, kad nespėjau gauti jūsų laiško. Ar Šrivas sakė jums?

– Suimtas? – perklausė Šrivas. – Atsiprašau, – pasakė. Sunkiai atsistojo, peržengė per jų kojas ir išlipo iš mašinos. Vilkėjo mano flanelinėmis kelnėmis, kurios jam aptempė šlaunis kaip pirštinė. Aš ir užmiršau, kad neįdėjau jų. Užmiršau ir kiek pagurklių turi ponia Blend. Gražiausia mergina, aišku, sėdėjo priekyje su Džeraldu. Jos apžiūrinėjo mane pro savo skrybėlaičių šydus su tokiu subtiliu siaubu. – Kas suimtas? – paklausė Šrivas. – Ką visa šitai reiškia, pone?

– Džeraldai, – paliepė ponia Blend. – Nuvaryk visus tuos žmones. O tu lipk į mašiną, Kventinai.

Džeraldas išlipo. Spoudas nepajudėjo iš vietos.

– Ką jis padarė, kapitone? – paklausė jis. – Apiplėšė vištidę?

– Aš jus įspėju, – pasakė Ensas. – Ar jūs pažįstate suimtąjį?

– Ar aš pažįstu jį? – atkartojo Šrivas. – Nagi mes...

– Tada galite palydėti mus pas teisėją. Jūs trukdote vykdyti teisingumą. Eime. – Jis timptelėjo mane už rankos.

– Ką gi, gero vakaro, – tariau. – Smagu buvo pasimatyti su jumis visais. Gaila, kad negaliu prie jūsų prisidėti.

– Nagi, Džeraldai, – paragino ponia Blend.

– Klausykite, konstebli, – kreipėsi Džeraldas.

– Įspėju, jūs trukdote teisėtvarkos pareigūnui vykdyti pareigas, – pasakė Ensas. – Jei turite ką pasakyti, galite eiti su mumis pas teisėją ir padėti nustatyti suimtojo tapatybę.

Mes nužingsniavome. Dabar jau beveik procesija: Ensas ir aš – priekyje. Girdėjau, kaip anie pasakojo jiems, kas nutiko, ir kaip Spoudas klausinėjo, paskui Džulijas kažką pasakė šiurkščiai itališkai, aš atsigręžiau ir pamačiau tą mergytę, stovinčią ant šaligatvio krašto ir žiūrinčią į mane draugišku, neperprantamu žvilgsniu.

– Dumk namo, – šaukė jai Džulijas. – Išvanosiu tave taip, kad dūmai rūks.

Mes nusileidome gatve ir įsukome į nedidukę veją, kurioje kiek tolėliau nuo gatvės stovėjo vienaukštis plytinis pastatas baltais kraštais. Nužingsniavome akmenimis grįstu taku iki durų, Ensas visus sustabdė ir niekam, išskyrus mus, neleido įeiti į vidų. Mes įžengėme į tuščią kambarį, tvoskiantį suplėkusiu tabaku. Medinio gardo, kur buvo pripilta smėlio, vidury stovėjo geležinė krosnelė, o ant sienos kabojo nublukęs žemėlapis ir aprūkęs miestelio planas. Prie subraižyto ir popieriais nukrauto stalo sėdėjo kažin koks vyras su pašiaustu pilkų kaip geležis plaukų kuodu ir spoksojo į mus per plieninių akinių viršų.

– Tai vis dėlto sučiupai jį, Ensai? – paklausė.

– Sučiupau, pone teisėjau.

Jis atvertė didžiulę dulkiną knygą, prisitraukė arčiau ir panardino purviną plunksną į rašalinę, pilną kažko panašaus į suodžius.

– Klausykite, pone, – prabilo Šrivas.

– Sulaikytojo pavardė ir vardas, – tarė teisėjas. Aš pasakiau. Jis iš lėto užrašė į knygą, su nepakeliamu ryžtingumu krebždindamas plunksną.

– Klausykite, pone teisėjau, – nenustygo Šrivas. – Mes pažįstame tą vyruką. Mes...

– Tylos, – sukomandavo Ensas.

– Patylėk, vyriuk, – tarė Spoudas. – Tegu jis padaro savo. Juk vis tiek jam nesukliudysi.

– Amžius? – toliau kvotė teisėjas. Aš atsakiau. Jis užrašė, virpindamas lūpas. – Užsiėmimas? – Aš pasakiau. – Vadinasi, Harvardo studentas, taip? – pasitikslino. Palenkė kaklą, kad pažiūrėtų per akinių viršų. Akys šviesios ir šaltos, kaip ožio. – Kas jums šovė į galvą atsidanginti čia ir grobti vaikus?

– Jie bepročiai, pone teisėjau, – pasakė Šrivas. – Bet kuris, kas sako, kad šitas vaikinas grobia...

Džulijas įnirtingai pašoko.

– Beprotis? – pakartojo. – Ar aš jų nepagauti, ką? Ar aš jų nematyti savo akimis...

– Jūs – melagis, – pasakė Šrivas. – Jūs niekada...

– Tylos, tylos, – sukomandavo pakėlęs balsą Ensas.

– Jūs, vyrai, patylėkite, – paliepė teisėjas. – Jeigu jie nenurims, išvesk juos, Ensai. – Jie nurimo. Teisėjas pažiūrėjo į Šrivą, paskui į Spoudą, paskui į Džeraldą. – Ar jūs pažįstate šitą jaunikaitį? – paklausė kreipdamasis į Spoudą.

– Taip, jūsų kilnybe, – atsakė Spoudas. – Jis – paprastas kaimo vaikinas, atvažiavo mokytis į mūsų universitetą. Jis nesugebėtų nieko nuskriausti. Tikiuosi, teismo vykdytojas pripažins, kad tai apsirikimas. Jo tėvas – provincijos pastorius.

– Hm, – ištarė teisėjas. – Ką konkrečiai jūs čia veikėte? – Aš jam papasakojau, jis žiūrėjo į mane savo šaltomis, blyškiomis akimis. – Kaip jūs manote, Ensai, panašu į tiesą?

– Galimas daiktas, – atsakė Ensas. – Tie prakeikti užsieniečiai.

– Aš amerikietis, – atšovė Džulijas. – Turiu visas dokumentai.

– Kur ta mergaitė?

– Jis nuvarė ją namo, – pasakė Ensas.

– Ar ji atrodė išsigandusi, sunerimusi?

– Ne, kol Džulijas užšoko ant sulaikytojo. Jie paprasčiausiai ėjo taku palei upę į miestą. Berniukai, kurie maudėsi, pasakė mums, kuriuo keliu jie nuėjo.

– Tai apsirikimas, pone teisėjau, – pasakė Spoudas. – Vaikai ir šunys visada sekioja jam iš paskos. Jis niekaip negali jų atsikratyti.

– Hm, – ištarė teisėjas. Ir įsistebeilijo į langą. Mes žiūrime į jį. Girdėjau, kaip Džulijas kasosi. Teisėjas pasigręžė į jį.

– Nagi jūs tenai, ar jums negana to, kad mergaitė nebuvo nuskriausta?

– Kol kas nenuskriausta, – niūriai atsakė Džulijas.

– Tu išėjai iš darbo jos ieškoti?

– Žinoma. Aš bėgti. Bėgti kaip pasiutęs. Ieškoti čia, ieškoti ten, paskui vienas vyras pasakė man, kad matė, kaip jis duoti jai valgyti. Ir ji su jis nuėjo.

– Hm, – numykė teisėjas. – Na, sūnau, manau, tu šiek tiek skolingas Džulijui, kad jam teko pasitraukti iš darbo.

– Taip, sere, – atsakiau. – Kiek?

– Manau, dolerio pakaks.

Aš padaviau Džulijui dolerį.

– Na, tai jau ir viskas... manau, jis jau laisvas, jūsų kilnybe? – paklausė Spoudas.

Teisėjas nė nežvilgtelėjo į jį.

– Kaip toli jūs jį vijotės, Ensai?

– Mažiausiai dvi mylias. Sugaišome dvi valandas, kol pagavome.

– Hm, – vėl numykė teisėjas. Valandėlę pamąstė. Mes jį stebime, jo styrantį plaukų kuokštą, žemai ant nosies nusmukusius akinius. Geltonas lango atspindys iš lėto driekiasi per grindis, pasiekė sieną, lipa ja. Dulkelės sukasi įkypai. – Šeši doleriai.

– Šeši doleriai? – perklausė Šrivas. – Už ką?

– Šeši doleriai, – pakartojo teisėjas. Jis valandėlę pažiūrėjo į Šrivą, paskui vėl į mane.

– Klausykite, – prabilo Šrivas.

– Užsičiaupk, – sudrausmino jį Spoudas. – Duok jam tuos pinigus, vyriuk, ir dingstame iš čia. Mūsų laukia damos. Ar turi šešis dolerius?

– Taip, – atsakiau. Ir padaviau teisėjui šešis dolerius.

– Byla baigta, – ištarė jis.

– Paimk kvitą, – pasakė Šrivas. – Tegu pasirašo, kad gavo tuos pinigus.

Teisėjas romiai pažvelgė į Šrivą.

– Byla baigta, – pasakė nekeldamas balso.

– Perkūnai rautų, jei... – nesiliovė Šrivas.

– Eime, – paragino Spoudas, paėmęs jį už alkūnės. – Viso gero, pone teisėjau. Labai jums dėkingi. – Kai ėjome pro duris, Džulijas vėl įnirtingai užkėlė balsą, paskui nutilo. Spoudas žiūri į mane, rudos jo akys atlaidžiai pašaipios, šaltokos. – Na, vyriuk, manau, dabar jau, kai norėsi pasigauti mergaitę, darysi tai Bostone.

– Kvaily neraliuotas, – piktinosi Šrivas. – Ir kokio galo atsigrūdai čia ir susidėjai su tais prakeiktais makaronininkais?

– Eime, – paragino Spoudas. – Jos tikriausiai jau nekantrauja.

Ponia Blend su jomis šnekučiavosi. Tai buvo panelė Holms ir panelė Deindžerfild, jos liovėsi klausiusios ponios Blend ir vėl sužiuro į mane, apimtos subtilaus ir smalsaus siaubo, šydai buvo nuleisti ant mažų baltų nosyčių, o po jais paslaptingai šaudė akys.

– Kventinai Kompsonai, – kreipėsi į mane ponia Blend. – Ką pasakytų jūsų motina? Patekti į bėdą jaunuoliui – ne naujiena, bet būti gatvėje suimtam miestelio policininko. Kuo jis buvo apkaltintas, Džeraldai?

– Niekuo, – atsakė Džeraldas.

– Nesąmonė. Kaip ten buvo, Spoudai?

– Jis mėgino pagrobti tą mažą nevalą, bet anie laiku jį sučiupo, – paaiškino Spoudas.

– Nesąmonė, – atsakė ponia Blend, tačiau jos balsas tarsi nuščiuvo, ir ji žiūrėjo į mane valandėlę, o merginos užgniaužė kvapą tokiu švelniu sutartinu atodūsiu. – Niekus tauški, – gyvai prabilo vėl ponia Blend, – aš atpažįstu tuos prasčiokus nepraustaburnius jankius. Lipkite į mašiną, Kventinai.

Mudu su Šrivu atsisėdome ant mažų atlenkiamų sėdynių. Džeraldas užvedė variklį, sėdo prie vairo, ir mes pajudėjome.

– O dabar, Kventinai, papasakokit man, kaip visos tos nesąmonės nutiko, – paprašė ponia Blend. Aš jiems papasakojau tą istoriją. Šrivas sėdėjo susikūprinęs ir įtūžęs ant tos mažos sėdynės, o Spoudas vėl atsilošė prie panelės Deindžerfild.

– O visas pokštas tas, kad Kventinas visąlaik mus kvailino, – pasakė Spoudas. – Mes visą laiką manėme, kad jis – pavyzdinis jaunuolis, kuriam bet kas galėtų patikėti dukterį, o štai dabar policija mums jį parodė visam jo nedorybių gražume.

– Ša, Spoudai, – ėmė tildyti ponia Blend. Mes važiavome gatve, paskui per tiltą ir pravažiavome namą, kurio lange kabojo tasai rausvas drabužis. – Dabar žinosite, kaip neskaityti mano laiškų. Kodėl nenuėjote jo pasiimti? Ponas Makenzis sakė pranešęs jums, kad jis guli ant jūsų stalo.

– Taip, ponia. Aš ketinau tai padaryti, bet negrįžau namo.

– O mes būtume laukę jūsų nežinia kiek, jei ne ponas Makenzis. Kai jis pasakė, kad jūs negrįžote, liko laisva vieta, ir mes pasiūlėme jam važiuoti drauge. Šiaip ar taip, mums labai malonu, kad jūs su mumis, pone Makenzi. – Šrivas nieko neatsakė. Tik sėdėjo sudėjęs rankas ir žiūrėjo tiesiai į priekį virš Džeraldo kepuraitės. Tokias dėvi Anglijos lenktynininkai. Anot ponios

Blend. Mes pravažiavome tą namą ir dar tris gretimus, paskui kiemą, kur prie vartų stovėjo ta maža mergaitė. Ji jau nebeturėjo to duonos kepalėlio, o jos veidas atrodė išvagotas suodžių. Pamojau jai ranka, tačiau ji neatsakė, tik jos galvutė iš lėto sukosi, kai mašina važiavo pro šalį, ji nulydėjo mus nemirksinčiu žvilgsniu. Paskui važiavom palei tą sieną ir mūsų šešėlis bėgo ja, o netrukus pravažiavom tą gulinčią prie kelio nuplyšusio laikraščio skiautę, ir mane vėl suėmė juokas. Jaučiau jį gniaužiant gerklę ir pakėliau akis į medžius, kur diena jau ėjo vakarop, galvojau apie atslenkantį vakarą, apie tą paukštį ir besimaudančius berniukus. Bet negalėjau suturėti juoko ir supratau: jeigu stengsiuos per daug, pravirksiu, ir ėmiau galvoti apie tai, kaip anksčiau galvojau: kad negaliu būti skaistus, kai šitiek jų vaikšto ūksmėje aplinkui ir šnabžda savo švelniais mergaitiškais balsais, gaišuodamos tose ūksmingose pavėnėse, ir į mane plūdo tie žodžiai, kvapai ir akys – jauti juos jų nematydamas, bet jeigu šitai padaryti taip paprasta, vadinasi, tai ničnieko nereiškia, o jeigu tai nieko nereiškia, tai kas gi tada esu aš, ir tada ponia Blend pasakė: „Kventinai? Ar jis sunegalavo, pone Makenzi?", o riebi Šrivo ranka palietė mano kelį, Spoudas prabilo, ir aš lioviausi tramdęsis.

– Jei ta pintinė jam trukdo, pone Makenzi, patraukite ją arčiau savęs. Aš nupirkau pintinę vyno, nes manau, kad jūs, džentelmenai, privalote gerti vyną, nors mano tėvas, Džeraldo senelis *niekada nesu to daręs Ar esi daręs tai kada nors Pilkose sutemose menka šviеselė ji apglėbusi rankomis*

– Jie geria jį, kai gauna, – įsiterpė Spoudas. – Tiesa, Šrivai? *kelius veidas atgręžtas į dangų sausmedžių kvapas ant jos veido ir gerklės*

– Ir alų, – pridūrė Šrivas. Jo ranka vėl palietė mano kelį. Aš vėl atitraukiau koją. *tarytum plonas sluoksnis alyvinių dažų ji kalba apie jį užstodama*

– Vadinasi, tu ne džentelmenas, – padarė išvadą Spoudas. *juo save kol jos pavidalas išskydo ne nuo tamsos*

– Ne, aš kanadietis, – atsakė Šrivas. *kalba apie jį irklų mentės blyksi jam iriantis blyksi Anglų lenktynininko kepuraitė ir visas tas laikas bėgantis apačioje o juodu susipynę ir išskydę visiems laikams jis tarnavo kariuomenėje žudė žmones*

– Aš dievinu Kanadą, – pasakė panelė Deindžerfild. – Ji man atrodo nuostabi.

– Ar esi kada gėręs odekoloną? – paklausė Spoudas. *jis galėjo pakelti ją viena ranka ir persimetęs per petį pabėgti su ja bėgte Bėgte*

– Ne, – atsakė Šrivas. *bėgte kaip dvinugaris žvėris* ir ji išskydo blyksinčiuose irkluose bėgte kaip Eubulėjo kiaulė** bėgte suėjęs su kiekgi kedžių*

– Ir aš ne, – pasakė Spoudas. *aš nežinau pernelyg daug manyje būta kažko baisaus baisaus manyje tėve aš įvykdžiau Ar tu esi tai daręs kada nors Mes to nedarėm mes to nedarėm ar mes tai darėm*

– ...o Džeraldo senelis visada pats prisiskindavo mėtų prieš pusryčius, kai rasa dar neišgaravusi. Jis niekada neleisdavo senajam Vilkiui prisiliesti prie jų, ar prisimeni, Džeraldai, jis visada prisiskindavo jų pats ir pats darydavosi džulepą***. Jis buvo toks pedantiškas ruošdamas tą savo džulepą, kaip kokia se-

*Otele Jagas vartoja šį palyginimą apibūdindamas meilės aktą.
**Pasak graikų legendos, Eubulėjas yra kiauliaganys, netikėtai pamatęs, kaip Plutonas sugundė Persefonę, o jo ganyti kiaulės ir paršai, kurie poravosi bebėgdami, nugarmėjo paskui juos į bedugnę.
***Džulepas – viskio ir mėtų lapų gėrimas.

na pana. Tik vienam žmogui davė jo receptą, tai buvo *mes darėm tai kaip tu gali to nežinoti tu tik palauk ir aš papasakosiu tau kaip visa šitai buvo tai buvo nusikaltimas mes padarėm baisų nusikaltimą jo nenuslėpsi manai kad galima nuslėpti bet palauk Vargšeli Kventinai tu niekada nesi to daręs tiesa ir aš papasakosiu tau kaip visa šitai buvo paskui papasakosiu tėčiui ir tada nori nenori nes tu juk myli tėtį paskui mums teks išvykti lydimiems to badymo pirštais ir siaubo apsiausto tyra liepsna aš priversiu tave pasakyti kad mes tai darėm aš stipresnis už tave aš priversiu tave suprasti kad mes tai darėm tu manai kad tai buvo jie bet tai buvau aš klausyk aš visą laiką tave kvailinau tai buvau aš tu manei kad aš namie kur tas prakeiktas sausmedis ir stengiuosi nieko negalvoti hamakas kedrai slaptingos bangos užgniaužtas kvapas geriu pašėlusį kvėpavimą tą taip Taip Taip taip* pats niekada negėrė vyno, bet visada sakydavo, kad vyno pintinė kokioje knygoje jūs tai išskaitėte toje kur parašyta apie Džeraldo irklavimo kostiumą vynas būtina bet kurio džentelmeno iškylos krepšio dalis *ar tu mylėjai juos Kede ar tu mylėjai juos Kai jie mane paliesdavo aš numirdavau*

minutę ji ten stovėjo netrukus jis ėmė klykti ir traukti ją už suknelės jie eina į koridorių ima kopti laiptais jis klykia ir stumia ją aukštyn prie vonios durų ji sustojo atsirėmė nugara į duris ir užsidengė ranka veidą jis klykia ir stengiasi įstumti ją į vonią kai ji nusileido vakarieniauti Ti Pi maitino jį iš pradžių jis vėl įniko unkščioti kol ji prisilietė prie jo paskui pradėjo klykti o ji stovėjo akys užspeistos žiurkės paskui aš bėgu per pilkas sutemas kvepia lietum ir tvyro visos gėlių kvaptys kurias išlaisvino tas drėgnas šiltas oras žolėje svirpia kiek įmanydami žiogai bet mane lydi mažytė judanti tylos salelė Fensė stebi mane pro tvorą tokia dėmėta tarsi padžiauta ant virvės antklodė iš skiautinių pamaniau tas neraliuotas negras vėl užmiršo ją pašerti nubėgau žemyn kalva per tą beorę žiogų erdvę tarsi koks kvėpsnis slenkantis veidrodžio paviršiumi ji guli vandenyje galva ant smėlio seklumos vanduo teka jai palei šlaunis vandenyje šiek tiek šviesiau pusiau permirkęs jos sijonas pliumpsi į šlaunis atkartodamas vandens tekėjimą sunkios bangelės riba be jokio tikslo ir krypties atsinaujindamos iš savo pačių srovenimo aš atsistojau ant kranto uodžiu sausmedžio kvapą išsklidusį ant vandens protarpių oras rodos dulkte dulkia tuo sausmedžiu ir šaižiu žiogų čirškimu kažkas tiesiog apčiuopiamo ką jauti kūnu

ar Bendžis vis dar verkia

aš nežinau taip verkia aš nežinau

vargšelis Bendžis

aš atsisėdau ant kranto žolė šiek tiek padrėkusi jaučiu kaip mano batai permirko

lipk gi iš to vandens iš proto išsikraustei

bet ji nekrusteli jos veidas balta išskydusi dėmė aprėminta plaukais išdrikusiais ant blyškaus smėlio

lipk tuojau pat

ji atsisėdo palaukė atsistojo sijonas pliumpsi varvėdamas ji išlipo į krantą drabužiai pliumpsi ji atsisėdo

kodėl jų neišsigręži ar nori peršalti

taip

vanduo čiulpsi ir gurga aplink tą smėlio seklumą ir tolėliau tamsoje tarp žilvičių riba lyg skiautė audeklo dar sulaikydamas tą truputį šviesos kaip daro tik vanduo

jis perplaukė visus pasaulio vandenynus

o paskui pasakojo apie jį apglėbus rankomis šlapius kelius

atlošus galvą toje pilkoje šviesoje ir sausmedžio kvaptyse šviesa
degė mamos kambaryje ir Bendžio kur Ti Pi guldė jį į lovą
    ar tu jį myli
    ji ištiesė į mane ranką aš nekrutėjau užčiuopė mano dilbį
prispaudė delną sau prie krūtinės kur jos širdis dunksėjo
    ne ne
    vadinasi jis tave privertė jis tave privertė tai padaryti leisti
jam jis buvo stipresnis už tave ir jis rytoj aš jį užmušiu prisiekiu
kad užmušiu tėčiui nereikia to žinoti kol kas o paskui tu ir aš
niekam nereikia to žinoti mes galime paimti mano universiteto
pinigus mes galime išbraukti mano pavardę iš sąrašų Kede juk
tu jo nekenti tiesa tiesa
    ji laikė mano ranką prie krūtinės jos širdis dunkčiojo o aš
pasisukau ir sučiupau ją už alkūnės
    Kede juk tu jo nekenti tiesa
    ji prisitraukė mano ranką sau prie gerklės kur jos širdis dau-
žyte daužės
    vargšeli Kventinai
    jos veidas buvo užverstas į dangų į tokį žemą tokį žemą dangų
kad rodės jog visi nakties kvapai garsai susitelkė apačioje tary-
tum po išglebusia palapine ypač tas sausmedžio kvapas jis rodės
smelkėsi į mano šnerves o jos veidą ir gerklę užklojo it kokie
dažai josios kraujas tvinksėjo man į ranką o ta kita ranka kuria
rėmiausi pradėjo trūkčioti ir šokinėti ir aš turėjau smarkiai traukti
orą kad neuždusčiau nuo to tiršto pilko sausmedžio kvapo
    taip aš jo nekenčiu aš jam numirčiau aš jau miriau jam aš vis
mirštu mirštu jam kiekvienąsyk kai tai įvyksta
    pakėlęs ranką vis dar jaučiau kaip delnas dega nuo kryžmai
įsispaudusių vytelių ir žolės

vargšeli Kventinai

ji atsilošė ir atsirėmė alkūnėmis rankomis apsivijusi kelius

tu niekada nesi to daręs tiesa

ko daręs ko

to ką aš padariau

esu esu daugybę kartų su daugeliu mergaičių

paskui aš pravirkau jos ranka vėlei prisilietė manęs ir aš verkiau į šlapią jos palaidinukę paskui jinai atsigulė aukštielninka ir žiūri man pro galvą į dangų po rainelėmis regiu baltą apvadą atlenkiau kišeninį peiliuką

ar atsimeni tą dieną kai mirė motutė o tu atsisėdai su kelnaitėmis į vandenį

taip

prispaudžiau peilio smaigalį jai prie gerklės

reikės tiktai sekundės tik vienos sekundės paskui aš padarysiu tai ir sau paskui aš padarysiu tai ir sau

gerai ar sugebėsi padaryti tai pats vienas sau

taip ašmenys pakankamai ilgi Bendžis jau lovoje

taip

tai truks tiktai sekundę pasistengsiu kad neskaudėtų

gerai

užsimerk

ne taip reikės stipriau įsmeigti

pridėk ir savo ranką

bet ji nepajudėjo jos plačiai atvertos akys žiūrėjo man pro galvą į dangų

Kede ar pameni kaip Dilzė susinervino kad susipurvinai kelnaites

neverk

aš neverkiu Kede

nagi smeik

ar tu to nori

taip smeik

pridėk ir savo ranką

neverk vargšeli Kventinai

bet liautis aš niekaip negalėjau ji prispaudė mano galvą prie savo šlapios kietos krūtinės girdėjau kaip tvirtai, iš lėto plaka jos širdis dabar ji jau nebesidaužė o vanduo čiurleno tamsoje tarp žilvičių ir sausmedžio bangos ritosi per orą man nutirpo ranka, o petys

kas yra ką tu darai

jos raumenys įsitempė aš atsisėdau

peiliukas iškrito

ji atsisėdo

kiek dabar laiko

nežinau

ji atsistojo aš grabalioju po žemę

aš jau einu palik jį

namo

jaučiau ją stovinčią šalia uodžiau šlapius jos drabužius jaučiau kad ji čia pat

jis kažkur čia

palik jį surasi rytoj eime

luktelk aš jį surasiu

ar tu bijai

štai jis gulėjo čia visą laiką

iš tikrųjų eime

aš atsistojau ir nusekiau jai įkandin mes kopėme į kalvą žiogai nutildavo mums besiartinant keista sėdėdamas pameti ką nors o paskui visą laiką ieškai pilka viskas aplinkui pilka ir aptėkšta rasa įkypai kyla aukštyn į dangų o paskui tolumoje medžiai

prakeiktas sausmedis kad nors jis liautųsi kvepėjęs ankščiau tu mėgai jo kvapą

mes užkopėm viršun ir nužingsniavom medžių link ji atsitrenkė į mane paskui truputį pasitraukė griovys buvo kaip juodas randas pilkoje žolėje ji vėl atsitrenkė pažvelgė į mane ir pasitraukė mes priėjome griovį

eime pro čia

kodėl

pažiūrėsim ar dar matyti Nensės kaulai aš jau seniai nebuvau nuėjęs pažiūrėti o tu

ten buvo vijoklių ir erškėčių raizgalynė

jie buvo čia dabar nebematau ar dar yra o tu

liaukis Kventinai

eime

griovys siaurėjo ir užsivėrė ji patraukė medžių link

liaukis Kventinai

Kede

aš užėjau jai iš priekio

Kede

liaukis

aš ją laikiau

aš už tave stipresnis

ji įsitempė tokia kieta nepalenkiama tačiau rami

aš nesimušiu geriau jau liaukis

Kede nereikia Kede

iš to nieko nebus tu juk žinai praleisk mane

sausmedis dulkė dulkė girdėjau kaip žiogai stebi mus sutū-
pę ratu ji žengė atatupsta apėjo mane ir nužingsniavo medžių
link

grįžk namo tau nėra ko eiti su manim

aš einu iš paskos

kodėl neini namo

prakeiktas sausmedis

priėjom tvorą ji pasilenkė pralindo aš pasilenkiau pralindau
o kai atsitiesiau matau iš medžių išniro jis toje pilkumoje jis
artinas prie mūsų toks aukštas plokščias ir sustingęs net ir judė-
damas rodėsi sustingęs ir ji nuėjo prie jo

čia Kventinas susipažink aš šlapia kiaurai šlapia neprivalai
jeigu nenori

jų šešėliai vienas šešėlis josios galva iškilo virš jo galvos dan-
gaus fone jųdviejų galvos

neprivalai jeigu nenori

paskui jau nebebuvo dviejų galvų tamsa kvepėjo lietumi drėg-
na žole ir lapais o ta pilka šviesa dulkė tarsi lietus sausmedis
siūbteldavo drėgnomis bangomis mačiau jos veidą tokią išsky-
dusią ir šviesią dėmę prie jo peties jis laikė ją viena ranka tarsi
ji būtų ne didesnė už vaiką ištiesė ranką

malonu su jumis susipažinti

mudu paspaudėm vienas kitam ranką ir stovim jos šešėlis
aukštas prie jo šešėlio vienas šešėlis

ką ketini daryti Kventinai

pasivaikščiosiu truputį pereisiu per miškelį iki kelio ir grįšiu
namo per miestą

nusisukau einu

labanakt

Kventinai

sustojau

ko nori

giraitėje mažytės medvarlės užuodė artinantis lietų ir kvarkė
kaip sunkiai sukamos žaislinės muzikos dėželės ir tasai sausmedis

eikš

ko nori

eikš Kventinai

aš sugrįžau ji palietė man petį palinkusi žemyn savo šešėliu
išskydusi jos veido dėmė atsilenkė nuo aukšto jo šešėlio aš at-
sitraukiau

atsargiau

eik tiesiai namo

aš dar nenoriu miego eisiu truputį pasivaikščiosiu

eik prie upelio ir palauk manęs

aš einu pasivaikščiosiu

aš tuoj ateisiu palauk manęs palauk

ne eisiu per miškelį

einu neatsigręždamas o varlės nenurimsta nekreipdamos į
mane dėmesio pilka šviesa lyg samanos ant medžių dulkia ta-
čiau lietaus vis dar nėra po valandėlės pasukau atgal grįžau miš-
kelio pakraštin ir vėl iškart pakvipo sausmedžiu išvydau šviesą
ant teismo rūmų laikrodžio ir miesto spindesį aikštės atspindį
danguje ir tamsius žilvičius palei upelį šviesa mamos lange ir
Bendžio kambaryje šviesa dar dega pasilenkiau ir pralindau pro
tvorą bėgte nubėgau per ganyklą per pilką žolę tarp žiogų saus-
medžių kvapas vis aitrėja aitrėja pakvipo vandeniu o štai ir jis
pilkas kaip sausmedis atsiguliau ant kranto prisispaudžiau veidu
prie žemės kad nejausčiau to sausmedžio ir jis išnyko guliu taip

William Faulkner

jausdamas kaip žemė smelkiasi pro mano drabužius klausausi
vandens čiurlenimo netrukus tapo lengviau kvėpuoti ir aš gu-
liu galvodamas jei nepajudinsiu galvos jo neužuosiu ir dusti
nereikės o paskui ir išvis lioviaus galvojęs ji artinasi prie manęs
krantu paskui sustojo aš nejudėjau
     jau vėlu eik namo
     ką
     eik namo jau vėlu
     gerai
     jos drabužiai šiugžda aš nejudu jie liovėsi šiugždėję
     sakau tau eik namo
     aš nieko negirdžiu
     Kede
     taip eisiu jei tu to nori eisiu
     aš atsisėdau ji sėdėjo ant žemės apkabinusi rankomis kelius
     sakau tau eik namo
     gerai aš padarysiu viską ką tu nori viską gerai
     o ji net ir nežiūri į mane čiupau ją už peties smarkiai pa-
purčiau
     nutilk
     aš purčiau ją
     nutilk nutilk
     gerai
     pakėlė veidą išvydau prie rainelių tą baltą apvadą ir supratau
kad ji išvis manęs nemato
     kelkis
     aš traukiu ją suglebusią statau ją ant kojų
     o dabar eik
     ar Bendžis vis dar verkė kai išėjai

eik

mes perbridome upelį ir pasimatė stogas paskui langai viršuj

jis jau miega

stabtelėjau uždaryti vartelių o ji nuėjo į pilką šviesą kvepėjo lietumi nors dar nelijo ir nuo sodo tvoros pasklido sausmedžio kvapas ji įžengė šešėlin ir tada išgirdau jos žingsnius

Kede

sustojau prie laiptelių žingsnių nebegirdėti

Kede

vėl girdžiu žingsnius paliečiau jos ranką nei šilta nei vėsi tik rami jos drabužiai vis dar truputį drėgni

ar dabar tu jį myli

nekvėpuoja tik taip iš lėto iš lėto lyg kvėpuotų labai toli

Kede ar dabar tu jį myli

nežinau

lauke pilka šviesa daiktų šešėliai tarsi negyvi daiktai stovinčiame vandenyje

geriau jau tu numirtum

nagi ar tu tikrai eini vidun

ar tu dabar galvoji apie jį

nežinau

pasakyk man apie ką tu galvoji pasakyk

liaukis Kventinai liaukis

nutilk nutilk girdi nutilk ar nutilsi

gerai nutilsiu mes per daug triukšmaujam

aš užmušiu tave girdi

eime tenai prie hamako čia jie tave išgirs

aš neverkiu ar tu sakai kad aš verkiu

ne nutilk mes pažadinsim Bendžį
o dabar eik vidun eik
eisiu neverk aš juk vis tiek netikusi ir tu man niekuo negali
padėti
mus lydi prakeiksmas tai ne mūsų kaltė argi tai mūsų kaltė
ša eime ir gulk į lovą
tu negali manęs priversti mus lydi prakeiksmas
galiausiai pamačiau jį jis buvo beįeinąs į kirpyklą apsidairė
aš paėjėjau toliau ir laukiau
ieškau jūsų jau dvi ar tris dienas
norėjai ką nors pasakyti
dabar ir pasakysiu
skubiai dviem mostais susuko cigaretę ir į nykščio nagą įžie-
bė degtuką
čia kalbėtis nepatogu gal susitikime kur nors kitur
aš ateisiu į jūsų kambarį juk jūs tam viešbutyje
ne tai nelabai patogu ar žinai tą tiltą per upelį už miesto
taip sutinku
tada pirmą valandą
gerai
pasisukau eiti
labai jums dėkingas
klausyk
aš sustojau atsigręžiau
ar su ja kas nutiko
su tais chaki spalvos marškiniais jis atrodė kaip nulietas iš
bronzos
dabar ji gali pasikliauti tik manim
būsiu ten pirmą valandą

ji girdėjo kaip aš liepiau Ti Pi pabalnoti Princą pirmai valan-
dai nenuleido nuo manęs akių beveik nevalgė išėjo paskui
    ką sumanei
    nieko ar negaliu pasijodinėti jei noriu
    tu kažką sumanei ką
    ne tavo reikalas kekše kekše
    Ti Pi jau laikė Princą prie užpakalinių durų
    man nebereikia jo nusprendžiau eiti pėsčias
    nužingsniavau alėja išėjau pro vartus ir įsukau į gatvę paskui
bėgte nubėgau iki tilto dar iš tolo išvydau jį atsirėmusį alkūnė-
mis į tą turėklą jo arklys buvo pririštas miške jis pašnairavo per
petį į mane ir nusisuko akis pakėlė tik tada kai užlipau ant tilto
ir sustojau rankose laikė gabalą žievės ją trupino ir svaidė per
turėklą vandenin
    aš atėjau jums pasakyti kad privalote išvykti iš miesto
    jis neskubėdamas atlaužė truputį žievės atidžiai įmetė ją upėn
ir stebėjo kaip ji nuplaukia
    girdite jūs privalote išvykti iš miesto
    jis pažvelgė į mane
    ar ji tave atsiuntė
    aš jums sakau kad jūs privalote išvykti ne mano tėvas ne kas
kitas tai sako tai sakau aš
    klausyk karščiuotis dar suspėsi man rūpi ar jai nieko nenuti-
ko ar ten namuose jai nekliuvo
    dėl šito jums neverta rūpintis
    paskui išgirdau save tariant duodu jums laiko iki saulės laidos
    jis atlaužė gabalą žievės įmetė vandenin paskui padėjo kas
liko ant turėklo ir tais skubriais dviem mostais susuko cigaretę
o paskui nusviedė degtuką per turėklą

ir ką tu padarysi jeigu neišvyksiu

užmušiu jus nemanykite kad jei atrodau jums kaip vaikas

dūmas ištryškęs dviem čiurkšlėm jam iš šnervių užstojo veidą

kiek tau metų

mane nupurtė drebulys rankomis buvau atsirėmęs į turėklą
ir pamaniau jei jas paslėpsiu jis supras kodėl

duodu jums laiko iki vakaro

klausyk vyriuk kuo tu vardu Bendžis tai tasai silpnaprotis
juk taip o tu

Kventinas

tai mano lūpos ištarė tik jau ne aš

duodu jums laiko iki saulės laidos

Kventinas

jis pavedžiojo cigarete per turėklą nubėrė pelenus ir darė tai
labai lėtai atidžiai tarsi drožtų pieštuką mano rankos jau liovėsi
drebėjusios

klausyk neverta imti taip į širdį tu čia juk niekuo dėtas vaike
jeigu ne aš tai būtų kuris nors kitas

ar esat kada nors turėjęs seserį ar esat

ne bet jos visos kalės

aš užsimojau kirsti jam per veidą tiesia plaštaka sulaikęs ins-
tinktyvų norą sugniaužti ją į kumštį jo ranka švystelėjo taip pat
greitai kaip ir manoji cigaretė nuskriejo per turėklą tada aš už-
simojau kita ranka jis sugriebė ir ją cigaretei nespėjus dar pa-
siekti vandens paviršiaus laikė suėmęs mano riešus viena ranka
o kitą kyštelėjo švarko užantin jam už pečių įkypai švietė saulė
ir kažkur už tos saulės ulbėjo paukštis mudu žiūrim vienas į
kitą o paukštis ulba jis paleido mano rankas

žiūrėk čionai

paėmė nuo turėklo žievę ir sviedė ją vandenin ji iškilo srovė ją nunešė jo ranka guli ant turėklo ir laiko atsainiai pistoletą mudu laukiame

dabar tu jau į ją nebepataikytum

ne

žievė sau plaukia miškelyje tvyro ramybė aš vėl girdžiu ulbant tą paukštį čiurlenant vandenį paskui tas pistoletas pakilo jis net netaikė žievė dingo vėliau jos gabalai išniro į paviršių pasklido jis pokštelėjo dar dusyk į žievės atplaišas ne didesnes nei sidabriniai doleriai

ko gero jau gana

jis atidarė būgną papūtė į vamzdį plona dūmų sruogelė išsisklaidė jis vėl užtaisė tris lizdus uždarė būgną ir padavė man pistoletą rankena į priekį

kam aš neketinu su jumis rungtis

sprendžiant iš to ką man sakei tau jo prireiks duodu tau šitą nes matei ką jisai gali

eikite po velnių su savo ginklu

užsimojau jam smogti vis dar stengiausi jau gerokai po to kai jis laikė suėmęs mano riešus o aš vis tiek stengiausi paskui man pasirodė kad žiūriu į jį pro šukę spalvoto stiklo girdėjau tvinksint savo kraują paskui ir vėl išvydau dangų šakas jo fone ir įkypai pro jas besiskverbiančią saulę o jis laiko mane kad nenukrisčiau

jūs trenkėt man

kažką atsakė nenugirdau

ką

taip kaip jautiesi

gerai paleiskite

paleido atsirėmiau į turėklą
ar tau nieko nenutiko
palikite mane man nieko nenutiko
ar sugebėsi grįžti pats namo
eikit palikite mane
verčiau jau nemėgink verčiau imk mano arklį
ne dinkit
paskui pakaks uždėt vadžias ant gugos paleisti jį ir jis pats
vienas pareis arklidėn
palikite mane dinkit ir palikite mane
atsirėmiau alkūnėmis į turėklą ir žiūrėjau į vandenį girdėjau
kaip jis atrišo arklį ir nujojo po valandėlės jau girdėjau tik čiur-
lenant vandenį o paskui vėl pragydo paukštis nulipau nuo tilto
atsirėmiau į medį nugara atlošiau galvą ir užsimerkiau saulės
dėmė išlindo pro lapus užkrito man ant akių tad pasitraukiau
tolėliau vėl išgirdau giedant tą paukštį ir teškant vandenį paskui
viskas lyg nuriedėjo ir aš išvis nieko nebejaučiau pasijutau be-
veik gerai po visų tų dienų ir tų naktų kai sausmedis vis tvino iš
tamsos į mano kambarį kur stengdavaus užmigti tačiau praėjus
valandėlei supratau kad jis man nesmogė kad pamelavo irgi dėl
Kedės kad tiesiog nualpau kaip kokia mergiščia bet net ir tai
jau buvo nebesvarbu ir aš sėdėjau atsirėmęs į medį o smulkūs
saulės taškučiai glostė man veidą tarsi geltoni lapai ant šakelės
klausiausi vandens čiurlenimo ir apie nieką negalvojau ir net
išgirdęs atšuoliuojant arklį sėdėjau užsimerkęs ir girdėjau kaip
užsiriesdamos kanopos šiugždina smėlį kaip bėga kojos kietos
Kedės rankos irgi bėgo
  kvaily kvaily tu sužeistas
  atsimerkiau jos rankos laksto man po veidą

aš nežinojau į kurią pusę kol išgirdau tą pistoletą aš nežino-
jau kur aš nemaniau kad jis kodėl tu pabėgai pasprukai aš ne-
maniau kad jis

suglėbė mano veidą delnais ir daužė galvą į medį

liaukis liaukis

sučiupau ją už riešų

baik baik

aš žinojau kad jis to nepadarytų aš žinojau kad jis to nepada-
rytų

ji vis dar daužė mano galvą į medį

aš pasakiau jam kad niekad net nebekalbintų manęs aš pasa-
kiau jam

ji stengėsi išlaisvint riešus

paleisk

liaukis aš už tave stipresnis liaukis

paleisk mane man reikia jį pavyti ir atsipra paleisk Kventinai
prašau paleisk mane

ir staiga ji nurimo riešai suglebo

taip aš galiu pasakyti jam aš bet kada galiu priversti jį patikė-
ti aš galiu

Kede

ji nepririšo Princo jis galėjo keliauti sau namo jei jam šautų į
galvą

jis bet kada manim patikės

ar tu jį myli Kede

ar aš ką

ji pažvelgė į mane paskui jos akys tapo tuščios panašios į akis
statulų tuščias nieko nematančias giedras

pridėk ranką man prie gerklės

paėmė mano ranką ir prispaudė ją visu delnu sau prie gerklės

o dabar pasakyk jo vardą

Daltonas Eimsas

pajutau pirmą kraujo dūžį paskui jie vis stiprėjo ir greitėjo

pasakyk dar kartą

jos veidas pasisuko į medžius kur krito įkypi saulės spindu-
liai kur paukštis

pasakyk dar kartą

Daltonas Eimsas

jos kraujas plūdo nepaliaujamai vis tvinkčiojo ir tvinkčiojo į
mano ranką

Jis tekėjo ilgai, bet mano veidas buvo šaltas ir tartum nebe-
gyvas suskaudo akį ir tą įpjautą pirštą. Girdėjau, kaip Šrivas
pumpavo vandenį iš kolonėlės, o paskui grįžo su dubeniu, ir
jame – virtuojantis apskritas sutemų gniutulėlis su tokiu gelto-
nu krašteliu, tarsi tai būtų nykstantis balionas, o paskui – mano
atspindys. Pamėginau įžvelgti savo veidą.

– Nebekraujuoja? – paklausė Šrivas. – Duokš tą skudurą, –
traukia nosinę man iš rankos.

– Palauk, – tariau. – Aš pats. Jau beveik neteka. – Panardinau
nosinę ir sujaukiau balioną. Nosinė nudažė vandenį. – Gerai
būtų turėti dar vieną švarią.

– Tau reikėtų pridėti prie tos akies žlėgtainio gabalėlį, – pa-
sakė Šrivas. – Aš būsiu ne aš, jeigu rytoj paakyje nešvies mėly-
nė. Kalės vaikas, – pridūrė.

– Ar aš bent kiek užvožiau jam? – Išgręžiau nosinę, pamėgi-
nau nusivalyti kraują nuo liemenės.

– Dėmės neišsimsi, – paaiškino Šrivas. – Turėsi atiduoti į va-
lyklą. Laikyk tą skudurą prie akies, kodėl nusiėmei.

– Truputį nusivalo, – tariau. Nors ir ne ką tenuveikiau. – O kaip mano apykaklė atrodo?

– Nežinau, – atsakė Šrivas. – Laikyk prispaudęs prie akies. Va čia.

– Atsargiau, – pasakiau. – Aš pats. Ar aš bent kiek užvožiau jam?

– Gal ir prisilietei. Tikriausiai tuomet žiūrėjau į kitus ar sumirksėjau, ar dar ką. Gerai jis tave patvarkė. Kaip reikalas aplamdė. Kas tau šovė į galvą pulti jį plikais kumščiais. Kvaily neraliuotas. Kaip jautiesi?

– Gerai, – atsakiau. – Kažin ar galėčiau ką susirasti liemenei išvalyti.

– Q, pamiršk tuos savo sumautus drabužius. Ar akį skauda?

– Jaučiuosi puikiai, – atsakiau. Viskas atrodė man tarytum violetinės spalvos, sustingę, dangus žalias, už namo kraigo virstantis auksiniu, iš kamino nudryko dūmų plunksna, nesudarkyta jokio vėjo. Vėl išgirdau girgždant pompą. Kažkoks vyriškis pumpavo vandenį į kibirą ir mus stebėjo per petį. Moteriškė praėjo pro durų angą, tačiau laukan nepažvelgė. Girdėjau kažkur mūkiant karvę.

– Nagi liaukis, – pasakė Šrivas. – Palik tuos drabužius ir prispausk prie akies tą skudurą. Rytoj iš paties ryto atiduosiu tavo eilutę į valyklą.

– Gerai. Gaila, kad bent truputį nepašlaksčiau jo savo krauju.

– Kalės vaikas, – rėžė Šrivas.

Iš namo išlindo Spoudas (matyt, kalbėjosi su ta moterim) ir perėjo per kiemą. Žvelgia į mane šaltu, pašaipiu žvilgsniu.

– Na, vyriuk, – prabilo įdūręs akis. – Trauk mane velnias, jei tu nepersistengei ieškodamas pramogų. Pagrobti vaiką, paskui susimušti. Tai ką tada veiki atostogų metu? Namus padeginėji?

– Man nieko neatsitiko, – tariau. – Ką sakė ponia Blend?

– Duoda velnių Džeraldui, kad tave sukruvino. Kai pamatys tave, duos velnių tau, kad leidaisi sukruvinamas. Muštynės jai nė motais, ja erzina tik kraujas. Manau, truputį nusmukai jos akyse, kad leidai sau šitaip nukraujuoti. Kaip jautiesi?

– Žinoma, – įsiterpė Šrivas. – Jei negali pats būti Blendu, geriausia, kas gali tau nutikti, nelygu aplinkybės, – sugulti su vienu iš jų ar pasigėrus susikauti.

– Tikrai taip, – patvirtino Spoudas. – Tik nežinojau, kad Kventinas girtas.

– Jis negirtas, – pasakė Šrivas. – Nejaugi turi pasigerti, kad kiltų noras prikulti tą kalės vaiką?

– Regis, turėčiau kaip reikiant pasigerti, kad pulčiau mėginti, pamatęs, koks Kventinas išėjo iš to reikalo. Kur Džeraldas išmoko boksuotis?

– Kiekvieną dieną eidavo į miestą pas Maiką, – pasakiau.

– Iš tikrųjų? – perklausė Spoudas. – Ir tu žinojai tai, kai jį puolei?

– Nežinau, – atsakiau. – Rodos. Taip.

– Sudrėkink ją dar kartą, – patarė Šrivas. – Nori, pakeisiu vandenį?

– Gerai ir šitas, – atsakiau. Vėl pamirkiau nosinę ir prisidėjau prie akies. – Kad turėčiau ką nors liemenei išvalyti.

Spoudas vis dar spoksojo į mane.

– Na pasakyk gi, – tarė. – Kodėl tu smogei jam? Ką jis pasakė?

– Nežinau. Nežinau, kodėl taip padariau.

– Aš pamačiau tik kai tu šokai ir nei iš šio, nei iš to paklausei:

„Ar esi kada nors turėjęs seserį? Ar esi", ir kai jis tarė: „Ne", tu jam ir vožei. Pamačiau, kad žiūri į jį, bet, rodės, nekreipei jokio dėmesio į tai, kas kalbama, kol galiausiai pašokai ir paklausei, ar jisai turi seserį.

– Ak, jis kaip visada pūtė miglą į akis kalbomis apie savo moteris, – įsiterpė Šrivas. – Juk žinai, kaip jis visad pučiasi prieš mergaites, o tos net nesupranta, apie ką jis kalba. Visokios suknistos užuominos, melai ir begalė visokių niekų, išvis neturinčių jokios prasmės. Jis pasakojo apie vieną mergšę, kuriai paskyrė pasimatymą šokių paviljone Atlantik Sityje, o pats grįžo į viešbutį miegoti, ir kaip gulėjo apgailestaudamas, kad ji jo laukia ant molo, o jo kaip nėr, taip nėr, ir nėra kam suteikti jai tai, ko ji taip laukia. Ir visos tos jo istorijos apie gražų kūną ir visus liūdnus to padarinius ir apie tai, kokia liūdna moterų dalia, kai joms nelieka nieko kito, kaip atsigulti aukštielninkoms. Tokia jau, suprask, Leda, tykanti krūmuose savo gulbino, inkščianti ir dejuojanti dėl jo*. Kalės vaikas. Pats būčiau trenkęs jam. Tik aš tai būčiau čiupęs tą jos sumautą vyno pintinę ir vožęs ja.

– O! Damų gynėjas, – nusišaipė Spoudas. – Tu man keli ne tik susižavėjimą, bet dar ir siaubą, vyriuk. – Pažiūrėjo į mane šaltu, pašaipiu žvilgsniu. – Viešpatie švenčiausias, – pridūrė.

– Gailiuosi, kad jam vožiau, – pasakiau. – Ar labai baisiai atrodau, kad grįžčiau ir viską baigčiau?

– Tegu juos galas tuos atsiprašymus, – tarė Šrivas. – Teprasmenga jie skradžiai žemę. Mes važiuojam į miestą.

– Jis turi grįžti, kad jiems parodytų, jog kaunasi kaip džen-

*Graikų mitologijoje Dzeusas, pasivertęs gulbe, apvaisina Ledą, Spartos karalienę.

telmenas, – paaiškino Spoudas. – Kitaip tariant, kad priima smūgius kaip džentelmenas.

– Va šitaip? Su tais sukruvintais drabužiais? – paklausė Šrivas.

– O kodėl gi ne, – atsakė Spoudas. – Jis žino, ką daro.

– Jis negali rodytis vienmarškinis, – nesutiko Šrivas. – Jis dar ne ketvirtame kurse. Na, važiuojam į miestą.

– Tau nėra reikalo važiuoti su manim, – tariau. – Grįžk iškylauti.

– Teprasmenga jie skradžiai žemę, – pasakė Šrivas. – Eime.

– Ką man jiems pasakyti? – paklausė Spoudas. – Kad ir judu susimušėte?

– Nieko nesakyk, – tarė Šrivas. – Pasakyk jai, kad saulei nusileidus jos laikas baigėsi. Eime, Kventinai. Aš paklausiu tos moters, kur yra artimiausia tramva...

– Ne, – tariau. – Aš nevažiuosiu į miestą.

Šrivas sustojo, įdūrė į mane akis. Kai pasisuko, jo akiniai atrodė lyg du maži geltoni mėnuliukai.

– Ką gi tu ketini daryti?

– Aš dar nevažiuoju į miestą. O tu grįžk pas juos. Pasakyk, kad aš neateisiu, nes mano drabužiai purvini.

– Klausyk, – atkaklavo Šrivas, – ką tu sumanei?

– Nieko. Man viskas gerai. Judu su Spoudu grįžkite. Pasimatysime rytoj. – Ir nužingsniavau per kiemą kelio link.

– Ar žinai, kur stotelė? – paklausė Šrivas.

– Susirasiu. Pasimatysime rytoj. Pasakyk poniai Blend, kad aš gailiuosi sugadinęs jos pramogą.

Juodu stovėjo ir žiūrėjo į mane. Aš apėjau namą. Akmenuotas takas leidosi į kelią. Abipus jo augo rožės. Išėjau pro vartus. Kelias leidosi kalva prie giraitės, ir aš išvydau prie to kelio stovinčią mašiną. Ėmiau kopti kalva. Kopiant šviesos kaskart daugėjo, ir nespėjęs pasiekti kalvos viršaus išgirdau dunksint tramvajų. Jis dunksėjo kažkur labai toli sutemose, ir aš sustojau jo pasiklausyti. Mašinos nebesimatė, bet Šrivas stovėjo ant kelio priešais namą ir užvertęs galvą žvelgė į kalvą. Už jo per stogą tarytum dažų sluoksnis driekėsi geltona šviesa. Kilstelėjau ranką, paskui nužingsniavau per kalvą, įsiklausydamas į tramvajaus dunksėjimą. Namo nebesimatė, ir aš sustojau toje žalioje ir geltonoje šviesoje, girdėjau, kaip tramvajus burzgė vis garsiau, garsiau, paskui jo garsas ėmė silpti ir galiausiai staiga nutilo. Palaukiau, kol vėl jį išgirdau. Tada patraukiau tolyn.

Kai leidausi apačion, šviesa iš lėto nyko, tačiau kokybiškai išliko tokia pati, tarsi keičiausi, mažėjau aš, o ne šviesa, nors net tada, kai tą kelią uždengė medžiai, dar buvo galima skaityti laikraštį. Netrukus priėjau atsišakojimą. Įsukau. Čia buvo anksčiau nuo medžių ir tamsiau, tačiau kai tas keliukas išniro į tramvajų stotelę – dar viena medinė stoginė, – šviesa dar buvo nepakitusi. Čia ji atrodė šviesesnė, lyg būčiau perėjęs per naktį ir vėl įžengęs į rytą. Netrukus atvažiavo tramvajus. Įlipau, žmonės atsigręždavo pažiūrėti į mano akį, susiradau vietą kairėje pusėje.

Tramvajuje jau degė šviesos, tad kai važiavom pro medžius, mačiau tik savo veidą ir atspindį moters kitapus perėjimo su tiesiai ant pakaušio užsmaukta skrybėle: joje stirksojo nulaužta plunksna; kai išvažiavome iš tos pavėnės, vėlei išniro sutemos – lygiai tokia pati šviesa, lyg laikas iš tikrųjų būtų valandėlei sustojęs – su ta horizonte pakibusia saule, tada mes pravažiavom stoginę, kur dieną tas senukas valgė tiesiai iš maišelio, o kelias bėgo, apgaubtas sutemų, į sutemas, ir už nugaros jautei esant

William Faulkner

vandenį, ramų, skubrų. Tramvajus pajudėjo vėl, pro atviras duris užpūtė skersvėjis, galiausiai įsišėlo visam vagone, nešdamas vasaros, tamsos aromatus, – tik jau ne sausmedžio. Mano nuomone, sausmedžio aromatas – liūdniausias iš visų kvapų. Prisimenu jų įvairiausių. Vienas – glicinijų. Lietingomis dienomis, kai mama jausdavosi neblogai ir galėdavo prieiti prie lango, mes žaisdavome po jomis. Kai mama nesikeldavo iš lovos, Dilzė apvilkdavo mus senais drabužiais ir paleisdavo į lietų, nes lietus jaunam žmogui nekenkia, sakydavo. O kai mama nesirgdavo, mes visad žaisdavom verandoje, kol ji subardavo, kad per daug triukšmaujame, tada nueidavome po glicinijų altana.

Va čia aš šįryt mačiau upę paskutinį kartą, maždaug čionai. Jaučiau, kad už tų sutemų – vanduo, užuodžiau jį. Kai jis, tas sausmedis, pavasarį pražysdavo ir kai užeidavo lietus, jo kvapas išsiliedavo aplinkui, nors šiaip jo neužuosdavai, bet kai užeidavo lietus, jis smelkdavosi į namus kiaurai, per sutemas: ar tai todėl, kad, sutemoms užėjus, lietus įsismarkaudavo, ar būdavo kažkas pačioje sutemų šviesoje, bet visada kaip tik per sutemas kvepėdavo labiausiai, ir aš guliu sau lovoje ir vis kartoju: kada gi pagaliau jis liausis, kada jis liausis. Skersvėjis atnešė nuo durų vandens kvapą, – toks drėgnas, stiprus dvelksmas. Kartais tolydžio tai kartodamas aš net užmigdavau, kol, sausmedžiui viską sujaukus iki pagrindų, visa tai tapdavo mano akyse nakties ir neramumo simboliu, ir aš tarsi gulėdavau, nei būdraudamas, nei miegodamas, žiūrėdamas žemyn į ilgą pilką prieblandos koridorių, kur visa, kas pastovu, tapdavo pamėkliškai neapibrėžta, o visa, ką aš dariau, pavirsdavo šešėliais, visa, ką aš jaučiau, kentėjau, įgydavo tuos regimus pavidalus, keistus, ydingus, kupinus patyčių, be kokio nors būdingo ryšio su tuo prasmės, kurią jiems privalu patvirtinti, paneigimu, kada galvoji aš buvau aš nebuvau kas buvo nebuvo ne kas.

Užuodžiau upės vingius tose sutemose, regėjau paskutinius šviesos atšvaitus, inertiškus ir tykius ant vandens paviršiaus, lyg veidrodžio šukes, paskui blyškiam tyram ore už jų išniro šviesos, truputį virpančios, tarsi tolumoje plevenantys drugeliai. Bendžaminas, Rachelės vaik. Kaip jis sėdėdavo priešais tą veidrodį. Tas ištikimas prieglobstis, kur prieštaravimas sutramdomas, nutildomas, sutaikomas. Bendžaminas, mano senatvės vaikas, laikytas įkaitu Egipte*. O Bendžaminai. Dilzė sakė, jog tai todėl, kad mama pernelyg juo didžiavosi. Va šitaip jie ir įsibrauna į baltųjų žmonių gyvenimus, tokiomis netikėtai aštriomis juodomis įsrūvomis: akimirką jos atskiria baltus faktus neginčijamomis tiesomis, tarsi po mikroskopu; o visą kitą laiką jie – tik balsai, tik juokas, kai tau atrodo, kad tam nėra net pagrindo, ir ašaros – be jokios priežasties. Per laidotuves jiems šauna galvon lažintis: ar gedėtojų skaičius bus lyginis, ar ne. Kartą Memfyje visas jų viešnamis įpuolė į religinį transą: išbėgo nuogos gatvėn. Trijų policininkų prireikė numaldyti vienai iš jų. Taip O Jėzau O gerasis Jėzau O gerasis žmogau.

Tramvajus sustojo. Aš išlipau, o jie sužiuro į mano akį. Kai atvažiavo miesto tramvajus, jis buvo pilnas. Atsistojau gale.

– Priekyje yra laisvų vietų, – pakvietė konduktorius.

Žvilgtelėjau į vagoną. Kairėje pusėje vietų nebuvo.

– Aš netoli važiuoju, – pasakiau. – Čia pastovėsiu.

Važiuojame per upę. Kitaip tariant, per tiltą, lėtai ir labai

*Žr. Pr 42–44.

aukštai išlinkusį erdvėje, tarp tos tylos ir nebūties, kur šviesos – geltonos, žalios ir raudonos – virpa tyram ore atsikartodamos.

– Geriau jau eikite į priekį ir atsisėskite, – patarė konduktorius.

– Aš tuoj išlipsiu, – paaiškinau. – Už poros kvartalų.

Išlipau dar neprivažiavus pašto. Dabar jie jau tikriausiai sėdi visi kur nors, ir tada išgirdau tiksint savo laikrodį: įsiklausiau, ar neskamba bokšto laikrodis, ir paliečiau per švarką laišką Šrivui, o rantyti guobų šešėliai plaukė man per ranką. Kai įžengiau į universiteto didįjį kiemą, pradėjo mušti bokšto laikrodis, aš žingsniavau tolyn, o tie garsai vis plito, lyg ribuliai tvenkinyje, praplaukdavo pro mane ir nuščiūdavo klausdami: Be penkiolikos kiek? Gerai. Be penkiolikos kiek?

Mūsų languose – tamsu. Prie įėjimo tuščia. Aš įžengiau vidun: tykinu palei kairę sieną, bet visur tuščia – tik laiptai, vingiuojantys šešėlyje, aidi liūdnų būtųjų kartų žingsniais it lengvos dulkės ant šešėlių, kai mano kojos mina juos kaip dulkes, kurios ir vėlei palengva nugula paviršių.

Dar nespėjęs uždegti šviesos išvydau laišką, taip atremtą į gulinčią ant stalo knygą, kad pamatyčiau iš karto. Pakrikštijo jį mano vyru. Spoudas juk sakė, kad jie važiuoja dar kažkur ir grįš vėlai, ir poniai Blend reikės dar vieno kavalieriaus. Be to, aš būčiau jį pamatęs, ir įsėsti į kitą tramvajų jis negalėjo, nes buvo jau po šešių. Išsitraukiau laikrodį, klausiausi jo tiksėjimo: jis net nežino, kad negali sumeluoti. Paskui paguldžiau jį ciferblatu žemyn ant stalo, paėmiau ponios Blend laišką, perplėšiau jį ir numečiau skiautes į šiukšlių dėžę, tada nusivilkau švarką, liemenę, nusisegiau apykaklę, nusirišau kaklaraištį, išsinėriau iš marškinių. Kaklaraištis irgi buvo suteptas, bet negrui bus gerai. Gal pamanys, kad Kristus jį dėvėjo ir čia jo kraujo atspaudas. Šrivo kambaryje radau benzino, ištiesiau švarką ant stalo, kad būtų kuo lygiau, ir atkimšau benziną.

pirmasis automobilis mieste mergina Mergina štai ko Džei-sonas negalėjo pakęsti jį vimdęs benzino kvapas paskui kaip niekada įsiuto nes mergina Mergina neturėjo sesers bet Bendža-minas Bendžaminas mano skausmo vaikas* jei tik aš būčiau turėjęs motiną kad galėčiau ištarti Mama Mama Benzino sunaudojau daug ir jau nebegalėjau pasakyti, ar tai dar buvo dėmė, ar jau tiktai benzinas. Vėl ėmė smarkiai gelti žaizdą, tad nuėjau nuplauti jos, pakabinau liemenę ant kėdės, patraukiau laidą, kad lemputė džiovintų dėmę. Nusimazgojau veidą ir rankas, bet netgi ir tada jaučiau tą kvapą, permušantį muilą, jis truputėlį veržė šnerves. Atidariau lagaminą, išsiėmiau marškinius, apykaklę, kaklaraištį, įkišau vidun tuos sukruvintus, uždariau lagaminą, apsirengiau. Kai šukavausi, išmušė pusvalandį. Šiaip dar turėjau laiko iki be penkiolikos, nebent tik *matydamas tose šuoliuojančiose sutemose tik savo paties veidą jokios nulaužtos plunksnos nebent jos buvo dvi su tokia skrybėle bet juk negali dvi šiaip sau važiuoti į Bostoną tą patį vakarą o paskui mano veidas akimirką jo veidas tas trenksmas kai iš tamsos kietai išnirdami susitrenkė du apšviesti langai jo veidas dingo matau tik savąjį mačiau ar tikrai mačiau jokio sudie ta stoginė kur niekas nebevalgo tuščias kelias tamsoje tyloje tiltas išlinkęs į tą tylą tamsą miegą vanduo taikus skubrus jokio sudie*

Išjungiau šviesą ir nuėjau į savo miegamąjį, toliau nuo to benzino kvapo, nors vis dar jį jaučiau. Stoviu prie lango, užuolaidos iš lėto juda, išnyra iš tamsos, paliečia mano veidą, lyg kas miegodamas kvėpuotų, vėl panyra tamson iškvėpdamos,

*Žr. Pr 35, 18.

palikdamos prisilietimą. *Kai jie užkopė laiptais, mama atsilošė krėsle, užsidengusi burną kampare pamirkyta nosine.* O tėtis *taip ir liko prie jos sėdėti, laikydamas jos ranką, bliovimas tolo, tarytum nesutilpo tyloje* Kai buvau mažas, vienoje mūsų knygoje buvo toks paveiksliukas – tamsi menė, kur tik menkutis šviesos spindulėlis įžambiai krinta ant dviejų veidų, žvelgiančių į jį iš šešėlio. *Žinai, ką padaryčiau, jeigu būčiau karalius?* ji niekada nebūdavo karalienė ar fėja, visada tik karalius arba milžinas, arba generolas *sugriaučiau tą kambarį o juos išvilkčiau lauk ir gerai išplakčiau* Ir jis buvo išplėštas, sudarkytas. Aš džiaugiausi. Nes būčiau vis žiūrėjęs į jį, kol tas didysis bokštas taps mama, o jie su tėčiu sėdi, akis nukreipę į tą menką šviesą, susikabina rankomis, o mes – jau pasiklydę kažin kur apačioje, be jokio spindulėlio. Paskui ten įsiliejo sausmedžio kvapas. Vos tik išjungdavau šviesą ir pamėgindavau užmigti, jis imdavo plūsti bangomis į kambarį, kaskart aitresnis, aitresnis, kol imdavau dūsuoti ir gaudyt orą ir kol galiausiai gaudavau atsikelti ir ieškoti apčiuopomis kelio, kaip darydavau, kai buvau dar visai mažas *rankos gali matyti čiuopdamos sąmonėje modeliuoti nematomas duris Duris o dabar rankos nieko nemato* Mano nosis mato benziną, liemenę, gulinčią ant stalo, duris. Koridorius vis dar tuščias, nesigirdi jokių liūdnų būtųjų kartų žingsnių, ieškančių vandens. *tuo tarpu akys nieko nematančios suspaustos tarsi dantys ne tik kad netikinčios bet dar ir abejojančios tuo kad skausmo nėra blauzda kulkšnis kelis ilgi nematomi tekantys turėklai tekėjimas kur galima suklupti miego pritvinkusioje tamsoje mama tėtis Kedė Džeisonas Moris durys aš nebijau tik mama tėtis Kedė Džeisonas Moris miegantys taip toli toli aš jau kietai miegosiu kai aš durys Durys durys* Ten irgi buvo tuščia, vamzdžiai, porcelianas, ramios dėmėtos sienos, mintijimo sostas. Pamiršau taurę, tačiau galėjau *rankos gali matyti pirštus vėsinantis nematomas gulbės kaklas kur nereikia Mozės lazdos* taurę paliesti apčiuopomis atsargiai kad barbenimas į glotnų vėsų kaklą barbenimas vėsinantis metalas taurė sklidina lygmalai taurė vėsina pirštus plūsta miegas palikdamas ilgoje gerklės tyloje sudrėkusio miego skonį* Grįžau koridoriumi, budindamas tyloje šnabždančius pasiklydusių kojų pulkus, vėl pasinėriau į benziną, laikrodis ant tamsaus stalo vėl teigė savo įnirtingą melą. O paskui tos užuolaidos, alsuojančios man į veidą iš tamsos, paliekančios ant jo savo kvėpavimo prisilietimą. Liko ketvirtis valandos. Tada manęs jau nebebus. Patys taikiausi žodžiai. Patys taikiausi. *Non fui. Sum. Fui. Non sum**.* Kartą kažkur girdėjau skambinant varpais. Misisipėje ar Masačusetse. Aš buvau. Manęs nėra. Masačusetse ar Misisipėje. Šrivo lagamine yra kažin koks butelis. *Negi tu jo net neatplėši* Ponas ir ponia Džeisonai Ričmondai Kompsonai praneša *Trys kartai. Dienos. Negi tu jo net neatplėši* apie dukters Kendisės *alkoholis moko jus painioti priemones su tikslu* Aš esu. Išgerk. Manęs nebuvo. Parduokime Bendžio ganyklą, kad Kventinas galėtų vykti mokytis į Harvardą ir aš galėčiau visad susidaužti kaulais. Aš būsiu miręs tame. Ar Kedė sakė kad tiktai vieni metai. Šrivo lagamine yra kažin koks butelis. Pone man nereikia to Šrivo butelio aš pardaviau Bendžio ganyklą ir galiu mirti Harvarde Kedė sakė jūros urvuose ir olose taikiai vartomas potvynių ir atoslūgių ritmu nes Harvardas skamba taip maloniai ausiai keturiasdešimt akrų neaukšta kaina tokiam malo-

*Žr. *Iš* 4, 2–4; 17, 6 ir *Sk* 20, 11.
**Manęs nebuvo. Aš esu. Aš buvau. Manęs nėra *(lot.)*.

niam garsui. Gražus negyvas garsas mes iškeisime Bendžio ganyklą į gražų negyvą garsą. Jam ilgai jo užteks nes jis negali jo
girdėti nebent tiktai užuos *vos tik ji pasirodė tarpduryje jis
pravirko* aš visąlaik maniau kad jis buvo tik vienas iš tų miesto
įžūlėlių kuriais tėtis ją visą laiką erzino kol. Pastebėdavau jį ne
ką daugiau nei kokį pašalietį komivojažierių arba tuos maniau
kad jie tik kareiviški marškiniai ir tiek kai staiga supratau kad
jis visai nesitiki iš manęs jokio blogio o tik galvoja apie ją kai
žiūri į mane kad žiūri į mane per ją kaip per spalvotą stiklą
*kodėl kišiesi į mano reikalus ar nežinai kad nieko gero iš to
nebus aš maniau kad palikai tai mamai ir Džeisonui*
    ar mama pasiuntė Džeisoną tave šnipinėti aš nebūčiau.
    *Moterys tik naudojasi kitų garbės kodeksu tai todėl kad ji
myli Kedę* net ir tada kai negaluodavo likdavo apačioj kad tik
neleistų tėčiui šaipytis iš dėdės Morio Džeisono akivaizdoje tėtis sakė jog dėdė Moris prastas antikos žinovas kad rizikuotų
susitikti asmeniškai su tuo aklu ir nemariu berniuku ir jam vertėjo rinktis paštininku veikiau Džeisoną nes Džeisonas būtų padaręs tokį pat netaktą kaip ir dėdė Moris be jokios rizikos gauti mėlynę po akim Petersonų mažylis buvo dargi mažesnis už
Džeisoną juodu pardavinėjo aitvarus po penkis centus už kiekvieną kol susiriejo dėl pinigų Džeisonas pasirinko kitą partnerį
dar mažesnį bent jau pakankamai mažiuką nes Ti Pi sakė kad
Džeisonas liko iždininku bet tėtis sakė kam gi tam dėdei Moriui dirbti jeigu jis tai yra tėtis gali išlaikyti penkis ar šešis negrus
kurie nieko neveikia tik sėdi sukišę kojas orkaitėn vadinasi jis
gali retkarčiais priglausti pas save bei pamaitinti ir dėdę Morį
paskolinti jam truputėlį pinigų nes jis juk taip karštai palaiko
savo tėvo įsitikinimą apie dievišką jo padermės kilmę tada ma

ma pravirkdavo sakydama kad tėtis mano esą jo giminė geresnė negu josios ir tyčiojasi iš dėdės Morio mokydamas mus to paties ji nesuprato kad tėtis mokė mus jog visi žmonės tėra trūnys lėlės prikimštos pjuvenų sušluotų iš šiukšlynų kur buvo išmestos visos ankstesnės lėlės o tos pjuvenos byra iš kieno gi žaizdos kieno gi šone* kuris mirė ne dėl manęs ne. Vaikystėje aš mirtį įsivaizduodavau kaip kokį vyrą pavyzdžiui savo senelį ar kokį nors jo draugą ypatingą asmeninį draugą mes buvome įpratę taip žiūrėti į senelio rašomąjį stalą tokį ypatingą kad jo negalima paliesti ir net kalbėti garsiai kambaryje kur jis stovi aš visada įsivaizduodavau juodu drauge senelį ir tą rašomąjį stalą kažkur vis laukiančius kada senasis pulkininkas Sartoris nusileis ir atsisės prie jų laukiančių ant aukštos kalvos už kedrų o pulkininkas Sartoris ant dar aukštesnės kalvos žiūri į kažką tolumoje ir jie vis laukia kada jis liausis žiūrėjęs ir nusileis senelis vilki savo uniforma o mes vis girdime jų balsų šnabždesį atsklindantį iš po tų kedrų jie nesiliauja kalbėję ir senelis visada teisus

Išmušė tris ketvirčius valandos. Pirma nata suskambo, ritminga ir rami, giedra ir įsakmi, išlaisvindama kitai natai tą neskubrią tylą, ir čia visa esmė, jei žmonės tik galėtų keisti vienas kitą visąlaik išnirt va šitaip kaip liepsna pasūkuriuojanti akimirką aukštyn paskui staiga išnykti vėsioje amžinasties tamsybėje užuot gulėję čia ir stengęsi nebegalvoti apie tą hamaką kol visi kedrai imtų dvelkti tais kvepalais toksai aštrus negyvas kvapas kurio Bendžis taip nekentė. Vien tiktai prisiminus tą kedrų guotą regėjos kad girdžiu tuos šnabždesius slaptus atplūstan-

*Žr. *Jn* 19, 34. Plg. su himnu „Amžių uola“, parašytu Augusto Montague Toplady.

čius geismus užuodžiu karšto kraujo dūžius tuose pašėlusiuose atviruose kūnuose regiu paraudusių akių vokų fone tuos nežabotus į jūrą skriejančius susiporavusius paršus* o jis mums reikia būdraut tik kelias akimirkas matant kaip pasireiškia blogis jis neamžinas o aš nereikia net ir tiek jeigu esi drąsus žmogus o jis ar tu manai kad tai drąsa o aš taip sere argi jūs taip nemanot o jis žmogus pats sprendžia apie savo dorybes ir tai kad tu laikai šitai drąsa yra svarbiau nei patsai poelgis nei bet koks poelgis priešingu atveju negali būti rimtas o aš jūs manot kad aš čia nerimtai o jis manau kad pernelyg rimtai ir aš galiu nebūgštaut priešingu atveju tau nereikėtų griebtis tos išmonės apie kraujomaišą o aš aš juk nemelavau aš juk nemelavau o jis tu tik norėjai sublimuoti į siaubą truputį prigimtinės žmogiškosios beprotybės o paskui pasitelkęs tiesą išvaryti piktąsias dvasias o aš reikėjo ją atskirti nuo to trankaus pasaulio kad jis išgintų mus o paskui išginimo garsas būtų toksai tarsi to niekad nė nebuvo o jis ar mėginai priversti ją tai padaryti o aš aš bijojau bijojau kad ji sutiks tada iš to nebūtų išėję nieko gera bet jei galėčiau pasakyti jums kad mes tatai padarėme tai ir būtų įvykę ir panaikintų visa kas buvo su kitais ir pasaulis išnyktų su griausmu o jis na dėl to kito dalyko dabar tu nemeluoji bet tu dar aklas tam kas glūdi tavyje tai daliai visuotinės tiesos tai natūraliai įvykių sekai ir eigai jų priežasčių kurių šešėlis užgula kiekvieno žmogaus bendžio kaktą tu negalvoji apie baigtinumą tu mintiji apoteozę kur laikina tavo sąmonės būsena bus iškilus simetriškai virš kūno aiškiai suvoks save ir kūną ir tu nebūsi visiškai nušalintas netgi ne miręs o aš laikina o jis tau nepakeliama mintis kad ateis diena kai tavo skausmas apmalš ir dabar mes prie to

*Žr. *Mt* 8, 28–32.

artėjam tu regis žiūri į tai tik kaip į kažkokį patyrimą kuris per vieną naktį nubalins tavo plaukus ir šiaip jau tavo išvaizda niekuo nepasikeis šitaip tu nieko nepadarysi tai bus lošimas ir keisčiausia kad žmogus tas atsitiktinai pradėtas padaras kurio kiekvienas kvėpsmas tėra tik naujas prieš jį sušmugeliuotas kauliukų išmetimas nenori stoti prieš tą galutinį tarpsnį prieš kurį jau iš anksto žino privalėsiąs stoti iš pradžių nepamėginęs griebtis įvairiausių priemonių nuo smurto iki žemos sofistikos kuria net vaiko neapgautum kol vieną dieną pasidygėjimo priremtas atsiduos iki galo tam aklam kortos kirčiui joks žmogus to nedaro pagautas pirmo nevilties impulso savigraužos ar netekties jis daro tai tiktai supratęs kad netgi neviltis savigrauža ar netektis nėra labai jau svarbios tam tamsiam kauliukų metikui o aš laikina o jis juk sunku patikėti kad meilė arba sielvartas tėra tik obligacijos nupirktos be jokio išankstinio plano kad jos pasensta nori to ar nenori ir anuliuojamos be jokio išankstinio įspėjimo kad bus pakeistos nauja dievų paskatinta emisija ne tu to nepadarysi kol pats neįtikėsi kad gal net ji nebuvo visiškai verta tos nevilties o aš aš niekada nepadarysiu to niekas nežino to ką aš žinau o jis verčiau važiuok tuoj pat į kembridžą galėsi mėnesį praleisti meinę o pinigų užteks jei būsi apdairus skaičiuosi skatikus gal bus visai neprastas reikalas tai išgydė daugiau žaizdų nei jėzus o aš įsivaizduokite kad suprantu ką manote mane suprasiant ten kitą savaitę ar kitą mėnesį o jis tada tu prisiminsi kad tavo motinos svajonė nuo tos dienos kai tu gimei buvo išleisti tave į harvardą ir dar nė vienas kompsonas nėra nuvylęs jokios damos o aš laikina taip bus geriau ir man ir mums visiems o jis žmogus pats sprendžia apie savo dorybes bet tegu niekas kitam neduoda nuorodų kas dera jam daryti o

aš laikina o jis buvo liūdniausias žodis iš visų nieko kito šitam
pasaulyje nėra tai dar ne neviltis kol laikas dar net ne laikas kol
gali pasakyti buvo

Suskambo paskutinė nata. Galiausiai ji liovėsi virpėjusi ir tam-
sa vėl nurimo. Įėjau į svetainę, uždegiau šviesą. Apsivilkau lie-
menę. Benzino kvapas išsivadėjo, buvo vos juntamas ir dėmės
veidrodyje nesimatė. Bent jau ne tiek, kiek mano akis matė.
Apsivilkau švarką. Po audeklu sušiugždėjo laiškas Šrivui, aš iš-
sitraukiau jį, patikrinau adresą, paskui įsikišau į šoninę kišenę.
Tada nunešiau laikrodį į Šrivo kambarį, įkišau į jo stalčių, grį-
žau į savo kambarį, išsitraukiau švarią nosinę, nužingsniavau
prie durų ir uždėjau ranką ant elektros jungiklio. Prisiminiau,
kad neišsivaliau dantų, tad vėl turėjau atidaryti lagaminą. Susi-
radau dantų šepetėlį, išspaudžiau truputį Šrivo pastos, išėjau ir
išsivaliau dantis. Nusausinau šepetėlį spausdamas jį kiek įma-
nydamas, vėl įdėjau į lagaminą, uždariau lagaminą ir vėl nu-
žingsniavau prie durų. Prieš užgesindamas šviesą apsidairiau,
ar ko nepamiršau, nagi, žinoma: pamiršau skrybėlę. Turėjau
praeiti pro paštą, buvau tikras, kad sutiksiu kurį nors iš jų, ir jie
pamanys, jog aš – tipiškas, absolventą vaidinantis Harvardo
studentas. Skrybėlę irgi buvau pamiršęs nuvalyti, bet Šrivas tu-
rėjo šepetį, tad man nebereikėjo atidaryti lagamino dar kartą.

1928, balandžio šeštoji

Kalė ir liks kalė, mano galva. Sakau: viena laimė, jeigu jums kelia nerimą tik tai, kad ji bėga iš pamokų. Sakau: dabar ji turi būti čia, šitoj virtuvėj, o ne stirksoti ten viršuj, savo kambaryje, krautis dažus ant veido ir laukti, kol šeši negrai, nesugebantys net nuo kėdės pakilti, jei neturi kaupinos lėkštės duonos ir mėsos pusiausvyrai palaikyti, atneš jai pusryčius. O mama sako:

– Jau vien tai, kad mokyklos valdžia mano, jog aš neturiu jai jokios galios, jog nesugebu...

– Na, – sakau, – juk iš tikrųjų nesugebate, argi ne taip? Jūs niekad nemėginot jos paveikti, – sakau. – Kaip jūs įsivaizduojate pradėsianti tai dabar, kai jai jau septyniolika?

Ji pasvarstė valandėlę.

– Bet jau vien tai, kad jie mano, jog... Aš net ir nežinojau, kad ji turi pažymių knygelę. Praeitą rudenį ji man sakė, kad jie jomis nebesinaudoja. O dabar štai mokytojas Džankinas paskambino man telefonu ir pasakė: jeigu ji dar kartą praleis pamokas, turės atsisveikinti su mokykla. Bet kaip jai tai pavyksta? Kur ji eina? Tu kiaurą dieną būni mieste, matytum, jei ji trainiotųsi gatvėmis.

– Taip, – sakau. – Jei trainiotųsi gatvėmis. Nemanau, kad ji bėgtų iš pamokų vien tam, kad darytų tai, ką visi gali matyti, – sakau.

– Ką tu turi galvoje? – paklausė ji.

– Nieko, – sakau. – Tik atsakiau į jūsų klausimą.

Tada ji vėl pravirko: atseit jos pačios kūnas ir kraujas sukilęs, kad ją prakeiktų.

– Juk jūs pati manęs paklausėt, – sakau.

– Aš nekalbu apie tave, – aiškino ji. – Tu – vienintelis iš jų visų man ne priekaištas.

– Žinoma, – sakau. – Niekada neturėjau tam laiko. Nebuvo kada vykti į Harvardą ar nuvaryti save į kapus girtavimu. Reikėjo dirbti. Bet, žinoma, jei norite, kad sekiočiau paskui ją ir žiūrėčiau, ką jinai veikia, galiu palikti parduotuvę ir susirasti naktinį darbą. Tada dieną galėsiu sekioti paskui ją, o jūs galėsite įpareigoti Beną pakeisti mane naktį.

– Žinau, kad esu tau tik vargas ir našta, – kalbėjo ji verkdama į pagalvę.

– Man tai ne naujiena, – sakau. – Jūs man kartojate tai jau trisdešimt metų. Dabar jau net ir Benas turėtų tai žinoti. Ar norite, kad su ja apie tai pasikalbėčiau?

– Manai, tai padės? – paklausė ji.

– Ne, jeigu jūs nusileisite žemyn ir įsikišite man vos pradėjus, – sakau. – Jeigu norit, kad ją sudrausminčiau, taip ir sakykit, bet pati laikykitės kuo toliau. Kaskart, kai tik pamėginu, jūs iš karto įsikišate, ir tada ji tik juokiasi iš mūsų abiejų.

– Prisimink, ji mūsų kūnas ir kraujas, – pasakė.

– Žinoma, – atsakiau, – sutinku, kad kūnas. Truputėlis kraujo irgi, jeigu galėčiau veikti savo nuožiūra. Kai žmonės elgiasi kaip negrai, nesvarbu, kas jie būtų, vienintelis tinkamas būdas – elgtis su jais kaip su negrais.

– Bijau, kad nesusivaldysi, – pasakė ji.

– Ką gi, – atsakiau, – jums su jūsų metodais ne kažin kas išėjo. Tai ar norite, kad ką nors daryčiau, ar ne? Apsispręskite, man reikia eiti į darbą.

– Žinau, kad turi dėl mūsų vergauti, – verkšleno ji. – Tu juk žinai, kad jeigu būtų taip, kaip aš noriu, turėtum savo kontorą ir Beskombui tinkančias darbo valandas. Nes tu juk Beskombas, nepaisant pavardės, kurią turi. Aišku, jei tavo tėvas būtų galėjęs numatyti...

– Na, – sakau, – mano galva, jam irgi leista kartą kitą apsirikti, kaip ir bet kuriam kitam, net kokiam paprasčiausiam Smitui arba Džounsui. – Ji vėl pravirko.

– Klausytis, kaip tu su tokiu apmaudu kalbi apie savo velionį tėvą, – dejavo.

– Gerai jau, – sakau, – gerai. Tebūnie, kaip jūs norit. Bet kadangi savo kontoros neturiu, tai privalau eiti į tą darbą, kurį turiu. Tai ar norit, kad jai ką pasakyčiau?

– Bijau, kad nesusivaldysi, – pasakė ji.

– Gerai, – tariau, – tada nieko nesakysiu.

– Bet juk reikia ką nors daryti, – nesiliovė ji. – Kad žmonės manytų, jog aš leidžiu jai bėgti iš mokyklos ir trainiotis gatvėmis arba jog negaliu jos sutramdyti... Džeisonai, Džeisonai, – virkavo. – Kaip tu galėjai? Kaip tu galėjai palikti mane su tokia našta?

– Nagi nurimkit, – sakau, – įsivarysit ligą. Jums reikėtų užrakinti ją kambaryje dar ir dieną arba įpareigoti mane tai sutvarkyti ir šitaip liautis gadint sau kraują.

– Mano kūnas ir kraujas, – kartojo ji verkdama. Tada aš ir sakau: – Gerai, aš pasirūpinsiu ja. O dabar liaukitės verkusi.

– Pasistenk neprarast savitvardos, – paprašė ji. – Ji dar vaikas, neužmiršk to.

– Ne, – atsakiau, – neužmiršiu. – Ir išėjau uždarydamas duris.

– Džeisonai, – pašaukė ji. Aš neatsakiau. Nužingsniavau koridoriumi. – Džeisonai, – pašaukė ji už durų dar kartą. Aš nusileidau laiptais. Valgomasis buvo tuščias, paskui išgirdau ją kalbant virtuvėje. Ji kaulijo, kad Dilzė įpiltų jai antrą puodelį kavos. Įėjau.

– Tai tokia tavo mokyklos uniforma? – paklausiau. – O gal šiandien atostogos?

– Nors pusę puodelio, Dilze, – maldavo ji. – Prašau.

– Ne, ne, – prieštaravo Dilzė, – neduosiu. Septyniolikmetei mergaitei – ne daugiau kaip puodelis, ką jau kalbėti apie tai, ką pasakys mis Kehlaina. Eik apsivilk uniformą, kad galėtum važiuoti miestan su Džeisonu. Ar nori vėlek pavėluoti?

– Ne, ne, – sakau, – tą reikalą mes sutvarkysim tuojau pat. – Ji žiūri į mane laikydama puodelį rankoje. Nubraukė nuo veido plaukus, kimono nuslinko jai nuo peties. – Padėk tą puodelį ir ateik čia truputį, – liepiu.

– Kam? – klausia ji.

– Greičiau, – sakau. – Padėk puodelį į plautuvę ir ateik.

– Ką sumanėt, Džeisonai? – paklausė Dilzė.

– Manai, kad galėsi joti ant manęs kaip ant senelės ir visų kitų, – sakau. – Taip nebus, pamatysi. Duodu tau dešimt sekundžių, kad padėtum puodelį, kaip tau sakyta.

Ji nukreipė akis nuo manęs į Dilzę.

– Kiek dabar valandų, Dilze? – paklausė. – Po dešimties sekundžių švilptelk. Tik pusę puodelio, Dilze, praš...

Aš stvėriau ją už alkūnės. Ji išmetė puodelį. Šis nukrito ant grindų ir sudužo, ji truktelėjo ranką, žiūri į mane, bet aš vis dar laikau ją. Dilzė pakilo nuo kėdės.

– Džeisonai, – pasakė.

– Paleiskite mane, – sako Kventinė. – Arba trenksiu per veidą.

– Tu trenksi, tu trenksi? – sakau. – Ar trenksi, ar trenksi? – Ji pamėgino trenkti man per veidą. Sučiupau ir tą ranką, laikiau ją kaip kokią pasiutusią katę. – Dar pamėginsi, ar dar mėginsi? – sakau. – Manai, kad tau pavyks?

– Džeisonai! – rūstavo Dilzė. Aš velku ją į valgomąjį. Jos kimono prasiskleidė, plaikstosi, velku ją kone nuogą. Dilzė šlubčioja paskui mus. Pasisukau ir paspyriau duris, jos užsidarė jai prieš nosį.

– Dink iš čia, – paliepiau.

Atsirėmusi į stalą Kventinė siaučiasi kimono. Žiūriu į ją.

– O dabar, – sakau, – noriu sužinoti, ką tu sau galvoji bėgdama iš pamokų, meluodama senelei, padirbinėdama jos parašą pažymių knygelėje ir stengdamasi įvaryti jai ligą. Ką tu sau galvoji?

Ji nieko neatsakė. Suglėbė po kaklu kimono, apsitimpčiojo jį aplink kūną ir žiūri į mane. Išsidažyti dar nebuvo spėjusi, tad veidas – tarsi išblizgintas šautuvų šveitimo skuduru. Priėjau ir sučiupau ją už riešo.

– Ką tu sau galvoji? – klausiu.

– Ne jūsų sumautas reikalas, – atšovė. – Paleiskite mane.

Tarpduryje išniro Dilzė.

– Džeisonai, – pasakė.

– Dink iš čia, kaip tau sakyta, – liepiau jai neatsigręždamas. – Aš noriu žinoti, kur tu eini, pabėgusi iš pamokų, – sakau. – Gatvėmis neslankioji, kitaip tave matyčiau. Su kuo pabėgi? Ar giraitėj slapstaisi su kuriuo nors iš tų suknistų pliuškių sulaižtais plaukais? Ten eini?

– Jūs... senas prakeiktas pūzras! – išrėžė ji. Ji priešinosi, bet aš laikiau ją. – Jūs senas prakeiktas pūzras! – pakartojo.

– Aš tau parodysiu, – sakau. – Tu gali gąsdint seną moterį, bet aš tau parodysiu, su kuo dabar turėsi reikalą. – Laikau suėmęs ją viena ranka, paskui ji liovėsi priešinusis ir žiūrėjo į mane: akys plėtėsi, darėsi juodos.

– Ką gi jūs dabar darysit? – paklausė.

– Palauk, tik nusijuosiu diržą ir tau parodysiu, – sakau juosdamasis diržą. Čia Dilzė sučiupo mano ranką.

– Džeisonai, – sako. – Nagi, Džeisonai! Ar jums ne sarmata?

– Dilze, – kniaukia Kventinė, – Dilze.

– Aš jam neleisiu, – sako Dilzė. – Nebijok, širdele. – Ir įsikibo man į ranką. Pagaliau mano diržas išniro, aš išsilaisvinau ir ją nustūmiau. Ji trenkėsi į stalą. Tokia sena, kad vos bepajuda. Bet tai nieko: juk reikia, kad virtuvėje būtų kas subaigia ėdalą, kuris lieka nuo jaunesniųjų negrų. Ji atklibikščiavo prie mūsų ir vėl pamėgino mane sulaikyti. – Tada muškit mane, – pasakė. – Jeigu jau jums taip reikia ką nors mušti. Muškit mane.

– Ar manai, kad negausi? – paklausiau.

– Jūs galit viską, – atsakė ji.

Tada aš išgirdau ant laiptų mamą. To ir reikėjo tikėtis, kurgi ji tau neįsikiš. Atleidau gniaužtus. Ji atsitrenkė į sieną, suglėbė kimono.

– Gerai, – sakau. – Atidėsime valandėlei. Bet nemanyk, kad galėsi ant manęs joti. Aš tau ne sena moteris ir juolab ne leisgyvė negrė. Nususus kekšelė, – pridūriau.

– Dilze, – graudeno ji. – Dilze, aš noriu pas mamą.

Dilzė priėjo prie jos.

– Nagi nusiramink, – tarė, – jis nedrįs tavęs liest, kol ašen čia.

Mama leidosi laiptais.

– Džeisonai, – pašaukė. – Dilze.

– Nagi, nusiramink, – tarė Dilzė. – Aš jam neleisiu tavęs liesti. – Ir norėjo paglostyt Kventinę. Ši trenkė jai per ranką.

– Sena prakeikta negrė! – iškošė. Ir nubėgo prie durų.

– Dilze, – kreipėsi mama nuo laiptų. Kventinė ėmė kopti laiptais, prabėgo pro ją. – Kventine, – pašaukė mama. – Palauk, Kventine.

Kventinė nesustojo. Girdėjau, kaip ji užbėgo viršun, paskui, kaip lėkė koridoriumi. Paskui trinktelėjo durys.

Mama pastovėjo. Paskui ėmė leistis.

– Dilze, – pašaukė.

– Gerai, gerai, – atsakė Dilzė, – ateinu. O jūs išvarykite laukan mašiną ir palaukite, – pridūrė, – nuvešit ją į mokyklą.

– Nesirūpink, – atsakiau. – Nuvešiu ir pažiūrėsiu, kad nepaspruktų. Jeigu pradėjau šitą reikalą, tai ir užbaigsiu.

– Džeisonai, – pašaukė mama nuo laiptų.

– Nagi eikit, – sako Dilzė, artėdama prie durų. – Norit, kad ir ji pradėtų? Ateinu, mis Kehlaina.

Aš išėjau. Girdėjau jas kalbantis ant laiptų.

– O jūs grįžkit į lovą, – ragino Dilzė. – Argi nežinot, kad dar nesat pakankamai sveika keltis? Grįžkit į lovą. Aš pažiūrėsiu, kad ji laiku nuvyktų į mokyklą.

Nuėjau už namo išvairuoti mašinos, paskui turėjau grįžti jas susirasti.

– Rodos, liepiau tau pritaisyti atsarginę padangą, – sakau.

– Aš neturėjau laiko, – atsakė Lasteris. – Nebuvo kam jo prižiūrėti, kol mamutė ruošės virtuvėje.

– Žinoma, – sakau. – Šeriu pilną virtuvę suknistų negrų, kad

paskui jį sekiotų, o kai reikia pakeisti mašinos padangą, turiu
daryti tai pats.

– Neturėjau su kuo jį palikti, – atšovė jis.

O anas irgi ėmė vaitoti ir seilėtis.

– Vesk jį už namo, – liepiu. – Kokio velnio laikai jį čia vi-
siems ant akių? – Priverčiau juos nueiti, kol anas nepradėjo
bliauti visu balsu. Gana jau sekmadienių, kai ta prakeikta golfo
aikštė pilna žmonių; jiems nereikia namie kęsti scenų ir išmai-
tinti šešių negrų, tai daužo tuos prakeiktus rutuliukus, vos di-
desnius nei naftalino. O šitas nesiliauja lakstęs pirmyn atgal
palei tą tvorą ir bliovęs kiekvienąsyk, kai tik jie pasirodo, ko
gero, vieną gražią dieną jie privers mane mokėti nario mokes-
tį; tada teks parūpinti mamai ir Dilzei du porcelianinius durų
rankenų bumbulus, senių lazdas ir paleisti jas žaisti arba pa-
čiam pradėti žaisti naktį su žibintu. O tada jie, ko gero, visus
mus išsiųstų į Džeksoną. Ir dievaž, tada visi susirinktų švęsti
Senųjų namų savaitės*.

Grįžau į garažą. Ten į sieną buvo atremta padanga, bet trauk
mane velniai, jei aš ją dėsiu. Išvažiavau atbulas ir apsisukau. Ji
jau stovėjo prie alėjos. Aš pasakiau:

– Žinau, kad neturi nė vieno vadovėlio: norėčiau tik paklausti,
kurgi juos nukišai, jei malonėsi atsakyti. Žinoma, neturiu jo-
kios teisės to klausti, – pridūriau, – tesu tas kvailas padaras,
kuris sumokėjo už juos praėjusį rugsėjį 11 dolerių ir 65 centus.

– Vadovėlius man perka mama, – atšovė ji. – Jūs neišleidžiate
nė cento. Aš jau veikiau numirčiau iš bado.

– Nejaugi? – sakau. – Pasakyk tai senelei ir pamatysi, ką ji

*Savaitė, kai visi senieji kaimo gyventojai susirenka dalyvauti kaimo
šventėje.

tau paporins. Rodos, nuoga nevaikštai, nors tas tinkas ant veido pridengia tave labiau nei visa kita.

– Manote, kad nors vienas jūsų ar jos centas buvo išleistas šitai suknelei?

– Paklausk senelės, – sakau. – Paklausk jos, kas nutiko su tais čekiais. Kiek pamenu, matei, kaip vieną jų jinai sudegino. – Ji netgi nesiklausė, visas jos veidas buvo aptinkuotas dažais, o akys nuožmios kaip gauruoto šuns.

– Žinote, ką aš padaryčiau, jei patikėčiau, kad nors vienas jūsų ar jos centas buvo išleistas šitam daiktui? – pasakė prilietusi ranka suknelę.

– Na ir ką gi tu padarytum? – klausiu. – Statinę vietoj jos apsivilktum?

– Iš karto nusitraukčiau ją ir išmesčiau į gatvę, – atsakė ji. – Netikit?

– Kurgi ne, aš net neabejoju, – sakau. – Tu tik tą ir darai.

– Pažiūrėkit, jei netikit, – tarė. Čiupo už apykaklės, traukia ją, tarsi norėdama nuplėšti.

– Tik pamėgink suplėšyti suknelę, – sakau, – ir aš tave čia pat išpersiu taip, kad visą gyvenimą prisiminsi.

– Žiūrėkit, jeigu netikit, – pasakė ji.

Ir tada pamačiau, kad ji iš tikrųjų nori ją suplėšyti, nusitraukti. Kol sustabdžiau mašiną ir sučiupau ją už rankų, susirinko koks tuzinas vėpsotojų. Taip pasiutau, kad man aptemo akyse.

– Tik pamėgink dar kartą ir pasigailėsi gimusi, – sakau.

– Aš jau gailiuosi, – atšovė ji. Liovėsi, o jos akys pasidarė kažkokios keistos, tad aš sakau sau: jeigu pravirksi, išpersiu tave čia pat, šitoj mašinoj, gatvėj. Jau aš tave sutramdysiu. Savo laimei, ji susitvardė, tad aš paleidau jos rankas ir nuva-

žiavome toliau. Laimė, buvome prie gatvelės, kur galėjau iš-
sukti ir nevažiuoti per aikštę. Berdo sklype jie jau statėsi pala-
pinę. Erlas jau buvo davęs man du leidimus: jie mums prik-
lausė už skelbimus, kuriuos jie iškabino mūsų vitrinose. Ji sė-
di nusigręžusi ir kramto lūpą. – Aš jau dabar gailiuosi.
Nesuprantu, kam aš išvis gimiau.

– Pažįstu dar vieną tokį, kuris nieko nesupranta šitoj istori-
joj, – sakau. Sustojau priešais mokyklos pastatą. Skambutis jau
skambėjo, paskutiniai mokiniai suėjo vidun. – Bent kartą nepa-
vėlavai, – sakau. – Ar eisi pati ir išsėdėsi visas pamokas, ar man
reikės išlipti ir tave priversti? – Ji išlipo ir trenkė durimis. –
Prisimink, ką tau sakiau. Aš savo pažadą tesėsiu. Tegu tik dar
kartą išgirsiu, kad paslapčiomis valkiojiesi gatvėmis su kuriuo
nors iš tų prakeiktų pliuškių.

Sulig tais žodžiais ji atsigręžė.

– Aš nesislapstau, – atsakė. – Tegu visi sau žino, ką aš darau.

– Visi ir žino, – sakau. – Šitam mieste visi žino, kas tu per
paukštė. Bet aš ilgiau to nepakęsiu, girdi? Man asmeniškai ne-
svarbu, ką tu darai, – sakau. – Bet šitam mieste aš užimu šiokią
tokią padėtį ir nepakęsiu, kad mano šeimos narė elgtųsi kaip
kokia nigerių mergšė. Ar girdi?

– Man tai visai nerūpi, – atsakė ji. – Tegu aš niekam tikusi ir
tegu degsiu pragare, man tai visai nerūpi. Geriau jau būti pra-
gare nei kur kitur su jumis.

– Jei dar kartą išgirsiu, kad nebuvai mokykloje, tau rasis no-
ras atsidurti pragare, – sakau. Ji apsisuko ir nubėgo per kiemą. –
Neužmiršk, dar nors kartą, – pridūriau. Ji neatsigręžė.

Užsukau į paštą, pasiėmiau laiškus, tada nuvažiavau prie
parduotuvės ir pastačiau mašiną. Įeinu, Erlas žiūri į mane.

Duodu jam progą papriekaištauti, kad pavėlavau, bet jis apie tai nieko, tik:

– Kultivatorius jau atsiuntė. Verčiau eik padėti dėdei Džobui juos sustatyti.

Išėjau į užpakalinį kiemą, kur senasis Džobas juos traukė iš dėžių trijų varžtų per valandą greičiu.

– Tau pritiktų dirbti pas mane, – sakau. – Visi nevykėliai miesto negrai maitinasi mano virtuvėje.

– Aš dirbu tam, kas moka man šeštadieniais, – atsakė jis. – O tenkinti kitus man laiko nebelieka. – Jis suko veržlę. – Šituos kraštuos iš peties darbuojasi tik medvilnės straubliukai, – pasakė jis.

– Tai džiaukis, kad nesi straubliukas, laukiantis šitų kultivatorių, – sakau. – Nusidirbtum mirtinai, nespėjus tavęs dar sustabdyti.

– Tikra teisybė, – atsakė jis. – Straubliukų nelengvas gyvenimas. Pluša kiaurą savaitę, ar saulė kepina, ar lietus lyja, ar gražus oras. Ir verandos neturi pasėdėt ir pažvelgt, kaip auga arbūzai, ir šeštadienis jiems nieko nereiškia.

– Ir tau jis nieko nereikštų, jei aš turėčiau tau mokėti algą, – sakau. – O dabar trauk tuos daiktus iš dėžių ir nešk vidun.

Pirmiausiai atplėšiau jos laišką ir išsitraukiau čekį. Na, žinoma, kaip moteriai ir dera. Pavėlavo visas šešias dienas. Ir jos dar stengiasi įtikint vyrus, kad sugeba tvarkyti reikalus. Kažin kaip ilgai išsilaikytų versle vyras, kuris mano, kad balandžio šešta yra pirmoji mėnesio diena. Ir jau aišku, kai gaus banko išrašą, ji norės sužinoti, kodėl aš niekad neįmoku atlyginimo iki šeštos. Moteriai tokie dalykai niekada nešauna į galvą.

„Aš taip ir negavau atsakymo į laišką apie velykinę Kventinės suknelę. Ar ji ją gavo? Negavau atsakymo į du paskutinius jai rašytus laiškus, nors čekis, įdėtas į antrąjį, buvo išgrynintas drauge su jūsiškiu. Ar ji neserga? Pranešk man tuojau pat, kitaip pati atvažiuosiu pažiūrėti. Tu man žadėjai, kad praneši, kai jai ko nors reikės. Lauksiu atsakymo iki 10-osios. Ne, geriau jau telegrafuok iškart. Tu atplėši mano jai rašytus laiškus. Žinau tai taip pat puikiai, lyg žiūrėčiau į tave, kai tai darai. Telegrafuok man iškart apie ją šituo adresu."

Kaip tik tuomet Erlas užriko ant Džobo, tad aš atidėjau laiškus ir nuėjau išjudinti senuko. Jau ko ko šitai šaliai reikia, tai baltųjų darbo. O kad tie prakeikti dykaduoniai nigeriai pabadautų porą metelių, tada suprastų, kaip jiems viskas sviestu tepta.

Apie dešimtą valandą įėjau į parduotuvę. Ten buvo toks komivojažierius. Buvo be kelių minučių dešimta, ir aš pakviečiau jį paėjėti išgerti kokakolos. Kalba užėjo apie derlių.

– Jokios naudos, – sakau. – Medvilnė – biržos spekuliantų kultūra. Jie išplauna ūkininkui smegenis ir priverčia jį išauginti jiems didžiulį derlių tik tam, kad dvigubai išloštų rinkoje ir apmautų žinduklius. O ką iš to gauna ūkininkas – tik paraudusį nuo saulės sprandą ir kuprą. Ar manote, jog žmogus, liejantis prakaitą, kad visa tai pasėtų, užaugintų, gauna ką nors daugiau nei tiek, kiek reikia skurdžiam pragyvenimui? – klausiu. – Jei užaugina gausų derlių – jo neverta netgi nurinkti, jei mažą – nėra ką valyti. Ir kuriam galui viso to reikia? Kad saujelė prakeiktų Rytų pakrantės žydų – aš nekalbu apie žydų tikėjimą išpažįstančius žmones, – sakau. – Pažinojau keletą žydų, kurie buvo puikūs piliečiai. Gal jūs netgi vienas iš jų, – pridūriau.

– Ne, – sako jis, – aš amerikietis.

– Aš nenoriu nieko užgauti, – sakau. – Aš vertinu kiekvieną pagal nuopelnus, kad ir kokia būtų jo religija ar kas nors kita. Neturiu nieko prieš žydus kaip individus, – sakau. – Tačiau tauta. Sutikite, jie nieko negamina. Tik seka paskui pionierius į naują šalį ir parduoda jiems drabužius.

– Jūs veikiausiai turite galvoje armėnus, ar ne? – paklausė jis. – Pionieriui naujų drabužių juk nereikia.

– Aš nenoriu nieko užgauti, – sakau. – Aš nepriekaištauju žmogui dėl jo religijos.

– Taip, taip, – atsakė anas. – Aš – amerikietis. Mano giminėje yra prancūziško kraujo, todėl mano tokia nosis. Bet aš – grynas amerikietis.

– Kaip ir aš, – sakau. – Mūsų nedaug beliko. Aš kalbu apie tuos vyrukus, kurie sėdi Niujorke ir mulkina žinduklius klientus.

– Tikra teisybė, vargšui lošimas biržoje – tuščias reikalas. Tai turėtų būti draudžiama įstatymo.

– Ar jums neatrodo, kad aš teisus? – klausiu.

– Taip, – sako jis. – Manau, jūs teisus. Ant ūkininko visos bėdos griūva.

– Žinau, kad aš teisus, – sakau. – Tai tik akių dūmimas, jeigu negauni nepaviešintos informacijos iš ko nors, kas žino, kur viskas krypsta. Aš užmezgiau ryšius su kai kuriais žmonėmis ten, vietoje. Jų patarėjas – vienas didžiausių Niujorko verteivų. Mano metodas – niekada nerizikuoti per didele suma vienu metu, – aiškinu. – Yra tokių, kur mano, kad viską žino, ir bando praturtėti iš trijų dolerių. Anie tokius ir gaudo, ir šitaip laikos tame biznyje.

Išmušė dešimt valandų. Nužingsniavau į telegrafą. Akcijų rinkoje reikalai truputį pagerėjo, kaip jie ir sakė. Nuėjau prie kampo ir dar kartą perskaičiau telegramą, dėl visa pikta. Kol ją skaičiau, atėjo naujas pranešimas. Akcijos pakilo dviem punktais. Visi mūsiškiai perka. Aišku iš jų kalbų. Skuba suspėti į laimės traukinį. Tarytum nežinotų, kad išeitis tik viena. Tarytum būtų išleistas įstatymas nedaryti nieko kita, tik pirkti. Ką gi, ir tiems Rytų pakrantės žydams juk reikia gyventi. Bet kas gi per laikai atėjo, trauk mane velniai, jei bet kuris sumautas užsienietis, nesugebantis užsidirbti duonai šalyje, kur Dievas jį nuskyrė, gali atvykt čionai ir traukti pinigus tiesiai iš amerikiečio kišenės. Akcijos pakilo dar dviem punktais. Taigi jau keturiais. Bet, po perkūnais, jie juk buvo ten, vietoje, ir žinojo, kas vyksta. Tad už ką gi turėčiau mokėti jiems po dešimt dolerių per mėnesį, jei neklausysiu jų patarimų. Buvau beišeinąs, tačiau staiga prisiminiau, ką pamiršęs, grįžau ir išsiunčiau jai telegramą. „Viskas gerai. K parašys šiandieną."

– K? – perklausė tarnautojas.

– Taip, – sakau. – K. Ar nemokate parašyti K?

– Aš tik pasitikrinau, – atsakė jis.

– Pasiųskite taip, kaip parašyta, ir garantuoju jums, kad viskas bus gerai, – sakau. – Pasiųskite gavėjo sąskaita.

– Ką gi jūs siunčiate, Džeisonai? – paklausė Dokas Raitas, žiūrėdamas man per petį. – Užkoduotas pranešimas, kad reikia pirkti?

– O tai jau mano reikalas, – atsakiau. – Jūs, vaikinai, gyvenkite savo protu. Jūs tai geriau išmanote už tuos Niujorko vertelgas.

– Man šitai privalu, – atsakė Dokas. – Būčiau sutaupęs pinigų šiemet, jei būčiau lošęs iš pakilimo, po du centus už svarą.

Atėjo kitas pranešimas. Vienu punktu nusmuko.

– Džeisonas parduoda, – pasakė Hopkinsas. – Pažvelkit į jo veidą.

– Tai jau mano reikalas, ką aš darau, – sakau. – Jūs, vaikinai, darykit kaip išmanot. Tiems turtingiems Niujorko žydams juk irgi reikia gyventi, – sakau.

Sugrįžau parduotuvėn. Erlas darbavosi prie vitrinos. Nužingsniavau į galinį kambarį, atsisėdau prie stalo ir perskaičiau Lorenės laišką. „Brangus tėveli, noriu, kad atvažiuotum. Jokių malonių pramogų, kai tėvelio nėra mieste, man labai trūksta mano mielo tėvelio." Kurgi ne. Praeitą kartą aš daviau jai keturiasdešimt dolerių. Padovanojau. Aš niekada nieko nežadu moterims, juolab nesakau iš anksto, kiek duosiu. Tai vienintelis būdas jas valdyti. Visada laikyti nežinioje. O jeigu negali padaryti joms kitos staigmenos, vožk per skruostą.

Suplėšiau laišką ir sudeginau jį virš spjaudyklės. Nusistačiau taisyklę: niekada nelaikyti nė skiautelės popieriaus, rašyto moters ranka, o pats niekada joms nerašau. Lorenė visada prašo, kad parašyčiau jai, bet aš sakau: viskas, ką pamiršau pasakyti, palauks iki kito mano apsilankymo Memfyje, tu man retkarčiais gali brūkštelti, sakau jai, ir atsiųsti tą laišką voke be atgalinio adreso, bet jeigu pamėginsi paskambinti man telefonu, lėksi iš Memfio kaip miela. Kai būnu pas tave, sakau, aš – toksai pat klientas kaip ir kiti vaikinai, tačiau neketinu leisti, kad kokia moteris man skambintų telefonu. Imk, sakau, paduodamas jai keturiasdešimt dolerių. Bet jeigu kada pasigėrusi sumanysi paskambinti man telefonu, prisimink, ką pasakiau, ir prieš tai darydama suskaičiuok iki dešimties.

– Kada dabar? – paklausė ji.

– Kas? – pasiteiravau.

– Kada vėl atvažiuosi? – perklausė.

– Pranešiu, – sakau. Tada pamėgino sumokėti už alų, bet aš neleidau. – Pasilaikyk juos sau, – sakau. – Nusipirk už juos suknelę. Tarnaitei irgi daviau penkis dolerius. Galų gale, kaip aš visada sakau, pinigai patys savaime neturi jokios vertės, viskas priklauso nuo to, kaip juos išleidi. Jie niekieno, tai kam juos kaupti. Jie tiktai to, kuris moka jų gauti ir juos išsaugoti. Čia, Džefersone, yra toks tipas, kuris uždirbo krūvą pinigų pardavinėdamas negrams visokias puvenas; gyveno virš savo parduotuvės kambarėlyje, ne didesniame už kiaulių gardą, pats virėsi valgį. Prieš ketverius ar penkerius metus susirgo. Taip išsigando, kad pasveikęs ėmė lankyti bažnyčią ir nusipirko kiną misionierių už penkis tūkstančius dolerių per metus. Dažnai sau pagalvoju, kaip jis pasius dėl tų penkių tūkstančių dolerių per metus, jeigu numiręs patirs, kad jokio dangaus nėra. Tai ir sakau: geriau jau jam numirti dabar pat ir sutaupyti tuos pinigus.

Kai laiškas visai sudegė, buvau besusikišąs likusius į švarko kišenes, bet staiga kažkokia nuojauta pakuždėjo atplėšti laišką Kventinei prieš sugrįžtant namo, ir kaip tik tuo metu Erlas šūktelėjo, kad ateičiau prie prekystalio, tad padėjau juos į šalį ir nuėjau aptarnauti to prakeikto mužiko: laukiau penkiolika minučių, kol jis nuspręs, ar nori sąmato pavalkams už dvidešimt centų ar už trisdešimt penkis.

– Geriau jau nusipirkit tą gerąjį, – sakau. – Kaip jūs, vyručiai, ūkininkausit pažangiai dirbdami su pigiais įnagiais?

– Jei šitas niekam tikęs, tai kam jūs jį parduodate? – klausia jis.

– Aš nesakiau, kad jis niekam tikęs, – aiškinu. – Aš tik sakiau, kad jis ne toks geras kaip anas.

– O iš kur jūs žinote, kad ne toks? – klausia. – Ar bent kartą naudojotės kuriuo iš jų?

– Jis nekainuoja trisdešimt penkių centų, – sakau. – Todėl ir žinau, kad ne toks geras.

Laiko tą už dvidešimt centų rankose, leidžia jį per pirštus.

– Verčiau paimsiu šitą, – sako. Pasiūliau jį supakuoti, bet jis susivyniojo ir įsidėjo į kombinezoną. Paskui išsitraukė tabako kapšelį, atrišo ir iškrapštė kelias monetas. Padavė man dvidešimt penkių centų monetą. – O už tuos penkiolika centų galėsiu papietauti, – pridūrė.

– Kaip norit, – sakau. – Jūs išminčius. Bet kitąmet atėjęs nesiskųskit, kai reikės pirkti naują.

– Iki kitų metų dar toli, – pasakė.

Galiausiai atsikračiau jo, tačiau kiekvienąsyk, kai išsitraukdavau tą laišką iš kišenės, kas nors nutikdavo. Jie visi tiesiog plūste suplūdo į miestą, į tą artistų pasirodymą, rinkosi ištisais pulkais, kad atiduotų pinigus kažkam, kas miestui nieko nedavė ir nieko nepaliks, išskyrus tai, ką šitie sukčiai pasidalys tarpusavyje mero raštinėje, o Erlas zuja pirmyn atgal tarsi višta vištidėje ir vis kartoja: „Taip, ponia, ponas Kompsonas aptarnaus jus. Džeisonai, parodyk poniai muštuvį arba: Džeisonai, parodyk kabliukus uodų tinklui po penkis centus".

Ką gi, Džeisonas mėgsta darbą. Ne, sakau, universiteto pranašumų man patirti neteko, nes Harvarde tave išmoko naktį nušokt nuo tilto nemokant plaukti, o Sivonijoje* netgi nepaaiškina, kas yra vanduo. Tebūnie, sakau, galite išsiųsti mane į valstijos universitetą: gal išmoksiu sustabdyti savo laikrodį nosies purkštuku, tada galėsite pasiųsti Beną į karinį jūrų laivyną ar

*Džeisono tėvas mokėsi Sivonijos universitete.

bent į kavaleriją, jie priima išdaras į kavaleriją. Paskui, kai ji atsiuntė namo Kventinę, kad dar ir ją maitinčiau, sakau, ką gi, teisinga ir šitai: užuot man važiavus į šiaurę pas juos dirbti, jie atsiuntė man darbo čia, tada mama pravirko, o aš ir sakau: aš visai nieko prieš turėti čia tą vaiką; jeigu jums tai bus malonu, galiu palikti savo darbą ir pats ją auginti, o judvi su Dilze pasirūpinsit, kad namie netrūktų miltų, arba Benas. Išnuomokit jį kokiam cirkui: tikrai atsiras žmonių, kurie sumokės dešimt centų, kad jį pamatytų, tada ji pravirko dar smarkiau ir vis kartojo: mano vargšas kenčiantis mažylis, o aš jai: žinoma, jis bus jums geras pagalbininkas, kai užaugs, dabar jis tik pusantro karto didesnis už mane, ir ji pasakė netrukus mirsianti, o tada mums visiems būsią geriau. Tad aš jai ir sakau: gerai, jau gerai, tebūnie, kaip jūs norite. Tai tikrai jūsų anūkė, jokia kita senelė negalėtų to pasakyti labiau garantuotai. Bet tai tik laiko klausimas, sakau. Jeigu jūs tikite, kad ji tesės savo pažadą ir nemėgins jos pamatyti, pati save apgaudinėjate, nes kai tai buvo pirmas kartas, mama nesiliovė kartojusi: ačiū Dievui, iš Kompsonų tu turi tiktai pavardę, nes tu juk viskas, kas man dabar liko, tu ir Moris, o aš sakau, gerai, aš asmeniškai galiu apsieiti ir be dėdės Morio, ir tada jie įeina ir sako, kad viskas jau paruošta ir galima vykti. Tada mama liovėsi verkusi. Ji nusileido šydą, ir mes nulipome laiptais. Dėdė Moris išėjo iš valgomojo spausdamas prie burnos nosinę. Jie prasiskyrė mus praleisdami ir mes išėjome pro duris pačiu laiku, kad pamatytume, kaip Dilzė varo Beną ir Ti Pi už namo. Nusileidome priebučio laiptais ir įsėdome į karietą. Dėdė Moris nesiliovė kartojęs: Vargšė sesutė, vargšė sesutė, užčiaupta burna ir tapšnojo mamai per ranką. Jis taip kalbėjo užčiaupta burna, kažką joje laikydamas.

– Ar užsirišai juostą? – paklausė ji. – Kodėl jie nevažiuoja, kol Bendžaminas dar nespėjo išlįsti ir surengti spektaklio. Vargšas berniukas. Jis nežino. Jis net suprasti negali.

– Nurimk, nurimk, – sako dėdė Moris, tapšnodamas jai per ranką ir kalbėdamas užčiaupta burna. – Taip tik geriau. Tegu jis kaip galima ilgiau nežino, kas yra netektis.

– Kitoms moterims vaikai duoti, kad palaikytų jas tokią valandą, – sako mama.

– Tu turi Džeisoną ir mane, – guodžia jis.

– Man šitai taip baisu, – sako ji. – Šitaip netekti jų abiejų, per ne visus dvejus metus.

– Nurimk, nurimk, – guodžia jis. Po valandėlės vogčia pridėjo ranką prie burnos ir išmetė juos pro langą. Tada ir supratau tą kvapą. Tai buvo gvazdikėlių koteliai. Tikriausiai jis manė, kad bent jau šitai reikia padaryti per tėčio laidotuves, o gal indauja pamanė, kad tai vis dar tėtis, ir pakišo jam koją, kai jis ėjo pro šalį. Mano nuomone, jeigu jau jam reikėjo parduoti ką nors, kad pasiųstų Kventiną į Harvardą, tai mums visiems būtų buvę kur kas geriau, jeigu jis būtų pardavęs tą indaują ir už dalį gautų pinigų nusipirkęs tramdomuosius marškinius su viena rankove. Regis, visa kompsoniška išnyko iki man gimus, kaip sako mama, būtent todėl, kad jis pragėrė viską. Bent jau niekad nesu girdėjęs, kad jis būtų pasiūlęs ką nors parduoti, kad išsiųstų į Harvardą mane.

Taigi jis vis tapšnoja jai per ranką ir kartoja: „Vargšė sesutė", tapšnoja viena iš tų juodų pirštinių, už kurias sąskaitą gavome po keturių dienų, nes tai buvo dvidešimt šeštoji, tai buvo lygiai mėnuo nuo tos dienos, kai tėtis ten nuvyko ir parvežė tą vaiką namo ir nieko nepasakė apie tai, kur ji dabar ir kaip, o mama verkė ir kartojo: „Ir tu netgi nepamatei jo? Net nepamėginai priversti jį pasirūpinti savo vaiku?", o tėtis jai atsakė: „Ne, ji neims iš jo pinigų, nė cento", o mama: „Jį galima priversti per teismą. Jis nieko negalės įrodyti, nebent... Džeisonai Kompsonai, – toliau kalbėjo ji, – nejaugi tu buvai toks kvailas, kad pasakei..."

– Ša, Kerolaina, – nutildė ją tėtis, o paskui pasiuntė mane padėti Dilzei nukelt nuo aukšto tą seną lopšį, o aš sakau jai:

– Vadinasi, šįvakar mano darbas atgabentas man namo, – nes mes juk visą tą laiką tikėjomės, kad jie susitvarkys, ir jis jos nevarys, nes mama nesiliovė kartojusi, kad ji turėtų gerbti šeimą bent jau tiek, kad nerizikuotų mano galimybėmis po to, kai šeima jas suteikė jai ir Kventinui.

– O kurgi kitur jai būti? – klausia Dilzė. – Kas gi kitas, jeig ne ašen, ją išaugins? Argi nesu išauginusi jūsų visų?

– Ir yra kuo didžiuotis, – sakau. – Na, dabar ji turės dėl ko gadinti sau kraują.

Taigi mes nukėlėme lopšį žemyn, ir Dilzė pastatė jį buvusiame jos kambaryje. Tiktai to mamai ir reikėjo.

– Liaukitės, mis Kehlaina, – sako Dilzė. – Jūs ją išbudinsit.

– Čia, į šitą kambarį? – virkauja mama. – Kad užsikrėstų ta aplinka? Jau pakanka vien to, ką ji paveldėjo.

– Liaukis, – tildo ją tėvas. – Nekvailiok.

– O kodėl gi ji negal čia miegoti? – klausia Dilzė. – Tam pačiam kambary, kur ašen kasnakt guldydavau į lovą josios mamą, kol užaugo didelė ir atsiguldavo pati.

– Tu nieko nežinai, – sako mama. – Tik pamanyk, mano duktė buvo išginta savo vyro. Vargšas nekaltas kūdikis, – kalba toliau, žiūrėdama į Kventinę. – Tu niekada nesužinosi, kiek sukėlei kančių.

– Liaukis, Kerolaina, – tildo tėtis.

– Kodėl jūs šitaip elgiatės prieš Džeisoną? – paklausė Dilzė.

– Aš mėginau apsaugot jį, – sako mama. – Aš visada stengiausi jį nuo to apsaugot. Ir padarysiu viską, ką galėsiu, kad apsaugočiau ir ją.

– Norėčiau žinoti, kaip jai galėtų pakenkti miegojimas šitame kambaryje, – klausia Dilzė.

– Tai pranoksta mano jėgas, – sako mama. – Žinau, kad esu tik sena rūpesčių kelianti moteris. Tačiau žinau ir tai, kad žmonėms nevalia pažeisti Dievo įsakymų ir likti nenubaustiems.

– Nesąmonė, – atšovė tėtis. – Dilze, tada pastatyk tą lopšį ponios Kerolainos kambaryje.

– Gali vadinti tai nesąmone, – atsikirto mama, – tačiau jai nevalia to sužinoti. Jai nevalia sužinoti netgi jos vardą. Dilze, aš draudžiu tau ištarti tą vardą jai girdint. Dėkočiau Dievui, jei ji užaugtų taip ir nesužinojusi, kad turi motiną.

– Nekvailiok, – sudraudė tėtis.

– Aš niekada nesikišau į tai, kaip tu juos auklėji, – tarė mama, – bet ilgiau tverti nebegaliu. Mudu privalome nutarti tai dabar, šįvakar. Arba tas vardas niekada nebus ištartas jos akivaizdoje, arba ji turi dingti iš čia, arba išeisiu aš. Pasirink.

– Liaukis, – pasakė tėtis. – Tu tik per daug susijaudinai. Pastatyk lopšį čia, Dilze.

– Ir jūs kad tiktai nesusirgtumėt, – sunerimo Dilzė. – Atrodote kaip šmėkla. Atsigulkit, ir aš jums pataisysiu punšo, o jūs pasistengsite užmigti. Tikriausiai per visas tas keliones nė karto neišsimiegojot.

– Jokių punšų, – paprieštaravo mama, – ar nežinai, ką sako daktaras? Kodėl tu ragini jį gerti? Iš to ir visos jo ligos. Pažvelk į mane, aš juk irgi kenčiu, tačiau nesu tokia silpna, kad žudyčiau save viskiu.

– Niekus paistai, – atsikirto tėtis. – Ką gi tie daktarai išmano? Jie užsidirba pragyvenimui patardami žmonėms daryti tai, ko jie tuo momentu nedaro, ir tai visas mūsų išmanymas apie tą degeneravusią beždžionę. Tuoj dar atvesi kunigą, kad palaikytų man ranką.

Tada mama pravirko, ir tėtis išėjo iš kambario. Nusileido laiptais, ir išgirdau, kaip jis atidarė indaują. Naktį nubudau ir vėl išgirdau jį leidžiantis žemyn. Mama tikriausiai užmigo, nes namai pagaliau nurimo. Tėtis irgi stengėsi viską daryti labai tyliai, nes aš jo negirdėjau: tik priešais indaują šmėžavo jo naktinių palankos ir basos kojos.

Dilzė pastatė lopšį, nurengė ją ir paguldė. Ji nebuvo nubudusi nuo to laiko, kai tėtis įnešė ją į namus.

– Ji beveik jau per didelė tam lopšiui, – tarė Dilzė. – Na štai. O dabar ašen pasitiesiu čiužinį kolidoriaus gale, tai jums nereikės keltis naktį.

– Aš vis tiek neužmigsiu, – pasakė mama. – Eik namo. Tai niekis. Būčiau laiminga, jei galėčiau atiduoti jai likusį gyvenimą, jei tai galėtų apsaugoti...

– Liaukitės, – ramino Dilzė. – Mes pasirūpinsim ja. O tu eik gulti, – sako man. – Rytoj tau reikia į mokyklą.

Tad aš išėjau, paskui mama mane pašaukė ir paverkė dėl manęs valandėlę.

– Tu – mano vienintelė viltis, – sakė. – Kasnakt dėkoju už tave Dievui. – Kol mes laukėme, kada jie išjudės iš vietos, ji man aiškino: jeigu jau taip reikėjo, kad jis iškeliautų, tai ačiū Dievui, kad ne Kventinas, o tu man likai. Ačiū Dievui, kad tu ne Kompsonas, nes viskas, kas man liko, tai tu ir Moris, o aš ir sakau: aš asmeniškai apsieičiau ir be dėdės Morio. O jis toliau tapšnoja jai per ranką ta savo juoda pirštine ir kalba nuo jos nusisukęs. Nusimovė pirštines tik tada, kai jam atėjo eilė paimti į rankas kastuvą. Jis prasistūmė prie pirmųjų, virš kurių buvo iškelti skėčiai, ir jie kartkartėmis patrypčiodavo, kad nusikratytų nuo kojų purvą, kuris lipo prie kastuvų taip, kad tekdavo jį numušti, ir jis nukrisdavo ant dangčio dusliai atsitrenkdamas, o kai aš žingtelėjau už tos išnuomotos karietos, pamačiau, kaip jis vėl traukia iš butelio, pasislėpęs už kažkieno antkapio. Maniau, jis niekad nesiliaus, nes irgi vilkėjau nauja eilute, bet ratai dar nebuvo labai aplipę purvu, tik mama ją pamatė ir sako: nežinau, kada tu turėsi kitą, o dėdė Moris ir sako: „Na jau, na jau. Nesirūpink. Jūs visada galite pasikliauti manimi".

Kas teisybė, tai teisybė. Visada. Ketvirtasis laiškas buvo nuo jo. Bet man nebuvo jokio reikalo jį atplėšti. Galėjau parašyti jį pats ar perskaityti motinai atmintinai, dėl visa pikta pridėjęs dešimt dolerių. Tačiau tas kitas laiškas kėlė man įtarimą. Tiesiog jauste jaučiau, kad atėjo laikas, kai ji mums vėl iškrės kokį nors savo pokštą. Po to pirmojo karto ji pasidarė labai protinga. Labai greitai suprato, kad aš ne to paties gymio katinas kaip mūsų tėtis. Kai jie jau baigė užberti kapą žemėmis, mama pravirko, tad dėdė Moris įlipo su ja karieton ir nuvažiavo. Jis man ir sako: tu galėsi pargrįžti namo su kitais, bet kam bus malonu tave pavėžėti. O man reikia parvežti tavo motiną. Norėjau atsakyti: taip, jums reikėjo pasiimti du butelius vietoj vieno, tačiau prisiminiau, kur esame, tad nutylėjau. Jiems buvo nė motais, kad aš kiaurai permirkęs, taigi dabar mama galės kuo nuostabiausiai leisti laiką baimindamasi, kad aš susirgsiu plaučių uždegimu.

Pagalvojau apie visa tai, pažiūrėjau, kaip jie beria ten žemę, dre-
bia tą purvą taip, tarsi krėstų cemento skiedinį ar tvertų tvorą,
pasijutau kažkaip keistai ir nusprendžiau valandėlę pasivaikščioti.
Pamaniau, jeigu patrauksiu miesto link, jie pasivys mane ir siūlys
lipti į kurią nors iš tų karietų, taigi patraukiau atgal, link negrų
kapinių. Atsistojau po kedrais, kur lietus neužlijo, tik lašteldavo
kartkartėmis, pro juos matysiu, kada jie baigs ir išvažiuos. Neil-
gai trukus visi išvažiavo, aš truputį palaukiau ir nuėjau.

Vengdamas šlapios žolės einu taku, todėl išvydau ją tik kai
jau priėjau visai prie pat, o ji stovi, apsivilkusi juodą paltą, ir
žiūri į gėles. Pažinau ją iškart, dar jai nespėjus atsisukti, pa-
žvelgti į mane ir pakelti šydą.

– Sveikas, Džeisonai, – sako tiesdama ranką. Mudu paspau-
dėm vienas kitam ranką.

– Ką čia veiki? – klausiu. – Regis, žadėjai jai, kad niekada
nebesugrįši. Maniau, kad esi protingesnė.

– Iš tikrųjų? – sako. Ir vėl žvelgia į tas gėles. Jų čia buvo
tikriausiai už kokius penkiasdešimt dolerių. Kažkas padėjo
puokštelę ir ant Kventino kapo. – Tu taip manei? – pridūrė.

– Nors tai manęs nestebina, – sakau. – Iš tavęs visko galima
tikėtis. Kiti tau nesvarbu. Tau į visus nusispjaut.

– O, – sako ji. – Tu apie tą darbą. – Pažvelgė į kapą. – Atsi-
prašau, kad taip išėjo, Džeisonai.

– Kurgi ne, – sakau jai. – Dabar kalbėsi kaip romus avinėlis.
Bet nereikėjo tau grįžti. Jis nieko nepaliko. Paklausk dėdės Mo-
rio, jei manimi netiki.

– Man nieko nereikia, – sako ji. Žiūri į kapą. – Kodėl jie man
nepranešė? – paklausė. – Aš tik atsitiktinai pamačiau laikrašty-
je. Paskutiniame puslapyje. Visiškai netyčia.

Aš tyliu. Stovime, žiūrime į kapą, prisiminiau, kaip buvome maži ir visa kita, ir vėl pasijutau keistai, tarytum kiltų siutas ar panašiai, galvojau, kad dabar namie visąlaik suksis dėdė Moris ir tvarkys viską taip, kaip jam šaus į galvą, kaip va dabar, kai paliko mane vieną keliauti namo per lietų.

– Gražiai tau viskas rūpi, – sakau, – vos jis spėjo numirti, o tu jau ir atsėlini čia paslapčia. Bet nieko tau iš to neišeis. Nemanyk, kad tuo pasinaudodama galėsi įsmukti namo patylomis. Negalėjai išsilaikyti ant gauto arklio, eik pėsčiomis, – sakau. – Mes jau net vardo tavo namuos nebetariam. Ar tu žinai tai? Mes jau net vardo tavo nebetariam. Tu jau nebe mūsiškė, kaip ir jis bei Kventinas, – pridūriau. – Ar tu žinai tai?

– Aš tai žinau, – sako. – Džeisonai, – sako žiūrėdama į kapą, – jei sutvarkysi taip, kad pamatyčiau ją vieną minutę, duosiu tau penkiasdešimt dolerių.

– Tu neturi penkiasdešimties dolerių, – sakau.

– Ar sutinki? – klausia nežiūrėdama į mane.

– Parodyk, – sakau. – Netikiu, kad turi penkiasdešimt dolerių. Mačiau, kaip jos rankos sukrutėjo po apsiaustu, paskui ji ištiesė vieną ranką. Trauk mane perkūnai, jei joje nebuvo šūsnies banknotų. Mačiau du ar tris geltonus.

– Ar jis vis dar duoda tau pinigų? – klausiu. – Kiek jis tau siunčia?

– Duosiu tau šimtą, – sako. – Sutinki?

– Bet tik minutę, – sakau. – Ir darysi taip, kaip aš liepsiu. Net už tūkstantį dolerių nesutikčiau, kad ji sužinotų.

– Taip, – sutinka ji. – Kaip pasakysi, taip ir bus. Tik kad pamatyčiau ją vieną minutę. Aš nieko daugiau neprašysiu ir nedarysiu. Tuojau pat išvažiuosiu.

– Duokš pinigus, – sakau.

– Gausi paskui, – atsako.

– Tu nepasitiki manimi? – klausiu.

– Ne, – sako ji. – Aš pažįstu tave. Užaugau su tavimi.

– Labai jau tau pritinka kalbėti apie pasitikėjimą žmonėmis, – sakau. – Ką gi. Man reikia išsigauti iš to lietaus. Viso gero. – Apsimečiau benueinąs.

– Džeisonai, – šūktelėjo ji.

Sustojau.

– Ką? – atsiliepiau. – Paskubėk. Visai baigiu sušlapti.

– Gerai, – sako ji. – Imk. – Aplinkui nė gyvos dvasios. Grįžau ir imu tuos pinigus. Ji vis dar laiko juos. – Bet tu tai padarysi? – klausia žiūrėdama į mane iš po šydo. – Pažadi?

– Paleisk juos, – sakau. – Ar nori, kad kas nors išlįstų ir pamatytų mus?

Ji paleido juos. Įsikišau pinigus į kišenę.

– Ar padarysi tai, Džeisonai? – klausia. – Neprašyčiau tavęs, jei būtų koks nors kitas būdas.

– Tu velnioniškai teisi, kito būdo nėra, – atsakau. – Žinoma, padarysiu. Juk pažadėjau padaryti, ar nepažadėjau? Tik privalai daryti viską taip, kaip liepsiu.

– Gerai, – sako ji. – Padarysiu.

Tad pasakiau jai, kur ji turi laukti, o pats nudūmiau į nuomojamų arklių arklidę. Paspartinau žingsnį ir suskubau įeiti kaip tik tą akimirką, kai jie iškinkė tą karietą. Paklausiau, ar jie jau spėjo už ją sumokėti, ir šeimininkas pasakė, kad ne, tada aš pasakiau, kad ponia Kompson kažką pamiršo ir jai jos dar reikią, tad jie leido man ją paimti. Vadeliojo Minkas. Nupirkau jam cigarą, ir kol sutemo, mes sukome ratus atkampiomis gatvelėmis, kad jie jo nepažintų. Paskui Minkas pasakė jau turįs pargabenti karietą atgal, tad aš jam pažadėjau nupirkti kitą cigarą, mes įvažiavome į alėją ir aš nužingsniavau per kiemą prie namo. Pastovėjau koridoriuje, kol išgirdau, kad mama ir dėdė Moris viršuj, tada sugrįžau į virtuvę. Ji buvo ten su Benu ir Dilze. Pasakiau Dilzei, kad ją kviečia mama, ir nusivedžiau ją į namą. Suradau dėdės Morio lietpaltį, apsupau ją, nusinešiau per alėją ir įsodinau į karietą. Liepiau Minkui važiuoti į stotį. Pro nuomojimo arklidę jis važiuoti bijojo, tad teko apsukti aplinkui, ir aš išvydau ją stovint kampe po žibintu; tada liepiau Minkui važiuoti palei pat šaligatvį ir kai pasakysiu: „Pirmyn!", sušerti arkliams botagu. Nuvyniojau nuo jos lietpaltį, pakėliau ją prie lango, Kedė pamatė ją ir tarsi šoktelėjo į priekį.

– Kirsk botagu, Minkai! – pasakiau, o Minkas kad rėš, ir pravažiavome pro ją kaip gaisrininkų mašina. – O dabar sėsk į traukinį, kaip žadėjai, – rėkiu. Pro užpakalinį langą matau: ji bėga paskui mus. – Sukirsk jiems dar, – paliepiau. – Suk namo. – Kai mes užsukome už kampo, ji vis dar bėgo.

Tą vakarą grįžęs perskaičiavau pinigus ir vėl juos paslėpiau, jaučiausi patenkintas savimi. Sakau sau: tai bus tau pamoka. Dabar žinosi, kad negali atimt iš manęs darbo be jokių padarinių. Man nė nešovė į galvą, kad ji neišlaikys savo pažado ir nesės į tą traukinį. Tačiau tada aš dar nedaug apie jas teišmaniau; buvau toks kvailas, kad tikėjau tuo, ką jos kalba, nes kitą rytą, kad ją kur velnias, įžingsniavo tiesiai į parduotuvę, tik dar turėjo pakankamai proto, kad nusileistų ant veido šydą ir su niekuo nekalbėtų. Buvo šeštadienio rytas, parduotuvėj tvarkiausi aš, ir ji žengė tiesiai prie mano stalo gale, skubriu žingsniu.

– Melagis, – išrėžė. – Melagis!

– Tu iš proto išsikraustei? – sakau. – Ką visa tai reiškia? Ateiti čionai va šitaip? – Ji jau prasižiojo atsakyti, bet aš užčiaupiau jai burną: – Per tave jau vieną darbą praradau, – sakau, – ar nori, kad ir šito netekčiau? Jei turi ką man pasakyti, susitiksime kur nors sutemus. Bet ką gi tu turi man pasakyti? – klausiu. – Ar aš nepadariau visko, ką žadėjau? Juk sakiau, kad matysi ją minutę, ar ne taip tarėmės? Tai argi nematei jos? – Ji tik stovi ir žiūri į mane, lyg drugio krečiama, sugniaužusi rankas, jos tarsi trūkčioja. – Aš viską padariau, kaip tarėmės, – sakau. – Pamelavai tu. Tu man žadėjai sėsti į tą traukinį. Argi ne taip? Ar nežadėjai? Jei manai, kad gali susigrąžinti tuos pinigus, tai pamėgink, – sakau. – Net jei tai būtų buvęs tūkstantis dolerių, tu liktum man skolinga už riziką, kurią patyriau. Ir jeigu, išvažiavus 17-am traukiniui, pamatysiu ar išgirsiu, kad tu dar mieste, pasakysiu mamai ir dėdei Moriui. O tada atsisveikink su visais pasimatymais, – sakau. Ji stovi kur stovėjusi, žiūri į mane, grąžo rankas.

– Kad tave skradžiai, – sušnypštė. – Kad tave skradžiai!

– Gerai, jau gerai, – atsakiau. – Sutinku. Tik prisimink, ką tau sakiau. 17-as numeris arba aš pasakau jiems.

Jai išėjus pasijutau geriau. Manau, dabar du sykius pagalvosi prieš atimdama iš manęs žadėtą darbą, sakau sau. Tada buvau dar vaikas. Tikėjau žmonėmis, kai jie žadėdavo padarysią tą bei aną. Bet nuo to laiko pasimokiau. O be to, man nereikia svetimos pagalbos, pats tvirtai stoviu ant kojų, nuo pat vaikystės. Paskui nei iš šio, nei iš to pagalvojau apie Dilzę ir dėdę Morį. Dilzę prisivilioti ji tikrai mokės, pamaniau, na, o jau dėdė Moris už dešimt dolerių padarys bet ką. O aš čia sėdžiu kaip prikaltas ir negaliu išeiti iš tos parduotuvės net savo motinos apginti. Kaip jinai sakė: jei vieną iš jūsų reikėjo pasiimti, tai ačiū Dievui, kad man likai tu, tavimi aš galiu pasikliauti, o aš ir sakau: na, žinoma, neteks man pasitraukti kur nors toliau tos parduotuvės, kad jūs galėtumėte mane visada pasiekti. Juk reikia, kad kažkas laikytųsi to mažo, kuris mums liko.

Taigi, vos tik grįžęs namo, ėmiausi Dilzės. Ji pasigavusi raupus, pasakiau jai, pasiėmiau Bibliją ir perskaičiau tą vietą, kur žmogaus kūnas gyvas pūva ir pagąsdinau: jeigu ji kada nors pažvelgs į ją, Beną ar Kventinę, ir jiems nutiksią tas pats. Džiaugiausi šitaip viską sutvarkęs, kol vieną dieną, parėjęs namo, radau Beną bebliaunantį. Jis kriokė apsiputodamas, ir niekas negalėjo jo sutramdyti. Mama ir sako: nagi paduok jam tą batelį. Dilzė apsimetė jos negirdinti. Mama pakartojo dar sykį, o aš pasakiau, kad nueisiu pats, nes negaliu ištverti to baisaus triukšmo. Taip ir sakau, kad galiu ištverti daugelį dalykų, iš jų nesitikiu nieko per daug, bet jei jau turiu dirbti kiaurą dieną kažkokioje suknistoje parduotuvėje, tai, po velnių, galiu tikėtis trupučio ramybės ir tylos per vakarienę. Tad pasakiau, kad pats nueisiu, ir Dilzė kaipmat pašaukė: „Džeisonai!"

Na, tada aš viską žaibiškai ir supratau, bet, norėdamas įsitikinti, nuėjau paieškoti batelio, atnešiau jį ir, kaip ir maniau, vos tik Benas išvydo jį, ėmė bliauti kaip skerdžiamas. Tad aš priverčiau Dilzę atvirai prisipažinti, paskui pasakiau viską mamai. Tada mums teko paguldyti ją į lovą, ir kai viskas truputį aprimo, ėmiau varyti Dilzei Dievo baimę. Kitaip tariant, tiek, kiek negrui jos galima įvaryti. Čia ir yra visa bėda su tais negrais tarnais: išbuvę ilgą laiką jūsų namuose, jie pasijunta tokie svarbūs, kad pasidaro niekam tikę. Jiems ima atrodyti, kad visą šeimą tvarko jie.

– Norėčiau žinoti, kas gi bloga nutiks, jeig leisim tai vargšelei pamatyti savo vaiką, – pasakė Dilzė. – Jeig ponas Džeisonas dar būtų su mumis, viskas kitaip būtų.

– Tik visa bėda, kad pono Džeisono nebėra, – sakau. – Žinau, kad mano žodis tau nė motais, bet ko mama prašo, manau, padarysi. Šitaip elgdamasi tu nuvarysi ją į kapus ir tada jau galėsi prileisti pilnus namus valkatų ir padugnių. Bet kurio galo tu leidai tam prakeiktam idiotui su ja pasimatyti?

– Jūs šaltas žmogus, Džeisonai, jei jūs išvis žmogus, – pasakė ji. – Dėkoju Dievui, kad turiu daugiau širdies nei jūs, net jeigu ji ir juoda.

– Koks jau koks, tačiau duonos čia visiems užtenka mano dėka, – sakau. – Ir jeigu dar kartą tai padarysi, teks liautis valgius iš to katilo.

Taigi, kai kitą kartą pasirodė, aš jai ir pasakiau: jei tik dar kartą pamėginsi kreiptis į Dilzę, mama Dilzę atleis, Beną išsiųs į Džeksoną, o Kventinę išsiveš. Valandėlę jinai žiūrėjo į mane. Arti nebuvo jokio gatvės žibinto, tad nemačiau gerai jos veido. Tačiau jaučiau, kad žiūri į mane. Kai buvome maži ir ji įniršdavo, o padaryti nieko negalėdavo, jos viršutinė lūpa trūkčiodavo. Kaskart tik trūkt trūkt, ir vis daugiau dantų pasimatydavo, bet ji stovėdavo rami it stulpas, nekrusteldavo nė vienas raumenukas, tik lūpa kilstelėdavo vis aukščiau, aukščiau, apnuogindama dantis. Tačiau ji nieko nepasakė. Tik ištarė:

– Gerai. Kiek?

– Na, jeigu vienas parodymas pro karietos langą kainuoja šimtą dolerių, – sakau. Taigi po to ji elgėsi kuo puikiausiai, tik kartą paprašė parodyti banko sąskaitos knygelę.

– Žinau, kad jie visi mamos pasirašyti, – pasakė ji. – Bet

noriu pamatyti banko ataskaitą. Noriu pamatyti savo akimis, kur tie čekiai eina.

– Tai mamos asmeninis reikalas, – pasakiau. – Jeigu manai, kad turi teisę kišti nosį į jos asmeninius reikalus, aš pasakysiu jai, kad, tavo galva, tie čekiai pasisavinti neteisėtai, ir tu nori surengti patikrinimą, nes ja nepasitiki.

Ji nieko nepasakė ir nekrustelėjo. Girdėjau, kaip kuždėjo: kad tave skradžiai, o kad tave skradžiai, o kad tave skradžiai.

– Pasakyk tai balsu, – tariau. – Juk jokia paslaptis, ką mudu manome vienas apie kitą. Gal tu nori atgauti tuos pinigus? – pridūriau.

– Klausyk, Džeisonai, – pasakė. – Nemeluok man šįsyk. Apie mažylę. Aš nieko nenoriu tikrinti. Jeigu to negana, aš siųsiu daugiau kas mėnesį. Tik pažadėk, kad ji gaus... kad ji... Tu juk gali tai padaryti. Kartais jai reikia. Būk su ja švelnus. Visos tos smulkmenos, kurių aš negaliu, jie man neleidžia... Bet tavęs juk nepriprašysi. Tu niekad neturėjai nė lašelio šilto kraujo gyslose. Klausyk, – toliau kalbėjo, – jei susitarsi su mama, kad man grąžintų ją, duosiu tau tūkstantį dolerių.

– Tu neturi tūkstančio dolerių, – sakau. – Žinau, kad dabar meluoji.

– Turiu. Turėsiu. Galiu juos gauti.

– Žinau, kaip tu juos gausi, – pasakiau. – Taip pat, kaip ir ją užsitaisei. Ir kai ji pakankamai suaugs... – Tada pamaniau, kad ji tikrai man trenks, o paskui nesupratau, ką ji ketina daryti. Ji elgėsi taip, it būtų koks žaisliukas, prisuktas taip kietai, kad tuoj tuoj sprogs.

– O, aš iš proto išsikrausčiau, – tarė. – Man galvoj negerai. Aš negaliu jos pasiimti. Tegu ji būna pas jus. Ir ką gi aš čia sumaniau, Džeisonai, – sako sugriebusi mano ranką. Jos rankos degė kaip apimtos karštinės. – Tu privalai man pažadėti, kad ja rūpinsies, pažadėti... Ji tavo giminės, ji tavo kūnas ir kraujas. Pažadėk, Džeisonai. Tu juk turi tėtės vardą: argi manai, kad man reikėtų prašyti tėtės du kartus? Ar netgi vieną?

– Iš tikrųjų, – tariau. – Vis dėlto jis man kažką paliko. Tai ką norėtum, kad padaryčiau? – klausiu. – Kad nusipirkčiau prijuostę ir vaikišką vežimėlį? Ne aš tave įvėliau į tą reikalą, – pridūriau. – Aš labiau rizikuoju negu tu, nes tau nėra ko prarasti. Tad jeigu tikiesi...

– Ne, – tarė ji, paskui pradėjo juoktis ir sykiu stengėsi tvardytis. – Ne, man nėra ko prarasti, – pasakė juokdamasi, prisidengusi burną rankomis. – Nnnėėėė-rraaaa-kooo.

– Nagi liaukis, – pasakiau.

– Stengiuosi, – sako laikydama rankas ant burnos. – O Viešpatie, o Viešpatie.

– Aš einu, – sakau. – Ko gero, dar mane čia pamatys. O tu dink tuojau pat iš miesto, girdi?

– Palauk, – sako sučiupus mano ranką. – Jau lioviausi. Daugiau taip nebedarysiu. Tu pažadi man, Džeisonai? – klausia, ir aš jaučiu, kaip jos akys beveik liečia mano veidą. – Ar pažadi? Mama... tie pinigai... jei kartais jai ko reikėtų... Jeigu atsiųsčiau jai čekių tavo vardu, prie anų, ar atiduotum jai? Nepasakytum mamai? Prižiūrėtum, kad ji turėtų viską, ką turi kitos mergaitės?

– Žinoma, – atsakiau. – Jei tu padoriai elgsies ir darysi taip, kaip aš tau liepsiu.

Tada, užsimaukšlinęs skrybėlę, iš galinio kambario atėjo Erlas ir sako:

– Nueisiu iki Rodžerso užkąsti. Regis, neturėsim laiko grįžti namo papietauti.

– Kaipgi ne? – klausiu.

– Nagi tasai spektaklis mieste ir visas tas šurmulys, – paaiškino. – Jie vaidins dar ir dieną, tad žmonės norės apsipirkti prieš spektaklį, kad nepavėluotų. Verčiau jau mes nubėkim iki Rodžerso.

– Ką gi, – sakau. – Pilvas – jūsų, jei norite tapti savo verslo vergu, aš neprieštarauju.

– Regis, tu niekada nebūsi jokio verslo vergas, – sako.

– Neketinu, nebent tai būtų Džeisono Kompsono verslas, – atsakiau.

Tad kai grįžau į galinį kambarį ir atplėšiau tą voką, vienintelis dalykas, kuris mane nustebino, buvo tai, kad tai buvo ne čekis, o piniginė perlaida. Ogi būtent taip. Nė viena iš jų negalima pasitikėti. Šitaip rizikavau, kad mama nesužinotų, jog ji atvyksta čionai kartą arba net du per metus, šitaip melavau mamai. Ir še tau dėkingumas. Nenustebčiau, jeigu ji pamėgintų įspėti paštą, kad neišduotų tų pinigų niekam kitam, tik jai. Siųsti penkiasdešimt dolerių tokiam vaikui! Kurgi, aš pirmąsyk išvydau penkiasdešimt dolerių, kai man buvo dvidešimt vieni, kiti vaikinai tuo tarpu turėjo laisvas popietes ir visą šeštadienį laisvą, o aš plušėjau parduotuvėje. Tai aš ir sakau, kaip galima tikėtis, kad kas nors su ja susitvarkys, kai anoji siunčia jai pinigus mums už nugaros. Ji auga tuose pačiuose namuose, kur augai tu, sakau, ir išsiauklėjimą gauna tą patį. Manau, mama geriau nei tu, benamė, nutuokia, ko jai reikia. „Jei nori duoti jai pinigų, – pasakiau, – siųsk juos mamai, o ne jai pačiai į rankas. Jeigu turiu taip rizikuoti kas kelis mėnesius, tu privalai daryti, kaip aš sakau, arba užbaikim šitą reikalą.“

Kaip tik tuomet buvau bepradedąs tvarkyti tą reikalą, nes jeigu Erlas mano, jog lėksiu gatve tarsi patrakęs, kad nuryčiau du nesuvirškinamus kąsnius jo sąskaita, jis smarkiai apsirinka. Tegu aš ir nesėdžiu užkėlęs kojų ant raudonmedžio rašomojo stalo, tačiau man mokama už tai, ką aš darau čionai, viduj, ir jei man nebus leista gyventi civilizuotai už tos parduotuvės ribų, aš susirasiu kitą vietą. Aš tvirtai stoviu ant kojų, ir man nereikia, kad mane paremtų kieno nors raudonmedžio stalas. Taigi kaip tik tada, kai jau buvau bepradedąs tą reikalą tvarkyti, tačiau turėjau viską mesti ir bėgti parduoti vinių už penkis centus ar kažką tokio kažkokiam kelmui, o Erlas jau tikriausiai sučiaumojo sumuštinį ir, matyt, nuėjo pusę kelio atgal, staiga žiūriu – baigėsi visi blankai. Prisiminiau, kad ketinau susiieškoti naujų, tačiau dabar jau buvo per vėlu, pakėliau akis, žiūriu – Kventinė beateinanti. Pro užpakalines duris. Girdėjau, kaip paklausė Džobo, ar aš esu. Vos spėjau sukišti viską į stalčių ir jį užstumti.

Ji priėjo prie mano stalo. Aš pažvelgiau į laikrodį.

– Tu jau papietavai? – klausiu. – Dar tik dvylika. Girdėjau, kaip ką tik išmušė. Ko gero, suskraidei namo ir atgal.

– Aš šiandien neisiu namo pietauti, – atsakė. – Ar man atėjo laiškas?

– O tu jo lauki? – klausiu. – Susiradai draugužį, mokantį rašyti?

– Mamos laiškas, – paaiškino. – Ar atėjo mamos laiškas? – perklausė žiūrėdama į mane.

– Senelė gavo jos laišką, – sakau. – Aš jo neatplėšiau. Tau teks palaukti, kol ji atplėš. Manau, ir tau parodys.

– Prašau, Džeisonai, – pasakė ji, nekreipdama dėmesio į mano žodžius. – Ar man atėjo laiškas?

– Kas gi nutiko? – klausiu. – Tau niekada taip niekas nerūpėjo? Ko gero, lauki jos pinigų?

– Ji sakė, kad ji... – vebleno. – Prašau, Džeisonai, ar atėjo?

– Regis, šiandien iš tikro buvai mokykloje, – sakau. – Ten tave net žodžio „prašau" išmokė. Palauk truputį, kol aptarnausiu tą klientą.

Nuėjau jo aptarnauti. Kai atsigręžiau, jos nebesimatė: buvo užėjusi už stalo. Puoliau atgal. Apibėgau apie stalą ir sučiupau ją pačiu laiku – kai traukė iš stalčiaus ranką. Atėmiau laišką, jos pirštų krumplius tol daužiau į stalą, kol ji paleido voką.

– Ar dar darysi taip, ar darysi? – šaukiu.

– Atiduokit jį man, – sako. – Jūs jį jau atplėšėte. Atiduokit jį man. Prašau, Džeisonai. Jis man. Mačiau užrašytą vardą.

– Gausi gero bizūno, – sakau. – Va ką tu gausi iš manęs. Raustis mano popieriuose!

– Ar ten yra pinigų? – paklausė ji, tiesdama ranką į voką. – Ji sakė, kad atsiųs man pinigų. Žadėjo. Atiduokit juos man.

– Kam gi tau reikia pinigų? – klausiu.

– Ji žadėjo atsiųsti, – aiškino. – Atiduokit juos man. Prašau, Džeisonai. Aš niekada daugiau jūsų nieko neprašysiu, jeigu dabar juos man atiduosit.

– Atiduosiu, jeigu manęs neskubinsi, – sakau. Ištraukiau laišką ir piniginę perlaidą ir padaviau jai laišką. Į laišką ji beveik nežvilgtelėjo, siekia perlaidos. – Pirmiausia privalai pasirašyti, – pridūriau.

– Kiek ten? – paklausė.

– Perskaityk laišką, – liepiau, – ten turi būti parašyta.

Ji permetė jį paskubomis, dviem žvilgsniais.

– Čia nieko neparašyta, – sako pakėlusi į mane akis. Numetė laišką ant grindų. – Kiek ten?

– Dešimt dolerių, – sakau.

– Dešimt dolerių? – perklausė įbedusi į mane akis.

– Ir turėtum pasiutusiai džiaugtis juos gavusi, – sakau. – Tokia mažvaikė kaip tu. Kam tau staiga taip prireikė pinigų?

– Dešimt dolerių? – perklausė tarsi kalbėdama per sapną. – Tik dešimt dolerių? – Pamėgino pačiupti perlaidą. – Meluojate, – sako. – Jūs vagis! – sušuko. – Vagis!

– Ar dar purkštausi, ar dar purkštausi? – sakau ir laikau ją atokiau nuo savęs.

– Atiduokit ją man! – šaukia. – Ji mano. Ji atsiuntė ją man. Aš vis tiek ją pamatysiu. Aš pamatysiu ją.

– Pamatysi? – klausiu laikydamas ją atokiau nuo savęs. – Kaipgi tu tai padarysi?

– Leiskit tik pažiūrėti, Džeisonai, – prašo ji. – Prašau. Aš daugiau nieko jūsų neprašysiu.

– Manai, kad aš meluoju? – sakau. – Būtent todėl ir nepamatysi jos.

– Bet kaipgi tik dešimt dolerių, – tarė. – Ji man sakė, kad... ji man sakė... Džeisonai, prašau, prašau, prašau. Man reikia turėti truputį pinigų. Tiesiog reikia. Atiduokite juos man, Džeisonai. Aš padarysiu, ką tik norit, jei atiduosite juos man.

– Pasakyk, kam tau reikia pinigų? – klausiu.

– Man reikia jų, – sako. Ir žiūri į mane. Paskui staiga liovėsi žiūrėjusi, nors akių nenukreipė. Supratau, kad tuoj sumeluos. – Aš truputį skolinga, – sako. – Privalau grąžinti tą skolą. Privalau grąžinti ją šiandien.

– Kam skolinga? – klausiu. Ji ėmė grąžyti rankas. Taip ir matai, kaip stengiasi sukurpti kokį melą. – Ar vėl pirkai ką nors skolon parduotuvėje? – klausiu. – Nesivargink man tai sakyti. Teprasmegsiu aš skradžiai žemę, jei tu surasi bent vieną prekiją šiame mieste, kad tau parduotų ką nors skolon po to, kai aš jiems šį bei tą pasakiau.

– Draugei, – sako ji. – Draugei. Aš pasiskolinau truputį pinigų iš vienos draugės. Privalau juos grąžinti. Džeisonai, duokite juos man. Prašau. Aš padarysiu bet ką. Man jų reikia. Mama jums sumokės. Aš parašysiu jai ir paprašysiu, kad sumokėtų jums, ir kad daugiau aš niekada jos nieko nebeprašysiu. Aš jums parodysiu tą laišką. Prašau, Džeisonai. Man jų reikia.

– Pasakyk man, ką tu su jais darysi, ir aš pagalvosiu, – sakau. – Pasakyk. – Ji stovi, gniaužo suknelę. – Gerai, – sakau, – jei tau per maža dešimties dolerių, nunešiu juos namo senelei, ir tu žinai, kas tada su jais nutiks. Žinoma, jei tu tokia turtinga, kad tau nereikia dešimties dolerių...

Ji stovi nudelbusi akis, lyg kažką murma sau po nosim.

– Ji man žadėjo atsiųsti pinigų. Ji sakė, kad visą laiką siunčia čia pinigų, o jūs man sakot, kad ne. Ji sakė, kad atsiuntė čia krūvą pinigų. Ji sakė, kad jie skirti man išlaikyti. Ir kad dalį jų galiu pasiimti. O jūs sakote, kad mes negavom jokių pinigų.

– Tu žinai apie tai ne mažiau nei aš, – sakau. – Pati matei, kas atsitinka su tavo čekiais.

– Taip, – sako ji nudelbusi akis. – Dešimt dolerių, – ir pakartojo, – dešimt dolerių.

– Ir verčiau jau padėkok savo žvaigždei, kad tai dešimt dolerių, – sakau. – Štai, – sakau ir padėjau perlaidą gerąja puse žemyn ant stalo, prispaudęs ją ranka. – Pasirašyk.

– Gal parodytumėt ją man? – paprašė. – Norėčiau tik pažvelgti. Kad ir kas ten būtų parašyta, neprašysiu daugiau nei dešimties dolerių. Kas liks, galėsit pasiimti. Aš noriu tik pamatyti.

– Tik jau ne po to, kai šitaip su manim elgeisi, – sakau. – Privalai išmokti vieną dalyką – kai liepiu tau ką padaryti, privalai tai padaryti. Pasirašyk štai šitoje eilutėje.

Ji paėmė plunksną, bet, užuot pasirašiusi, tik stovi nunarinus galvą, plunksna virpa rankoje. Visai kaip motina.

– O Viešpatie, – sako, – o Viešpatie.

– Štai šito aš tave išmokysiu, jei nieko kito ir nepavyks. O dabar pasirašyk ir dink iš čia.

Pasirašė.

– Kur pinigai? – klausia. Paėmiau perlaidą, nusausinau sugeriamuoju popieriumi ir įsidėjau į kišenę. Paskui padaviau jai dešimt dolerių.

– O po pietų grįžk į mokyklą, girdi? – Ji nieko neatsakė. Suglamžė rankoje banknotą kaip kokį skudurą ar ką nors panašaus ir išėjo pro priekines duris kaip tik tada, kai įžengė Erlas. Drauge su juo įėjo pirkėjas, ir jie sustojo priekyje. Susirinkau savo daiktus, užsivožiau skrybėlę ir žengiau.

– Ar daug buvo darbo? – paklausė Erlas.

– Ne kažin kiek, – atsakiau. Jis pažvelgė pro duris.

– Ten tavo mašina? – paklausė. – Verčiau jau nevažiuok namo pietauti. Tikriausiai sulauksim naujo pirkėjų antplūdžio prieš pat spektaklį. Papietauk pas Rodžersą ir įdėk man į stalčių čekį.

– Širdingai ačiū, – sakau. – Regis, dar sugebu išsimaitinti.

Ir jis stovės ir kaip tas paukštvanagis nenuleis akių nuo durų, kol vėl pro jas įeisiu. Na, jam tiesiog reikės sukaupti kantrybę:

juk negaliu iš kailio išsinerti. Anąkart ir sakau sau: šitas – paskutinis, žiūrėk, neužmiršk iškart pasirūpinti naujų. Bet kaipgi viską prisiminsi, kai aplinkui tokia erzelynė. Ir reikėjo gi, kad tas prakeiktas teatras atvyktų čia tą pačią dieną, kai, be visų kitų naminių reikalų, kuriuos turiu atlikti, dar privalau medžioti po visą miestą tuščią čekio blanką, o tasai Erlas nenuleidžia akių nuo durų tarsi koks paukštvanagis.

Nuėjau į spaustuvę ir aiškinu šeimininkui, kad noriu iškrėsti pokštą vienam vyrukui, tačiau jis nieko neturėjo. Patarė man užsukti į senąją operą, kur kažkas sukrovė šūsnis popierių ir visokio šlamšto iš senojo Prekybos ir žemės ūkio banko po to, kai šis subankrutavo, taigi vogčia apsukau ratą gatvelėmis, kad Erlas manęs nepamatytų, galiausiai susiradau senąjį Simonsą, paėmiau iš jo raktą, užlipau į viršų ir ėmiau raustis. Vargais negalais suradau Sent Luiso banko čekių knygelę. Žinoma, būtent šįkart ji ir pradės jį smulkiai apžiūrinėti. Na, bus gerai ir tokie. Ilgiau gaišti nebegalėjau.

Grįžau į parduotuvę.

– Pamiršau kelis popierius, kuriuos mama prašė nunešti į banką, – sakau. Nuėjau prie savo stalo, užpildžiau tą čekį. Skubėdamas, kupinas vidinio erzelio sakau sau: labai gerai, kad jos akys silpsta, kai namuos sukasi tokia kekšelė, mama juk tokia pakanti krikščionė. Sakau jai: jūs žinot taip pat puikiai kaip ir aš, kuo ji išaugs, bet jūsų reikalas, sakau, jei norite laikyti ją ir auklėti savo namuose, nes taip norėjo tėtis. Tada jinai pravirko ir sako, esą ji – josios kūnas ir kraujas, tad aš tepasakiau: gerai. Tebūnie, kaip jūs norit. Jei jūs galite tai ištverti, galiu ir aš.

Vėl įdėjau laišką į voką, užklijavau ir išėjau.

– Pasistenk neužtrukti, – paprašė Erlas.

– Gerai, – sakau. Nužingsniavau į telegrafą. Visi gudročiai ten jau buvo susirinkę.

– Ar kuris jūsų, vyrai, jau užsidirbo savo milijoną? – klausiu.

– Su tokia birža kaip šita toli nenueisi, – atsakė Dokas.

– Kažin kaip dabar reikalai? – sakau ir pažiūrėjau įėjęs. Nukrito dar trimis punktais. – Juk jūs, vaikinai, neleisit, kad tas medvilnės maklerių mailius jus sutvarkytų, tiesa? – klausiu. – Jūs tam per gudrūs.

– Per gudrūs, po velnių, – sutiko Dokas. – Dvyliktą valandą jos nukrito dvylika punktų, aš likau plikas kaip tilvikas.

– Dvylika punktų? – klausiu. – Kodėl gi, po perkūnais, niekas man nepranešė? Kodėl jūs man nepranešėte? – kreipiuosi į telegrafo tarnautoją.

– Aš tik priimu suvestinę, – atsakė jis. – Čia ne pogrindinė biržos kontora.

– Žiūrėk tu man, koks gudrus, – sakau. – Regis, kai aš pakloju čia šitiek pinigų, galėtum rasti laiko man paskambinti. O gal ta suknista tavo kompanija paslapčia susimokiusi su tais velnio neštais Rytų rykliais.

Jis nieko neatsakė. Dedasi užsiėmęs.

– Baigi išaugti savo kelnes, – sakau. – Žiūrėk, kad netektų užsidirbti duonos.

– Kas jums darosi? – klausia Dokas. – Juk vis dar turite tris punktus atsargoj.

– Taip, – sakau. – Jeigu parduočiau. Bet aš juk šitaip nesakiau. O jūs, vyručiai, visi apšvarinti?

– Dusyk buvau įkliuvęs, – sako Dokas. – Persimečiau pačiu laiku.

– Ką gi, – pasakė Ai Ou Snoupsas. – Aš juos apsuku. Manau, visai garbinga, kad ir jie kartkartėmis mane apsuka.

Tad palikau juos perkančius ir parduodančius tarp savęs punktą po penkis centus. Susiradau negrą ir pasiunčiau jį atvaryti mašinos, o pats stoviu prie kampo ir laukiu. Nemačiau, kaip Erlas stebi gatvę, kaskart užmesdamas akį į laikrodį, nes nuo čia jo durų nesimatė. Kol negras atvažiavo, praėjo amžinybė.

– Kurgi, po galais, tu buvai? – klausiu. – Važinėjai kraipydamas uodegą prieš mergas?

– Anksčiau man niekaip neišėjo, – aiškinosi jis. – Gavau apvažiuoti visą aikštę su visais tais furgonais.

Dar nesu matęs negro, kad neturėtų atsargoj nepriekaištingo pasiteisinimo visa kam, ką daro. Bet tik palik jį vieną mašinoje, ir jis iš karto puola prieš visus puikuotis. Įlipau į mašiną, apvažiavau aikštę. Pastebėjau kitapus duryse stovintį Erlą.

Parvažiavęs namo, nuėjau tiesiai į virtuvę ir liepiau Dilzei pasiskubinti su pietumis.

– Kventinė dar negrįžo, – sako ji.

– Na ir kas iš to? – sakau. – Tuoj pasakysi man, kad ir Lasteris dar nepasirengęs valgyti? Kventinė puikiai žino, kada šiuose namuose dengiamas stalas. Na paskubėk gi.

Mama buvo savo kambaryje. Aš padaviau jai laišką. Ji atplėšė jį, išėmė čekį ir sėdėjo, laikydama jį rankoje. Paėmiau iš kampo semtuvą ir padaviau jai degtuką.

– Nagi negaiškit, – sakau. – Baikit greičiau. Juk tuoj pravirksite.

Ji paėmė degtuką, bet jo neįžiebė. Sėdi ir žiūri į čekį. Lygiai taip, kaip ir buvau numatęs.

– Man tai labai nemalonu, – sako. – Dar labiau sunkinti tavo naštą Kventinės...

– Išgyvensim kaip nors, – sakau. – Nagi. Baikit tą reikalą. Bet ji tik sėdi kaip sėdėjusi ir laiko tą čekį.

– Šitas kitam bankui, – sako. – Anksčiau jie buvo Indianapolio bankui.

– Taip, moterims tai leidžiama, – paaiškinau.

– Kas leidžiama? – perklausė.

– Laikyti pinigus dviejuose skirtinguose bankuose, – sakau.

– O, – tarė ji. Valandėlę žiūrėjo į čekį. – Man malonu girdėti, kad ji tokia... kad ji turi taip daug... Dievas mato, kad aš elgiuosi teisingai, – pridūrė.

– Nagi nedelskit, baikit tą reikalą. Baikit tą malonumą.

– Malonumą? – perklausė. – Kai pagalvoju...

– Maniau, kad patiriate malonumą kas mėnesį sudegindama tuos du šimtus dolerių, – sakau. – Nagi nedelskit. Norit, kad įžiebčiau degtuką?

– Galėčiau prisiversti juos priimti, – sako. – Savo vaikų gerovei. Nesu išdidi.

– Paskui visą laiką graušitės taip pasielgusi, – sakau. – Juk pati žinote. Jau jeigu taip nusprendėte, tegu taip ir lieka. Išsiversime.

– Palieku spręsti tau, – sako. – Bet kartais man darosi baisu, kad šitaip elgdamasi atimu iš tavęs viską, kas tau teisėtai priklauso. Gal būsiu nubausta už tai. Jeigu tu nori, aš sutramdysiu savo išdidumą ir juos priimsiu.

– Kokia prasmė pradėti tai dabar, kai naikinote juos penkiolika metų? – klausiu. – Jei ir toliau tai darysit, nieko neprarasit, bet jei pradėsit imti juos dabar, būsite praradusi penkiasdešimt tūkstančių dolerių. Juk mes išsivertėme iki šiolei, ar ne? – sakau. – Juk jūs dar ne vargšų namuose.

– Taip, – sako ji. – Beskombai gali apsieiti be kitų labdaros. Juolab puolusios moters.

Brūkštelėjo degtuką, uždegė čekį, įdėjo jį į semtuvą, paskui pridėjo dar ir voką ir žiūri, kaip jie dega.

– Tu nežinai, ką tai reiškia, – sako. – Ačiū Dievui, tu niekada nesužinosi, ką jaučia motina.

– Pasaulyje daugybė moterų ne ką už ją vertesnių, – sakau.

– Bet jos – ne mano dukros, – atsakė. – Aš ne dėl savęs. Mielai priimčiau ją atgal, su visomis jos nuodėmėmis ir visa kuo, nes ji – mano kūnas ir kraujas. Aš tai darau dėl Kventinės.

Na, sakyčiau, nedidelis šansas, kad kas nors galėtų labai pakenkti Kventinei, bet, kaip aš visada sakau, kažin ko nesitikiu, tačiau norėčiau valgyti ir miegoti negirdėdamas, kaip namie riejasi ir verkia dvi moterys.

– Ir dėl tavęs, – pridūrė. – Žinau, kokie tavo jausmai jai.

– Dėl manęs ji gali sugrįžti, – sakau.

– Ne, – pridūrė ji. – Aš tai skolinga tavo tėvo atminimui.

– Kaip?! Juk jis visą laiką stengėsi įtikint jus, kad leistumėte jai grįžti namo, kai Herbertas išgrūdo ją lauk? – sakau.

– Tu nesupranti, – pasakė. – Žinau, kad neketini gilinti mano sielvarto. Bet aš juk privalau kentėti dėl savo vaikų, – pridūrė. – Aš galiu tai ištverti.

– Man regis, tai darydama, be reikalo save varginate, – sakau. Popierius baigė degti. Prinešiau jį prie židinio grotelių ir įmečiau vidun. – Ir vis dėlto gaila sudeginti tokią gražią sumelę, – pridūriau.

– Te niekad neišvysiu dienos, kai mano vaikams teks sumo-

kėti tą nuodėmės kainą, – pasakė. – Verčiau netgi tave pamaty-
siu karste mirusį.

– Tebūnie, kaip mieliau jūsų širdžiai, – sakau. – Ar greitai
pietausime? – pridūriau. – Jei ne, man reikia grįžt į parduotu-
vę. Šiandieną turime labai daug darbo. – Ji atsistojo. – Aš jau
sakiau jai kartą, – aiškinu. – Regis, ji laukia Kventinės ar Laste-
rio, ar dar kažko. Lukterkit, aš ją pašauksiu. Lukterkit. – Bet ji
pati nužingsniavo prie laiptinės ir pašaukė.

– Kventinė dar negrįžo, – atsakė Dilzė.

– Ką gi, man reikia grįžti į parduotuvę, – sakau. – Sukrimsiu
mieste sumuštinį. Nenoriu ardyti Dilzės planų, – pridūriau. Ta-
tai ir vėl ją užvedė, o Dilzė šlubčiojo pirmyn atgal ir vapenda-
ma vis kartojo:

– Gerai, gerai, ašen pasiskubinsiu, kiek tik galėsiu.

– Aš stengiuosi įtikti jums visiems, – kalbėjo mama. – Kaip
įmanydama stengiuosi palengvint jums visiems gyvenimą.

– Aš juk nesiskundžiu, tiesa? – tariau. – Ar pasakiau ką nors,
išskyrus tai, kad man reikia grįžti į darbą?

– Žinau, – sako ji. – Žinau, kad neturėjai galimybių, kurios
buvo suteiktos jiems, kad gavai palaidoti save mažytėje mieste-
lio krautuvėlėje. Norėjau, kad prasimuštum. Žinojau, kad tavo
tėvas niekad nesupras, jog tu vienintelis šeimoje turi verslinin-
ko gyslelę, o paskui, kai visa kita sužlugo, tikėjau: kai ji ištekės,
ir Herbertas... po viso to, ką jis žadėjo...

– Na, jis galėjo ir sumeluoti, – sakau. – Gal jis niekad ir netu-
rėjo banko. O jeigu ir turėjo, nemanau, kad jam reikėjo atkakti
čia, iki pat Misisipės, kad nusisamdytų tarnautoją.

Sėdim, valgom. Girdžiu virtuvėj Beną, Lasteris jį maitina. Aš
ir sakau jai: jeigu mums reikia išmaitint dar vieną burną, o ji

nenorinti imti tų pinigų, tai kodėl neišsiuntus Beno į Džekso-
ną. Ten jam būsią geriau su tokiais kaip jis pats. Sakau, kad
Dievas žino, jog mūsų šeimoje nedaug teliko vietos išdidumui,
koks jau ten išdidumas, kai taip nemalonu matyti, kaip trisde-
šimties metų vyras žaidžia kieme su negru berniuku, vis laksto
palei tvorą ir mūkia kaip kokia karvė, kai anie tenai žaidžia
golfą. Sakau: jeigu jūs būtumėte pasiuntę jį į Džeksoną iš pat
pradžių, šiandien visiems mums būtų buvę geriau. Jūs savo pa-
reigą jam atlikot, padarėte viską, ko tik iš jūsų buvo galima
tikėtis, reta kuri motina būtų tai padariusi, tai kodėl gi jo ten
nepasiuntus ir neišnaudojus bent dalelės mūsų mokesčių vals-
tybei. Tada ji pasakė: „Greitai manęs nebebus. Žinau, kad esu
tau tik našta", o aš jai atsakiau: „Jūs taip seniai šitai kartojate,
kad aš netrukus patikėsiu jumis", tik, sakau, verčiau nesisten-
kite manęs įspėti, kada jūsų nebeliks, nes aš tą patį vakarą įso-
dinsiu jį į septynioliktąjį numerį ir, regis, žinau vietelę, kur priim-
tų ir ją, o tai anaiptol ne Pieno gatvėj ar Medaus prospekte*.
Tada ji pravirko, ir aš sakau: „Gerai, jau gerai, aš turiu ne ma-
žiau išdidumo savo giminės atžvilgiu nei bet kuris kitas, net
jeigu ir ne visada žinau, iš kur kai kurie atsirado".

Valgome toliau. Mama vėl siunčia Dilzę prie durų pažiūrėti,
ar neateina Kventinė.

– Aš juk sakiau jums, kad ji neateis pietauti, – sakau.

– Kaip neateis? – klausia mama. – Ji žino, kad aš neleidžiu jai
šlaistytis gatvėmis ir nepareiti namo, kai mes valgome. Ar gerai
pažiūrėjai, Dilze?

– Tada uždrauskit jai, – sakau.

*Žr. *Iš* 3, 8, 17.

– O ką aš galiu jai padaryti? – klausia ji. – Jūs visi manęs nepaisėte. Visada.

– Jeigu jūs nesikišite, aš sutvarkysiu ją, – sakau. – Man vienos dienos užteks jai ištiesinti.

– Tu būsi pernelyg šiurkštus su ja, – sako ji. – Tu turi dėdės Morio temperamentą.

Ir aš iškart prisiminiau tą laišką. Ištraukiau ir padaviau jai.

– Jums nebūtina jo atplėšti, – sakau. – Bankas praneš jums, kiek jis paims šįkart.

– Tai adresuota tau, – sako ji.

– Atplėškit, – sakau. Ji atplėšė, perskaitė ir grąžino man laišką.

Jis prasidėjo taip:

„Brangus mano jaunasis sūnėne,

tau bus malonu sužinoti, kad dabar mano padėtis leidžia man pasinaudoti proga, apie kurią dėl priežasčių, tau pasirodysiančių akivaizdžių, smulkiau nepasakosiu, kol rasis galimybė atskleisti tau viską saugesniu būdu. Mano darbo patirtis išmokė mane vengti skleisti konfidencialaus pobūdžio naujienas konkrečiau nei balsu, ir šiuo atveju išskirtinis mano atsargumas leis tau suprasti, kokia svarbi yra ši proga. Neverta nė sakyti, kad aš kruopščiausiai ištyriau visas jos fazes ir nedvejodamas sakau tau, jog tai – vienas iš tų auksinių šansų, kurie pasitaiko tik kartą gyvenime, ir dabar aš aiškiai regiu priešais save tą tikslą, kurio siekiau ilgai ir nenuilsdamas: t. y. galutinio savo reikalų konsolidavimo, kuris man leis atkurti deramą padėtį šeimos, kurios vieninteliu išlikusiu vyriškosios giminės atstovu turiu garbės būti; į tą šeimą aš visados įtraukdavau ne tiktai tavo garbiąją motiną, bet ir jos vaikus.

Taip jau yra, kad mano padėtis kol kas neleidžia pasinau-
doti visais didžiausiais šios progos garantuojamais prana-
šumais, todėl, užuot kreipęsis į kitus, aš pasiskolinu iš tavo
motinos banko sąskaitos menkutę sumą, būtiną pradiniam
įnašui. Tad pridedu čia, grynai formaliai, vekselį su aštuo-
niais procentais metinių palūkanų. Neverta nė sakyti, kad
tai tik formalumas norint apsaugoti tavo motiną tuo atve-
ju, jeigu įvyktų tas fatališkas dalykas, kai žmogus visada yra
tik pramoga ir žaisliukas. Kadangi, žinoma, aš panaudosiu
tą sumą taip, tarsi ji būtų mano, ir tokiu būdu leisiu tavo
motinai pasinaudoti galimybėmis progos, kurią mano
kruopštus išnagrinėjimas įrodė esant gryniausia ir tyriausio
skaidrumo aukso gysla – jei leisi man pasinaudoti tuo vul-
gariu pasakymu.
Visa šitai, kaip supranti, griežtai konfidencialu ir turi likti
tarp mudviejų, kaip verslo atstovų: juk mes patys nusirinksi-
me savo vynuogių derlių, ar ne? Be to, žinodamas, kokia
silpna tavo motinos sveikata ir kokį baikštumą švelniai iš-
puoselėtos mūsų damos Pietuose iš prigimties jaučia verslui
bei jų žavingą polinkį nesąmoningai atskleisti tuos dalykus
pokalbyje, siūlyčiau tau išvis jai šito neminėti. O geriau pa-
mąstęs, visai rimtai patariu tau šito nedaryti. Gal būtų net
geriau paprasčiausiai atkurti tą sumą banke kiek vėliau, tar-
kim, drauge su kitomis menkutėmis sumomis, kurias aš jai
esu skolingas, ir nekalbėti apie tai išvis. Juk mūsų pareiga
saugoti ją kiek tik įmanoma nuo šiurkščių žemiškų dalykų.

Tavo mylintis dėdė
Moris L. Beskombas"

– Ir ką gi jūs darysite? – klausiu numesdamas jai tą laišką per stalą.

– Žinau, tu pyksti, kad aš jam duodu, – sako.

– Tai jūsų pinigai, – sakau. – Net jeigu užsigeistumėte juos išmesti paukščiams, tai jūsų reikalas.

– Jis mano brolis, – sako mama. – Jis paskutinis Beskombas. Kai mūsų nebeliks, jie išnyks.

– Kai kam tai bus didžiulė netektis, – sakau. – Gerai, jau gerai. Tie pinigai jūsų. Darykite su jais ką tinkama. Ar pranešti bankui, kad juos išmokėtų?

– Žinau, kad tu nenori jų duoti, – sako ji. – Suprantu. Tau ant pečių užkrauta tokia našta. Kai manęs nebebus, tau bus lengviau.

– Galėčiau pasilengvinti tą naštą jau dabar, – sakau. – Gerai, jau gerai, daugiau apie tai nekalbėsiu. Galite čia sukviesti visą beprotnamį, jei norite.

– Jis tavo tikras brolis, – sako. – Nors ir nesveikas.

– Paimsiu jūsų banko knygelę, – sakau. – Išgryninsiu tą čekį šiandien.

– Jis vertė tave laukti šešias dienas, – sako ji. – Ar esi tikras, kad jo reikalai nešlubuoja? Man atrodo labai keista, kad mokus verslininkas nesumoka atlyginimo savo tarnautojams reikiamą dieną.

– Jam viskas klojas kuo puikiausiai, – sakau. – Jis saugus kaip bankas. Aš pats jam pasakiau, kad nesivargintų dėl mano atlyginimo, kol nesurinks viso mėnesio pinigų. Todėl ir pavėluoja kartais.

– Aš tiesiog neištverčiau, jei prarastum tą mažmožį, kurį investavau tavo labui, – sako ji. – Dažnai pagalvoju, kad Erlas –

prastas verslininkas. Žinau, kad jis nepakankamai dalijasi savo planais, nors tavo dalis jo versle turėtų tau tai užtikrinti. Pasikalbėsiu su juo.

– Ne, ne, duokite jam ramybę, – sakau. – Tai jo verslas.

– Bet juk ir tu įdėjai į jį tūkstantį dolerių.

– Duokite jam ramybę, – pakartojau. – Aš pats stebiu jį. Juk turiu jūsų įgaliojimą. Viskas bus gerai.

– Tu net nežinai, kokia tu man paguoda, – pasakė ji. – Tu visada buvai mano pasididžiavimas ir džiaugsmas, bet kai pats pasiprašei, kad leisčiau tau kas mėnesį padėti savo algą mano vardu į banką, ir nenorėjai klausyti mano prieštaravimų, aš padėkojau Dievui, kad jis paliko man tave, jei jau turėjo pasiimti juos.

– O ką gi jiems prikiši, – sakau. – Man regis, jie padarė viską, ką galėjo.

– Kai tu šitaip kalbi, žinau, kad tėvą prisimeni su karteliu, – sako ji. – Manau, turi tam teisę. Tačiau širdis man plyšta tavęs klausantis.

Aš atsistojau.

– Jei norit paverkšlenti, – sakau, – verčiau darykit tai viena, man reikia grįžti į darbą. Einu paimsiu banko knygelę.

– Aš tau paduosiu, – sako ji.

– Nesivarginkit, – sakau. – Pats pasiimsiu. – Užkopiau laiptais, išsitraukiau iš jos rašomojo stalo banko knygelę ir grįžau į miestą. Nuėjau į banką, deponavau čekį, perlaidą ir tuos kitus dešimt, paskui užvažiavau į telegrafą. Vienu punktu aukščiau pradinio. Praradau jau trylika punktų, ir tik todėl, kad dvyliktą ji atsigrūdo į parduotuvę kelti vėjų ir suko man galvą dėl to laiško.

– Kada atėjo tas pranešimas? – klausiu.

– Maždaug prieš valandą, – pasakė tarnautojas.

– Prieš valandą? – perklausiau. – Už ką gi mes jums moka-me? – klausiu. – Kad mums praneštumėte kartą per savaitę? Kaip jūs įsivaizduojate, kad žmogus ką nors padarys? Tenai vi-sa ta sumauta birža išlėks į orą, o mes ir nesužinosime.

– Aš ir nesitikiu, kad jūs ką padarysite, – sako jis. – Jie pakei-tė įstatymą, pagal kurį visi lošia iš medvilnės.

– Iš tikrųjų? – teiraujuos. – Negirdėjau. Matyt, jie išplatino tą naujieną per Vakarų sąjungos kompaniją.

Nuvažiavau atgal į parduotuvę. Trylika punktų. Trauk mane velniai, jei patikėsiu, kad kas nors bent kiek išmano tą sumautą reikalą, išskyrus tuos, kurie sėdi išsidrėbę Niujorko kontorose ir spokso, kaip atvyksta žindukliai iš kaimo ir maldauja, kad jie paimtų jų pinigus. Na taip, žmogus, kuris užsuka tik pasižiūrėti, ir nieko daugiau, įrodo, kad nepasitiki savim, ir kaip aš visada sakau, jeigu nesinaudoji patarimais, tai kurio galo už juos moki. Be to, anie juk sėdi ten, kur reikia: jie žino viską, kas vyksta. Užčiuopiau kišenėje telegramą. Turėčiau tik įrodyti, kad jie nau-dojasi telegrafu savo apgaulėms. Tai būtų biržos nelegalios spe-kuliacijos kontora. O jau aš tai ilgai nedvejočiau. Ir vis dėlto, po perkūnais, juk būtų galima tikėtis, kad tokia didelė ir turtinga kompanija, kaip Vakarų sąjunga, gautų laiku biržos suvestinių pranešimus. Telegrama su pranešimu, kad tavo sąskaita uždaro-ma, ateina du kartus greičiau. Bet jiems nusispjaut ant žmonių. Jie eina išvien su ta Niujorko klika. Tai visiems akivaizdu.

Kai įėjau į parduotuvę, Erlas žiūrėjo į laikrodį. Bet nieko nepasakė, kol išėjo pirkėjas. Paskui ir klausia:

– Vadinasi, važiavai namo pietauti?

– Turėjau užvažiuoti pas dantistą, – sakau, nes, nors ir ne jo reikalas, kur aš valgau, po pietų privalau tūnoti su juo šitoje parduotuvėje. Ir klausytis jo postringavimų po viso to, ką man teko ištverti. Kaip aš ir sakau, tik toks suskis užkampio krautuvininkas, tik žmogus, turintis penkis šimtus dolerių, ir dreba dėl jų kaip dėl penkiasdešimties tūkstančių.

– Galėjai mane įspėti, – sako. – Tikėjausi, kad tuoj sugrįši.

– Anokia čia bėda, – sakau. – Mudu susitarėme, kad pietums turėsiu valandą, o jei jums nepatinka mano elgesys, tai puikiai žinote, ką galit padaryti.

– Aš jau seniai tai žinau, – sako jis. – Ir jei ne tavo motina, seniai būčiau tai padaręs. Labai ją užjaučiu, Džeisonai. Apmaudu, kad kiti mano pažįstami negali tuo pasigirti.

– Tada galite pasilaikyti sau tą užuojautą, – sakau. – Kai mums jos prireiks, pranešiu gerokai iš anksto.

– Aš jau seniai ginu tave dėl to reikalo, Džeisonai, – sako.

– Nejaugi iš tikrųjų? – erzinu duodamas jam valią. Laukdamas, ką jis dar pasakys, kol užčiaupsiu jam burną.

– Man regis, aš geriau už ją žinau, iš kur atsirado tas tavo automobilis.

– Jūs iš tikrųjų taip manote? – klausiu. – Kada ketinate paskelbti žinią, kad aš jį pavogiau iš savo motinos?

– Aš nieko nesakau, – tarė jis. – Žinau, kad turi jos teisinį įgaliojimą. Taip pat žinau, kad ji tiki, jog tas tūkstantis dolerių įdėtas į šitą verslą.

– Gerai, – sakau jam. – Jeigu jau šitaip daug žinote, pasakysiu jums dar vieną smulkmenėlę: nueikite į banką ir paklauskite, į kieno sąskaitą aš įdedu po šimtą šešiasdešimt dolerių kiekvieno mėnesio pirmąją dieną štai jau dvylika metų.

– Aš nieko nesakau, – tarė jis. – Aš tik prašau tave, kad ateityje būtum kruopštesnis.

Nutylėjau. Kokia prasmė atsakinėti? Seniai supratau – kai žmogus atsistoja į kokias vėžes, tai verčiau nesistengti jo iš jų išmušti. O jau kai įsikala į galvą, kad privalo papasakoti kažką apie tave tavo paties labui, tai iš karto sakyk sudie. Džiaugiuosi, kad mano sąžinė – ne iš tų, kurias reikia visą laiką popinti kaip ligotą šunelį. Aš tai jau nesikankinčiau taip kaip jis, besistengdamas, kad ta nususisi prekyba neduotų man daugiau kaip aštuonis nuošimčius pelno. Tikriausiai mano, kad bus patrauktas atsakomybėn už lupikavimą, jei jo grynasis pelnas viršys aštuonis nuošimčius. Kokia gi ateitis, po galais, laukia žmogaus, kai jis pririštas tokiame mieste prie tokio verslo. Taip, perėmęs jo verslą, aš per metus taip viską patvarkyčiau, kad jam jau niekada nebereikėtų dirbti, tik kad jis viską atiduos bažnyčiai ar dar kam. Jei mane kas ir erzina, tai sumauti veidmainiai. Kurie įsivaizduoja, kad tai, ko neišmano, yra sukčiavimas ir kad dorovinė jų pareiga – pirmai progai pasitaikius pasakyti dar ir trečiam asmeniui apie tai, kas nėra jų reikalas. Aš ir sakau: jeigu visąlaik, kai žmogus padaro ką nors, ko aš nesuprantu, manyčiau, kad jis sukčius, man būtų nesunku surasti tose jūsų knygose šį bei tą, kas jums nepasirodytų labai jau būtina papasakoti trečiam asmeniui, ypač jei aš žinau, kad jis nutuokia apie tai kur kas daugiau nei aš, o jei ir nenutuokia, vis tiek tai ne mano sumautas reikalas, o jis ir sako: „Mano knygos atviros visiems. Kiekvienas, turintis dalį mano versle ar manantis ją turįs, gali bet kada ateiti jų patikrinti".

– Aišku, jūs nieko jai nepasakysit, – tariau. – Jums sąžinė neleis. Jūs paliksite jai spręsti apie viską pačiai. O pats nieko nepasakysit.

– Aš neketinu kištis į tavo reikalus, – sako jis. – Žinau, kad negavai kai kurių dalykų, kuriuos gavo Kventinas. Bet tavo motinos gyvenimas irgi nebuvo laimingas, ir jeigu ji čionai ateitų ir paklaustų manęs, kodėl tu išėjai iš verslo, turėčiau jai pasakyti. Ir ne dėl to tūkstančio dolerių. Tu tai žinai. O todėl, kad žmogus niekad nieko nepasiekia, jei faktai ir tas, kas parašyta jo knygose, nesutampa. Ir aš neketinu meluoti niekam nei dėl savęs, nei dėl ko nors kito.

– Ką gi, – sakau jam. – Regis, ta jūsų sąžinė – vertingesnis tarnautojas nei aš, jai nereikia nueiti namo papietauti. Tik neleiskit jai kištis į mano apetito reikalus, – sakau, nes kaipgi, po velnių, galėčiau ką nors dorai nuveikti su ta prakeikta šeimynėle, kai dar ir ji visai nesistengia jos prižiūrėti, kaip ir visų kitų, kaip ir tąkart, kada pamatė vieną jų bučiuojant Kedę, o visą kitą dieną vaikščiojo po namus apsivilkusi juodą suknią, nusileidusi ant veido šydą, ir netgi tėtis negalėjo ištraukti iš jos nė žodžio: tik verkė ir vis kartojo, kad jos maža mergaitė mirė, o Kedei tada buvo maždaug penkiolika; tai kas gi būtų atsitikę po trejų metų, kai tokie tempai, – dėvėtų ašutinę ir gal net ką nors iš švitrinio popieriaus. Ar, jūsų galva, galiu leisti, kad ji šlaistytųs gatvėmis su kiekvienu atvykusiu miestan komivojažeriu, sakau, ir kad paskui jie pasakotų pakelėse vieni kitiems, kur galima nutverti karštą uodegą užsukus į Džefersoną. Nesu labai išdidus, negaliu sau to leisti, kai virtuvė pilna negrų, kuriuos reik išmaitinti, ir kai turiu apvogti valstijos beprotnamį neatiduodamas naujos pažibos. Mėlynas kraujas, sakau, gubernatoriai ir generolai. Pašėlusiai šaunu, kad mūsų giminėje niekad nebuvo jokių karalių arba prezidentų: dabar visi gaudytume drugelius Džeksone. Būtų buvę nekas, sakau, jei pats būčiau ją prigyvenęs, bet tuomet bent jau būčiau tikras, kad ji tiesiog nesantuokinė, o dabar net patsai Viešpats tikriausiai nėra dėl to tikras.

Neilgai trukus išgirdau, kaip užgrojo tas orkestras, ir jie visi po truputėlį išsinešdino. Visi traukė į tą teatrą. Derasi dėl sąmato už dvidešimt centų, kad sutaupytų penkiolika ir atiduotų juos saujelei jankių, kurie čionai atvyksta ir sumoka tik kokius dešimt dolerių už leidimą pasirodyti. Nuėjau į užpakalinį kiemą.

– Na, – sakau. – Jeigu šitaip skubėsi, tas varžtas įaugs tau į ranką. Tada man teks numušti jį kirviu. Kaip manai, kuo gi mis medvilnės straubliukai, jei nesuskubsi su kultivatoriais ir jie neišaugins jiems derliaus? – klausiu. – Gal kiečiais?

– Ir vis dėlto puikiai tie vyriukai groja trimitu, – atsako man senukas Džobas. – Girdėjau, kad ten yra vienas, kuris gali pagroti pjūklu. Ir groja juo kaip bandža.

– Klausyk, – sakau jam. – Ar žinai, kiek tas teatras sumokės miestui? Apie dešimt dolerių. Bakas Terpinas jau dabar turi tuos dešimt dolerių kišenėje.

– Už ką gi jie duoda ponui Bakui tuos dešimt dolerių? – klausia jis.

– Už leidimą čia pasirodyt, – paaiškinau. – O likusios jų išlaidos sutilptų tavo akyje.

– Jūs manot, kad jie sumoka dešimt dolerių tik tam, kad galėtų čia vaidinti?

– Tik tiek, – sakau. – O kiekgi tu manei...

– Jergutėliau, – sako jis. – Vadinas, jiems reikia mokėti už tai, kad čia vaidina? Aš mielai sumokėčiau dešimt dolerių, jei tik turėčiau, kad pamatyčiau, kaip tas vyriuks griežia pjūklu. Taigi ryt rytą aš vis dar būsiu skolingas jiems devynis dolerius ir septyniasdešimt penkis centus.

Ir tada jankiai kvaršins jums galvą, kad negrai daro pažangą. Leiskite jiems daryti pažangą, sakau. Leiskite jiems pažengti tiek, kad netgi su policijos šunim nerastumėt nė vieno jų į pietus nuo Luisvilio. Nes kai pasakiau jam, kad per šeštadienio vakarą jie susirinks iš apygardos mažiausiai tūkstantį dolerių ir išsinešdins, jis man ir sako:

– Man negaila. Aš galiu sau leisti išleisti dvidešimt penkis centus.

– Dvidešimt penkis centus? Nė velnio! – sakau. – Tai dar ne pabaiga. Tu užmiršti tuos dešimt ar penkiolika centų, kuriuos išleisi už sumautą dviejų centų saldainių dėžutę ar dar ką. O laikas, kurį sugaišti dabar, klausydamasis to orkestro.

– Tikra teisybė, – sako. – Jei išgyvensiu iki vakaro, jie išsineš iš miesto dvidešimt penkiais centais daugiau, tai jau tikrai.

– Vadinas, tu kvailys, – sakau.

– Ką gi, – atsakė. – Aš nesiginčysiu. Jeigu tai nusikaltimas, ne visi kaliniai bus negrai.

Ir būtent tuomet aš netyčia pakėliau akis, pažvelgiau į gatvelę ir pamačiau ją. Žingtelėjau atgal pažiūrėti į laikrodį, todėl nepamačiau, su kuo ji. Buvo lygiai pusė trijų – keturiasdešimt penkios minutės iki to laiko, kai kas nors, išskyrus mane, galėjo tikėtis sutikti ją gatvėje. O kai pažvelgiau pro duris, pirmiausia į akis krito jo raudonas kaklaraištis, ir aš sau pagalvojau: koks gi vyras, po galais, išdrįstų pasirišti tokį raudoną kaklaraištį. Tačiau ji slinko vogčia ta gatvele, žiūrėdama į mano duris, tad apie jį aš visai ir negalvojau, kol jie pradingo iš akių. Kita mintis man sukosi galvoj: negi ji taip manęs negerbia, kad ne tiktai paspruko iš pamokų, kai aš jai uždraudžiau, bet dar pro parduotuvę sliūkina, išdrįsdama patekti man po akių. Nors manęs ji matyti negalėjo, nes saulė plieskė tiesiai į duris ir įžvelgti jose ką nors buvo tas pats, kas stengtis įžiūrėti ką spiginant automobilio žibintams, tad aš stovėjau ir spoksojau, kaip ji eina pro šalį: veidas išmaliavotas kaip kokio klouno, plaukai sulipinti ir susukti, o suknelė tokia, kad jeigu mano jaunystės metais moteris būtų pasirodžiusi su tokia netgi Gajoso ar Byl* gatvėje, su tokiu menku daiktu, dengiančiu kojas ir sėdynę, ji būtų patupdyta cypėn. Trauk mane velniai, jeigu jos šitaip rengiasi ne tam, kad sukeltų norą visiems pro šalį einantiems vyrukams patapšnoti joms per tą vietą. Tad aš stoviu ir galvoju, koks gi čia šmikis galėtų pasirišti tokį raudoną kaklaraištį, kaip staiga man tik topt, aiškiai, tarsi pati ji būtų man pasakiusi, kad tai bus vienas iš tų artistų. Ką gi, aš daug galiu ištverti, jei negalėčiau, seniai jau būčiau įklimpęs į kebeknes, tad vos tik jie užsuko už to kampo, šokau lauk ir nusekiau jiems įkandin. Man – be skrybėlės, per pačią kaitrą – tenka sekioti paskui juos gatvelėmis saugant gerą savo motinos vardą. Kaip aš ir sakau, su tokia moterim nieko nepadarysi, jei ji kiaurai tuo persiėmusi. Kai šitai įsigėrę jai į kraują, nieko su ja nepadarysi. Vienintelis įmanomas dalykas – atsikratyti jos, paleisti pas tokius kaip ji.

Nuėjau iki gatvės, bet jų jau nė kvapo. O aš taip stoviu, be skrybėlės, tarytum irgi būčiau beprotis. Savaime suprantama, visi taip ir pamanytų: vienas beprotis, antras nusiskandino, trečią vyras išvijo iš namų, vadinasi, ir visi kiti tokie. Aš visąlaik matau juos stebint mane tarsi paukštvanagius, laukiant progos ištarti Ką gi, manęs tatai nestebina, aš ir tikėjaus to, juk jų visa šeimyna – bepročiai. Pardavėm žemę kad pasiųstume jį į Har-

*Viešnamių kvartalas Memfyje, Tenesio valstijoje.

vardą o patys mokam mokesčius palaikyti valstijos universitetą kurį mačiau tik du kartus per beisbolo rungtynęs ji uždraudė ištarti namuose savo dukters vardą o tėvas galiausiai išvis nebeišeidavo į miestą tiktai sėdėdavo kiauras dienas svetainėj su ropine matydavau jo naktinių palą ir plikas kojas ir girdėdavau skimbčiojant tą ropinę kol galiausiai pats jau nebeįstengė įsipilti ir tai daryti tekdavo Ti Pi, o ji dar sako Tu negerbi tėvo atminimo o aš sakau Kaipgi ne jis be jokiausios abejonės ilgam užsikonservavo alkoholyje tik jeigu ir aš esu beprotis tai vienas Dievas težino kaip šitai pasireikš nes vien žiūrėjimas į vandenį mane jau vimdo ir aš veikiau benzino stiklinę išgerčiau negu viskio o Lorenė ir sako jiems Gal jis ir negeria bet jei jūs netikite kad jis vyras aš pasakysiu jums kaip sužinoti ji sako Jei aš kada pagausiu tave linksminantis su viena iš tų kekšių žinai ką padarysiu sako aš aptalžysiu ją talžysiu tol kol pajėgsiu sako o aš sakau Jei negeriu tai mano reikalas bet argi tau kada esu gailėjęs sakau nupirksiu tau tiek alaus kad išsimaudyti jame galėsi jei nori nes dorą ir garbingą kekšę aš labai gerbiu nes kai mamos tokia sveikata kai stengiuosi išsaugoti čia savo padėtį kad ji šitaip negerbtų to ką aš stengiuosi jai padaryti ir valkiotų po miestą savo mano ir mano motinos vardą.

Ji kažkur dingo iš akiračio. Pamatė mane ateinant ir šmurkštelėjo į kitą gatvelę, laksto sau šunkeliais pirmyn atgal su tuo sumautu cirkininku, pasirišusiu raudoną kaklaraištį, į kurį bet kas pažiūrėjęs pagalvos: ir koks gi pašlemėkas gali pasirišti tokį raudoną kaklaraištį. Taigi tas telegrafo pasiuntinukas kažką man kalba neatstodamas, tad aš nesąmoningai paėmiau tą telegramą. Atsitokėjau tik tada, kai ją pasirašiau ir atplėšiau nieko nepaisydamas. Regis, žinojau visą laiką, koks bus jos turinys. Tik šito ir reikėjo laukti, juolab kad jau įmokėjau čekį į banko knygelę.

Nesuprantu, kaip miestas, ne didesnis už Niujorką, gali turėti pakankamai žmonių, kad melžtų pinigus iš tokių varganų provincijos žinduklių kaip mes. Lieji prakaitą iki sutemų kiekvieną dieną, siunti jiems savo pinigus, o paskui gauni skiautę popieriaus: Jūsų sąskaita uždaryta esant kursui 20,62. Jie tyčiojasi iš tavęs, leidžia tau neva gauti šiokios tokios naudos, o paskui – paukšt! Jūsų sąskaita uždaryta esant kursui 20,62. Ir tarsi to dar būtų negana, tu moki po dešimt dolerių per mėnesį kažkam, kad jis tau pasakytų, kaip greičiau prarasti savo pinigus: arba jie nieko neišmano, arba slapta susibaudė su ta telegrafo kompanija. Ką gi, teks su jais užraukti. Tai paskutinis kartas, kai jie mane apsuko. Bet kuris kvailys, išskyrus tą, kurs leidžias apmulkinamas žydų, suvoktų, kad kainos turi kilti, kai visa ta suknista delta vėl patvino, o medvilnė buvo nušluota nuo žemės paviršiaus, kaip ir praėjusiais metais. Kas, kad ta upė metų metais nusineša žmogaus užaugintą derlių, – ten, Vašingtone, jie išleidžia per dieną po penkiasdešimt tūkstančių dolerių išlaikyti kariuomenei Nikaraugoj* ar dar kur. Aišku, kad delta vėl patvins, ir tada medvilnė kainuos jau trisdešimt centų už svarą. Kad bent kartą galėčiau smogti jiems ir atgauti savo pinigus. Pralobti aš nenoriu, tai tik šitų provincijos lošėjų iliuzijos, aš tenoriu susigrąžinti savo pinigus, tuos, kuriuos tie prakeikti žydai išviliojo su savo garantuota konfidencialia informacija. Ir tada – visam tam galas, galės man pabučiuoti į padus, kad aš jiems duočiau dar bent raudoną centą.

*Redaktorius Noelis Polkas naujajame pataisytame romano leidime grąžino Faulknerio mašinraštyje pavartotą formą: taip šį vietovardį taria Džeisonas.

Grįžau į parduotuvę. Buvo jau beveik pusė keturių. Ne kažin kiek laiko, kad dar ką spėčiau iki uždarymo, bet aš prie to jau pripratęs. Man nereikėjo mokytis to Harvarde. Orkestras liovėsi grojęs. Visi suėjo vidun, jiems jau nebereikės varginti plaučių. Erlas ir klausia:

– Jis tave surado? Ką tik buvo čionai užsukęs. Maniau, sukiesi čia pat.

– Taip, – sakau. – Gavau tą žinią. Jie negali per daug su ja uždelsti. Miestelis pernelyg jau mažas. Turiu išeiti valandėlei namo, – pridūriau. – Galite išskaičiuoti iš atlyginimo, jei jums nuo to geriau.

– Važiuok, – sako. – Susitvarkysiu ir pats. Tikiuosi, naujienos ne iš blogųjų.

– Gausit nueiti į telegrafą ir paklausti, – sakau. – Jie turi laiko viską jums papasakoti. Aš neturiu.

– Aš tik paklausiau, – sako jis. – Tavo motina žino, kad gali manimi pasikliauti.

– Ji bus labai dėkinga, – sakau. – Pasistengsiu neužgaišti.

– Neskubėk, – sako. – Aš pats susitvarkysiu. Važiuok.

Sėdau į mašiną, nuvažiavau namo. Kartą iš ryto, dusyk vidurdienį ir dabar vėl su ja tąsytis, lakstyt po visą miestą, paskui prašyti namie, kad duotų užkrimsti maisto, už kurį moku aš. Kartais ir pagalvoju – o kuriam galui. Po to, kas buvo, daryti šitai – gryna beprotybė. Tikriausiai ir dabar atvažiuosiu pačiu laiku, kad jie mane pasiųstų atvežti krepšio pomidorų ar dar ko, o paskui reikės grįžt į miestą tvoskiant kaip kamparo fabrikui, kad galva nesusprogtų ant pečių. Aš vis kartoju jai, kad tame aspirine nėra nieko, tik miltai ir vanduo tariamiems ligoniams. Jūs nežinote, kas yra galvos skausmas, sakau. Manot, aš

barškinčiaus tuo prakeiktu automobiliu, jei tai būtų mano va-
lia, sakau. Aš apsieičiau ir be jo, sakau, – išmokau apsieiti be
daugelio dalykų, bet jei jūs norit rizikuoti važiuodama tomis
sudilusiomis vežėčiomis su pienburniu negru, tebūnie, nes,
sakau, Dievas globoja tokius kaip Benas, Dievas žino, kad jis
privalo padaryt kažką jo labui, bet jei jūs manot, kad aš pati-
kėsiu tūkstančio dolerių vertės subtilų mechanizmą pienbur-
niui negrui ar net suaugusiam, tada verčiau pati jam ir nupir-
kit jį, nes, sakau, jums patinka važinėtis automobiliu, ir jūs
pati tai žinote.

Dilzė pasakė, kad ji viduj. Įžengiau į koridorių, pasiklausiau,
bet nieko neišgirdau. Užkopiau laiptais, bet vos tik praėjau pro
jos duris, ji mane pašaukė:

– Norėjau tik žinoti, kas eina, – sako. – Aš taip ilgai išbūnu
čia viena, kad kiekvieną garsą girdžiu.

– Jums nėra reikalo čia būti, – sakau. – Galėtumėte kiauras
dienas svečiuotis pas drauges, kaip daro kitos moterys, jei tik
norėtumėt.

Ji priėjo prie durų.

– Pamaniau, gal sunegalavai, – sako. – Taip skubėjai per
pietus.

– Kitąsyk jums labiau pasiseks. Ko pageidautumėt?

– Ar kas ne taip? – klausia.

– O kas galėtų būti ne taip? – sakau. – Ar negaliu pargrįžt
namo dar nesutemus, kad visi dėl to nenuliūstų?

– Ar matei Kventinę? – klausia.

– Ji mokykloje, – sakau.

– Jau po trijų, – sako. – Girdėjau mušant laikrodį prieš gerą
pusvalandį. Ji jau turėtų būti pargrįžusi.

– Turėtų? – klausiu. – Ar esat kada mačiusi, kad ji pargrįžtų nesutemus?

– Ji jau turėtų būti namie, – sako ji. – Kai aš buvau mergaitė...

– Jūs turėjote kas priverčia jus elgtis tinkamai, – sakau. – O ji neturi.

– Nieko negaliu su ja padaryti, – sako. – Mėginau jau daug kartų.

– O man kažin kodėl neleidžiate, – sakau. – Todėl dabar ir džiaukitės. – Ir nužingsniavau į savo kambarį. Palengva užsirakinau ir pastovėjau, kol ji pasuko rankeną. Paskui ji pašaukė:

– Džeisonai.

– Ką? – klausiu.

– Aš tik pamaniau, kad kažkas atsitiko.

– Tik jau ne man, – atsakiau. – Supainiojot adresą.

– Nenorėjau tau trukdyti, – sako ji.

– Malonu girdėti, – sakau. – Nebuvau dėl to tikras. Sakau, gal suklydau. Ar ko norėjote?

Po valandėlės ji atsakė:

– Ne, nieko.

Paskui nuėjo. Nusikėliau dėželę, perskaičiavau pinigus ir vėl ją paslėpiau, atrakinau duris ir išėjau iš kambario. Prisiminiau kamparą, bet dabar jau vis tiek bus per vėlu. Tik dar viena kelionė pirmyn atgal. Ji stovėjo prie savo durų ir laukė.

– Ar norite, kad parvežčiau ką nors iš miesto? – klausiu.

– Ne, – atsakė. – Nenoriu kištis į tavo reikalus. Bet nežinau, ką daryčiau, jei tau kas nors nutiktų, Džeisonai.

– Man viskas gerai, – sakau. – Tik šiek tiek galvą skauda.

– Kad bent aspirino išgertum, – sako. – Jei negali be tos mašinos.

– Kuo gi čia dėta mašina? – klausiu. – Kaip mašina gali įvaryti galvos skausmą?

– Tu juk žinai, kad nuo benzino tu visada sunegaluoji, – sako. – Nuo pat vaikystės. Norėčiau, kad išgertum aspirino.

– Norėkit ir toliau, – atsakiau. – Norėti nedraudžiama.

Sėdau į mašiną ir pasileidau atgal į miestą. Vos tik įvažiavau į gatvę, žiūriu – tiesiai į mane visu greičiu lekia fordas. Staiga ėmė stabdyti. Girdėjau slystant jo ratus, mašina nėrė šonan, pavažiavo atgal, staigiai apsisuko, ir vos aš spėjau pagalvoti, ką, po velnių, jie čia sumanė, kai išvydau tą raudoną kaklaraištį. Paskui atpažinau ir jos veidą, žvelgiantį atgal pro langą. Fordas įsuko į gatvelę. Mačiau, kaip jis pasuko dar kartą, bet kai privažiavau prie kampo, jau lėkė kaip pašėlęs ir buvo bedingstąs iš akių.

Pamačiau raudona. Kai atpažinau tą raudoną kaklaraištį, po viso, ką buvau jai sakęs, man viskas išdulkėjo iš galvos. Pamiršau net tą galvos skausmą, kol privažiavau pirmą sankryžą ir gavau sustoti. O mes dar mokame krūvas pinigų keliams prižiūrėti, ir velniai griebtų, jei ne per gofruotos geležies stogą važiuojame. Kažin kaip žmogus galėtų pavyti tokiu keliu kad ir karutį. Aš pernelyg branginu savo mašiną ir neketinu sumalti jos į šipulius, tarsi ji būtų koks fordas. Beje, jie tikriausiai jį pavogė, tai jiems nė motais jį saugoti. Kaip aš ir sakau, kraujas visada išduoda. Kai turi tokį kraują, padarysi bet ką. Aš sakau, kad ir kokių pretenzijų ji jums turėtų, jos jau nebegalioja; nuo šiol, sakau, galėsit kaltint tik save, nes žinote, ką padarytų kiekvienas sveiko proto turintis žmogus. Sakau, jei man jau reikia praleisti pusę savo laiko kaip detektyvui, tai bent jau eisiu ten, kur man už šitai sumokės.

Taigi stoviu prie sankryžos. Ir staiga prisiminiau savo galvą. Rodės, tarytum kas daužytų ją plaktuku iš vidaus. Aš stengiausi apsaugot jus nuo jos keliamų rūpesčių, sakau, dėl manęs teeina ji kuo greičiau po velnių, jei jau taip nori, ir kuo greičiau, tuo geriau. Sakau, ko gi jūs dar tikitės iš jos, išskyrus tai, kad ji eis su kiekvienu suskiu komivojažeriu ir gatvės komediantu, kurie tik užsuka į miestą, jei net tie miesto pienburniai nuo jos nusisuka. Jūs nežinote, kas ten dedasi, sakau, jūs negirdite kalbų, kurias girdžiu aš, ir, galite būti tikra, jas tildau. Mano giminė čia turėjo vergų, sakau jiems, kai jūs turėjote tik nususias kaimo krautuvėles ir buvot dalininkais žemės, į kurią net negras nepažvelgtų.

Jeigu išvis jie čia ūkininkavo. Visa laimė, kad Viešpats pasirūpino šituo kraštu, nes žmonės, kurie čia gyvena, niekada piršto nepakrutino. Penktadienio popietė, ir regiu nuo čia tris mylias net nepaliestos žemės, o visi galintys ją dirbti apygardos vyrukai stirkso tame spektaklyje mieste. Mano vietoje galėjo atsidurti mirštantis iš bado atvykėlis, o aplinkui – nė gyvos dvasios paklausti kelio miestan. O ji dar bruka man tą aspiriną. Aš ir sakau jai: miltinius patiekalus valgau tik prie stalo. Jūs, sakau, visąlaik kartojat mums, kiek daug dėl mūsų atsisakote, o galėtumėte nusipirkti dešimt naujų suknelių per metus už pinigus, kuriuos išleidžiate tiems savo suknistiems patentuotiems vaistams. Man reikia ne vaistų nuo galvos skausmo, o pertraukos jai pailsinti, bet kol man tenka dirbti dešimt valandų per dieną, kad išmaitinčiau pilną virtuvę negrų, kaip jie pripratę, ir dar siųsti juos į spektaklį drauge su kitais apygardos negrais, – tik kad jisai jau pavėlavo. Kai ten nuvyks, viskas bus pasibaigę.

Netrukus jis susilygino su mano mašina, aš jo ir klausiu, ar neprasilenkė su dviem žmonėmis, važiuojančiais fordu, galiausiai jo makaulė suvokė, ko klausiu, ir jis pasakė „taip". Tada trūktelėjau ir, privažiavęs posūkį į šunkelį, išvydau padangų pėdsakus. Ebas Raselas darbavosi savo sklype, bet aš negaišau laiko jį klausinėdamas ir, vos tik pravažiavęs jo klojimą, išvydau tą fordą. Tai šitaip jie mėgino jį paslėpti. Sumaniai, kaip ir visa, ką ji darydavo. Kaip aš ir sakau, mane siutina ne tai, gal ji tiesiog be to negali, mane siutina, kad jai net nešauna į galvą, jog ji privalo būti apdairi iš pagarbos savo šeimai. Aš visąlaik bijau, kad užklupsiu juos kur nors vidury gatvės ar aikštėje po vežimu, kaip šunų porą.

Sustabdžiau mašiną ir išlipau. O dabar reikėjo apeiti išartą lauką, vienintelį, kurį mačiau įdirbtą nuo tada, kai išvažiavau iš miesto; einu ir sulig kiekvienu žingsniu jaučiu, tarsi kažin kas eitų greta manęs ir kaukšėtų man per galvą lazda. Einu ir galvoju: kai apeisiu tą lauką, bent jau lygiu paviršiumi žingsniuosiu, nepasišokčiodamas sulig kiekvienu žingsniu, tačiau kai įžengiau į mišką, jis buvo tiek priaugęs krūmokšnių, kad teko kilpuoti aplink juos, kol priėjau griovį, priaugusį erškėčių. Einu palei jį, einu, bet krūmai daros vis tankesni, tankesni, o Erlas tikriausiai jau skambina be paliovos į namus ir klausia, kur aš, vėl keldamas nerimą mamai.

Kai galiausiai išsigavau iš tų erškėčių, regis, buvau tiek kartų apsisukęs, kad turėjau sustoti ir gerai pagalvoti, kurgi galėtų būti tas automobilis. Žinojau, kad jie bus prie pat jo, kur nors po artimiausiu krūmu, tad apsisukau ir vėl nužingsniavau prie kelio. Paskui jau nebesuvokiau, kaip toli nuo jų esu, tad tekdavo stabtelėti ir įsiklausyti, o kadangi kojos nebevarinėjo kraujo, jis

visas suplūsdavo į galvą, ir, rodės, ji tuoj tuoj sprogs, saulė nusi-
leido lygiai tiek, kad šviestų man tiesiai į akis, o ausyse spengė
taip, kad nieko negirdėjau. Žengiu toliau, stengdamasis daryti
tai labai tyliai, paskui išgirdau lojant šunį ar dar ką ir supratau:
kai jis mane užuos, atlėks baisingai lodamas, – ir viskam galas.

Buvau aplipęs erškėčių dygliais, šapais, visokiomis šiukšlė-
mis, jų pribyrėjo man už drabužių, į batus, visur, o kai pakėliau
akis, išvydau, kad mano ranka įsitvėrusi į nuodingo ąžuolo la-
pus. Keista, kad tai buvo tik nuodingas ąžuolas, o ne gyvatė ar
dar kas. Tad netgi nepasivarginau jos atitraukti. Tiesiog stovė-
jau, kol tas šuo nubėgo. Paskui patraukiau tolyn.

Dabar jau visai nenutuokiau, kur galėjo būti tas automobilis.
Negalėjau galvoti apie nieką kita, tik apie savo galvą, ir taip
sustoju kur nors ir tarsi klausiu savęs, ar iš tikrųjų mačiau kaž-
kokį fordą, ir man jau buvo nebesvarbu, mačiau ar ne. Kaip aš
ir sakau, te ji sau guli kiaurą dieną ir kiaurą naktį su visais
mieste, kas dėvi kelnes, man tas pats. Kas man darbo tie, kurie
manęs negerbia ir kam nė motais pastatyti čia tą fordą ir pri-
versti mane sugaišti čia visą popietę, kai Erlas gali pasivedėti ją
į parduotuvės galą ir parodyti tas knygas jau vien todėl, kad jis
šiam pasauliui per dorybingas. Sakau, jums bus velnioniškai
nuobodu dausose, kai nebegalėsit kišti nosies į niekieno reika-
lus, tik nesileisk mano pagaunama, sakau, aš nekreipiu dėme-
sio į tai dėl tavo senelės, bet tiktai pamėgink tai padaryti mano
motinos namuose. Tie nususę pliuškeliai prilaižytais plaukais
mano, kad jie gali patį velnią, aš jiems dar parodysiu, kas yra
velnias, ir tau taip pat. Aš taip jam parodysiu, kad jis išvys tą
savo raudoną kaklaraištį ant pragaro vartų, jei mano galįs laks-
tyti po miškus su mano dukterėčia.

Saulė spigina į akis, kraujas taip pulsuoja smilkiniuose, kad, rodos, galva tuoj plyš ir viskas tuo ir baigsis, o erškėčiai ir visos šiukšlės vis kimba man į drabužius, paskui priėjau tą smėlio griovį, kur jie ir buvo, atpažinau tą medį, po kuriuo stovėjo automobilis, ir vos tik išsikeberiojau iš to griovio ir ėmiau bėgti, girdžiu, kaip mašina pajudėjo iš vietos. Garsiai pypdama ji žaibiškai nurūko pro šalį. Jie nesiliovė rikdę tos sirenos, tarsi ji klyktų Haa. Haa. Haaaaaa, dingdama iš akių. Spėjau išeiti į kelią kaip tik tuomet, kai mašina išnyko iš akių.

Kai priėjau prie savo mašinos, jie jau buvo pradingę iš akių, bet sirena vis dar gaudė. Man net nedingtelėjo, aš tiktai kartojau Nagi dumk, dumk. Grįžk į miestą. Grįžk namo ir pamėgink įtikinti mamą, kad aš tavęs nemačiau toje mašinoje. Pamėgink ją įtikinti, kad aš nežinau, su kuo tu buvai. Pamėgink ją įtikinti, kad man nepristigo vos dešimties pėdų, kad jus pagaučiau tame griovyje. Ir pamėgint ją įtikinti dar tuo, kad jūs stovėjote.

Sirena vis dar gaudė. Haaaaa. Haaaaaa. Haaaaaaaaaaaaaaa, tolydžio silpnėdama. Paskui nutilo, ir aš išgirdau, kaip Raselo klojime ėmė baubti karvė. Man vis dar nedingtelėjo. Nužingsniavau prie durelių, atvėriau jas, pakėliau koją. Lyg ir pasirodė, kad mašina palinko kiek daugiau, nei turėtų pagal kelio nuolydį, bet taip to ir nesuvokiau, kol užvedžiau motorą.

Sėdžiu kaip sėdėjęs. Artėja saulėlydis, o miestas – už penkių mylių. Jiems pristigo drąsos net ją pradurti, padaryti joje skylę. Jie tik orą išleido. Sėdėjau ir galvojau valandėlę apie tą negrų pilną virtuvę: nė vienas jų nerado laiko uždėti padangą ant ramsčio ir įsukti porą varžtų. Tai atrodė keistoka, nes netgi ji nebūtų galėjusi numatyti tiek į priekį, kad tyčia būtų nukniaukusi pompą, nebent tai šovė jai į galvą tada, kai jis leido lauk orą. Nors tikriausiai kas nors ją paėmė dar prieš tai ir davė Benui pažaisti kaip su vandens pistoletu, nes jie ir visą mašiną išardytų iki paskutinio varžto, jei jis to užsigeistų, o Dilzė dar sakys: niekas to jūsų automobilio nelietė. Ką mes su juo darytume? O aš jai ir pasakysiu: tau pasisekė, kad tu negrė, ar žinai tai? Aš mielai bet kada pasikeisčiau su tavim vietom, nes tik baltasis gali būti toks kvailas, kad gadintų sau kraują dėl to, ką daro ta kekšelė.

Nuėjau pėsčias iki Raselo namų. Pompą jis turėjo. Tai ir buvo jų neapsižiūrėjimas, manau. Tik aš vis dar negaliu patikėti, kad ji šitaip sujžūlėjo. Tai niekaip neišėjo man iš galvos. Nežinau kodėl, bet aš niekaip negaliu įtikėti tuo, kad moteris gali viską. Mintys vis sukosi galvoje: gerai, pamirškime valandėlei, ką aš jaučiu tau ir ką tu jauti man – aš paprasčiausiai niekada nebūčiau šitaip su tavim pasielgęs. Aš niekada nebūčiau su tavim taip pasielgęs, kad ir ką tu būtum man padariusi. Nes, kaip aš ir sakau, kraujas yra kraujas, ir čia nieko nepadarysi. Ir visa bėda ne tai, kad iškrėtei man pokštą, kurį galėtų sumanyti bet kuris aštuonerių metų berniūkštis, o tai, kad leidai išjuokti savo dėdę vyrui, kuris gali pasirišti raudoną kaklaraištį. Jie atsibasto į miestelį, visus mus laiko kaimo jurgiais ir mano, kad jiems jis per mažas užsibūti. Kas teisybė, tas teisybė, jis net nenutuokia, kad jam neteks čia užsibūti. Ir ji taip pat. Jei toks jos supratimas, tegu sau eina, laimingos kelionės.

Sustabdžiau mašiną, atidaviau Raselui pompą ir nuvažiavau į miestą. Užsukau į vaistinę, išgėriau kokakolos, paskui nuėjau į telegrafą. Prieš biržos uždarymą kursas nukrito iki 20,21, keturiasdešimt punktų. Keturiasdešimt kartų po penkis dolerius;

nusipirk ką už juos, jeigu gali, ir ji man sakys: man jų reikia, man jų labai reikia, o aš atsakysiu: apgailestauju, kreipkis kitur, aš nebeturiu pinigų, pernelyg jau stengiausi jų išlošti.

Aš tiktai pažiūrėjau į jį.

– Aš pasakysiu jums naujieną, – tariau. – Jūs nustebsite sužinojęs, kad aš domiuosi medvilnės rinka, – sakau. – Jums tai niekada net nebuvo šovę į galvą, tiesa?

– Aš nėriausi iš kailio, kad jums praneščiau, – aiškina jis. – Du kartus skambinau į parduotuvę, paskui į namus, bet niekas nežinojo, kur jūs, – ir kniausiasi po stalčių.

– Praneštumėt ką? – klausiu.

Jis padavė man telegramą.

– Kada ją atsiuntė? – klausiu.

– Maždaug pusę keturių, – sako.

– O dabar dešimt po penkių, – sakau.

– Aš stengiausi ją pristatyti, – sako jis. – Bet neradau jūsų.

– Juk aš dėl to nekaltas, tiesa? – pasakiau. Atplėšiau tik tam, kad pažiūrėčiau, ką gi dabar jie sumeluos. Jie, matyt, vos suduria galą su galu, jei atsibeldė visą tą kelią iki Misisipės, kad galėtų nuvogti po dešimt dolerių per mėnesį. Parduokit, buvo parašyta telegramoje. Rinka bus nepastovi, bendra tendencija – smukimas. Nepulkit į paniką dėl valdžios pranešimo.

– Kiek galėtų kainuoti tokia telegrama? – klausiu.

Jis man atsakė.

– Jie už ją sumokėjo, – pridūrė.

– Vadinasi, tiek aš jiems ir skolingas, – sakau. – Aš jau žinojau tai. Pasiųskite štai šitai jų sąskaita, – sakau imdamas blanką. Ir parašiau: Pirkite, rinka tuoj sprogs. Nedideli svyravimai, kad būtų pagauti ant kabliuko dar keli provincijos žindukliai, nespėję užsukti į telegrafą. Nepanikuokite. – Pasiųskite tai jų sąskaita, – pasakiau.

Jis pažvelgė į telegramos tekstą, paskui į laikrodį.

– Birža užsidarė prieš valandą.

– Ką gi, – sakau. – Ir dėl to aš nekaltas. Ne aš tai sugalvojau, aš tik nusipirkau kelias akcijas, turėdamas iliuzijų, kad telegrafas laiku informuos mane, kas ten vyksta.

– Mes paskelbiame suvestinę, kai tik ji ateina, – pasakė jis.

– Žinoma, – sakau. – O Memfyje ji užrašoma ant lentos kas dešimt sekundžių, – sakau. – Šią popietę iki jo man trūko tik šešiasdešimt septynių mylių.

Jis pažvelgė į telegramą.

– Tai jūs dar norit ją pasiųsti? – paklausė.

– Dar nepakeičiau savo nuomonės, – sakau. Parašiau dar vieną ir atskaičiavau pinigus. – Iš šitą taip pat, jei esat tikras, kad sugebėsit taisyklingai parašyti p-i-r-k-i-t.

Grįžau į parduotuvę. Gatvės gale griaudė tas balagano orkestras. Sausas įstatymas – puikus dalykas. Anksčiau jie atvažiuodavo šeštadieniais: viena batų pora visai šeimai, – ją avėdavo pats – ir eidavo iki siuntinių kontoros pasiimti savo užsakymo; o dabar visi eina basi tiesiai į spektaklį, o prekijai stovi tarpduriuose kaip narvuose išsirikiavę tigrai ar kokie kiti gyvūnai ir žiūri, kaip jie eina pro šalį. Erlas sako:

– Tikiuosi, nieko rimta neatsitiko.

– Ką? – paklausiau. Jis pažvelgė į savo laikrodį. Paskui nuėjo prie durų sutikrinti su teismo rūmų laikrodžiu. – Jums reiktų nusipirkti laikrodį už dolerį, – sakau. – Tada nebus taip brangu manyti, kad jis visąlaik neteisingai rodo.

– Ką? – paklausė jis.

– Nieko, – sakau. – Tikiuosi, nesudariau nepatogumų.

– Darbo buvo nedaug, – sako. – Visi nuėjo į spektaklį. Viskas gerai.

– O jeigu ne, – sakau, – tai žinote, kaip galite pasielgti.

– Aš juk pasakiau, kad viskas gerai, – sako.

– Girdėjau, – sakau. – O jeigu ne, tai žinote, kaip galit pasielgti.

– Ar nori išeiti iš darbo? – klausia.

– Tai ne mano reikalas, – sakau. – Mano norai neturi jokios reikšmės. Tik jau neįsivaizduokit, kad, laikydamas savo parduotuvėje, mane globojate.

– Tu būtum geras verslininkas, Džeisonai, jeigu norėtum, – sako.

– Aš bent jau sugebu dirbti savo darbą ir nesikišti į kitų reikalus, – sakau.

– Nežinau, kodėl tu taip prašaisi atleidžiamas, – sako. – Juk žinai, kad gali bet kada pasitraukti, ir mudu išsiskirtume gražiuoju.

– Gal kaip tik dėl to ir lieku, – sakau. – Kol dirbu, tol jūs man mokat ne už dyka.

Nuėjau į galinį kambarį, gurkštelėjau vandens, paskui priėjau prie užpakalinių durų. Džobas galiausiai baigė plūktis su kultivatoriais. Čia buvo tylu, ir netrukus man galva atlėgo. Girdėjau, kaip jie uždainavo tame balagane, paskui vėl užgrojo orkestras. Ką gi, tegu susirenka sau visas dvidešimt penkių ir dešimties centų monetas šitoj apygardoj – ne mano bėda. Aš savo jau padariau. Žmogus, nugyvenęs tiek kiek aš ir nežinantis, kada laikas baigti, – kvailys. Juolab kad tai ne mano reikalas. Jeigu ji būtų mano duktė, tai būtų kitas reikalas, jai neužtektų tam laiko: turėtų darbuotis, kad pamaitintų tuos mūsų luošius, idiotus ir negrus, nes kaipgi aš išdrįsčiau atvesti į namus ką nors. Aš pernelyg gerbiu žmones, kad taip daryčiau. Aš vyras ir galiu šitai ištverti, tai mano kūnas ir kraujas, ir aš norėčiau pamatyti, kokios spalvos bus akys to žmogaus, kuris nepagarbiai kalbės apie moterį – mano draugę, o tos prakeiktos dorovingosios taip ir daro, norėčiau pamatyti bent vieną iš tų dorų parapijiečių, kuri būtų bent per pusę sąžininga kiek Lorenė, nesvarbu, kekšė ji ar ne. Kaip aš ir sakau, jei susirengčiau vesti, jūs sprogtumėte iš jausmų pertekliaus, ir jūs tai puikiai žinote, o ji man – aš noriu, kad tu būtum laimingas, sukurtum šeimą, o ne visą gyvenimą tarnautum mūsų labui kaip vergas. Greitai manęs jau nebebus, ir tada tu galėsi vesti, tik kad savęs vertos moters tu niekada nerasi, o aš sakau: kodėl gi ne, tikrai jau rasiu. Tik kad jūs apsiverstumėt grabe, pati tai žinote. Ne, ačiū, sakau, man pakanka tų moterų, kurias turiu išlaikyti, o jeigu vesčiau, mano žmona tikriausiai pasirodytų besanti narkomanė ar panašiai. Tik to betrūko mūsų šeimoje, sakau.

Saulė jau nusileido už metodistų bažnyčios, o balandžiai suka ratus aplink varpinę, ir kai orkestras liaudavosi grojęs, išgirsdavau juos burkuojant. Nuo Kalėdų dar nė keturių mėnesių nepraėjo, o jų beveik tiek pat kiek ir anksčiau. Tikriausiai net ir pastoriui Voltholui jų jau per akis. Iš jo prakalbų ir to, kaip jis stvėrė vieno žmogaus šautuvą, kai šis taikėsi į juos, pamanytum, kad mes šaudome į žmones. Visi tie postringavimai apie taiką žemėje, apie gerą valią ir kad nė žvirblis nenukristų žemėn*. Bet jam visai nerūpi, kiek jų prisiveisia: jis juk nedirba, tai jam nė motais, ką rodo laikrodis. Mokesčių jis nemoka,

*Žr. Mt 10, 29.

William Faulkner

tai jam nereikia žiūrėti, kaip kasmet jo pinigai nueina teismo rūmų laikrodžiui išvalyti, kad rodytų deramai. Tąsyk jiems teko sumokėti tam žmogui už darbą keturiasdešimt penkis dolerius. Suskaičiavau ant žemės daugiau kaip šimtą pusiau išperėtų balandžiukų. Sakytum, jie turi pakankamai sveiko proto, kad išskristų iš miesto. Sakyčiau, gerai, kad niekas manęs nesaisto, kad esu laisvas kaip balandis.

Orkestras užgrojo vėl, pliekia visu smarkumu, kaip prieš pabaigą. Tikriausiai dabar jie jau patenkinti. Tikriausiai jiems pakaks tos muzikos, kad neliūdėtų važiuodami namo visas keturiolika ar penkiolika mylių, paskui patamsy iškinkydami kinkinius, šerdami gyvulius ir melždami karves. Jiems tereikės pašvilpaut tas melodijas, papasakoti matytus pokštus gyvuliams klojime ir tada galės paskaičiuoti, kiek sutaupė nepasiėmę į spektaklį dar ir gyvulių. Tarkim, jeigu žmogus turi penkis vaikus ir septynis mulus, tai nusivežęs šeimą į spektaklį jis sutaupo ketvirtį dolerio. Tik tiek tos gudrybės. Grįžo Erlas su dviem paketais.

– Štai dar užsakymai, kuriuos reikia išsiųsti, – sako. – Kur dėdė Džobas?

– Tikriausiai išėjo į spektaklį, – sakau. – Nuo jo, žiūrėk, tik nenuleisk akių.

– Jis neišsisukinėja, – sako Erlas. – Galiu juo pasikliauti.

– Ne taip kaip manimi? – klausiu.

Jis nuėjo prie durų ir iškišo galvą pasiklausyti.

– Geras orkestras, – sako. – Regis, tuoj baigs.

– Nebent ketintų praleisti čia naktį, – sakau.

Sukruto kregždės, ir žvirbliai jau pradėjo kelti turgų medžiuose teismo rūmų kieme. Kartkartėmis būrelis jų apsukdavo virš stogo ratą ir dingdavo. Mano galva, jie tokie pat atgrasūs kaip ir balandžiai. Dėl jų negali net pasėdėti teismo rūmų sode. Vos tik spėji įsitaisyti – klept! Tiesiai ant skrybėlės. Bet turi būti milijonierius, kad sau leistum juos šaudyti, kai vienas šūvis – penki centai. Jei jie padėtų bent šiek tiek nuodų šitoje aikštėje, atsikratytų jais per vieną dieną, nes jeigu prekijas negali nužiūrėti, kad jo paukščiai nelakstytų po visą aikštę, verčiau tegu pardavinėja ne viščiukus, o kitus dalykus, kuriems nereikia lesti, pavyzdžiui, plūgus ar svogūnus. O jeigu šeimininkas nesuturi savo šunų, vadinasi, jis arba jų nenori, arba jam nedera jų laikyti. Kaip aš ir sakau, jeigu visi reikalai mieste tvarkomi taip kaip kaime, netrukus tas miestas pavirs bažnytkaimiu.

– Jums nieko gero iš to, kad jie netrukus baigs, – sakau. – Jiems reikia kinkyti arklius ir judėti, kad pasiektų namus iki vidurnakčio.

– Ką gi, – sako, – užtat jie pasilinksmino. Nieko blogo, jei retkarčiais išleidžia pinigų spektakliui. Ūkininkai kalvose dirba labai sunkiai, o gauna už tai skatikus.

– Nėra tokio įstatymo, kuris verstų juos ūkininkauti kalvose, – sakau. – Ar kur nors kitur.

– Kur mes dabar būtume be ūkininkų, tu ir aš? – klausia jis.

– Aš, pavyzdžiui, būčiau namie, – sakau. – Ir gulėčiau užsidėjęs ant kaktos ledą.

– Tau pernelyg dažnai užeina tie galvos skausmai, – sako jis. – Kodėl kaip reikia neišsitiri dantų? Ar jis visus juos apžiūrėjo šįryt?

– Kas? – klausiu.

– Juk sakei, kad šįryt buvai pas dantistą.

– Ar jūs nepatenkintas, kad man skauda galvą darbo metu? – klausiu. – Taip?

Dabar jie jau traukė per gatvelę, iš to spektaklio.

– Na štai ir jie, – sako jis. – Verčiau jau eisiu prie prekystalio. – Ir nužingsniavo. Keistas daiktas, kai tik tau atsitinka kas nors bloga, vyras iškart tau pataria išsitirti dantis, o moteris – vesti. Ir visada tie, kuriems viskas iš rankų krinta, moko tave, kaip tvarkyti reikalus. Pavyzdžiui, tie universiteto profesoriai, neturintys net poros puskojinių, moko tave, kaip uždirbti milijoną per dešimt metų, o moteris, net nesugebanti susirasti vyro, visada moko, kaip sukurti šeimą.

Senukas Džobas įvažiavo su furgonu. Ilgokai truko, kol vadžias užvyniojo ant botago dėklo.

– Na, – klausiu. – Ar geras buvo spektaklis?

– Dar nebuvau tenai, – sako. – Bet šįvakar mane galėtų ir arištuoti po tuoju palapinės stogu.

– Kaipgi dar nebuvai, po galais! – nustebau. – Išėjai dar prieš tris. Ponas Erlas ką tik tavęs ieškojo čia.

– Buvau išėjęs su reikalais, – sako. – Ponas Erlas žino, kur ašen buvau.

– Gali jį mulkinti, – sakau. – Aš neišduosiu.

– Tada jis – vienintelis žmogus čia, kurį aš pamėginčiau mulkint, – sako. – Kurio galo gaišinsiu laiką mėgindamas apmulkint žmogų, jeig man nesvarbu, ar jį pamatysiu šeštadienio vakarą, ar ne. Jūsų ašen nemėginsiu apmulkint. Jūs man per gudras. Taip, sere, – sako ir krauna penkis ar šešis nedidelius pakus į furgoną su labai jau užsiėmusio žmogaus mina. – Jūs man per gudras. Kito tokio gudro šitam mieste nesurasi. Jūs apmulkinate net žmogų, kuris toks gudras, kad pats save apšoka, – pridūrė lipdamas į vežimą ir atvyniodamas vadžias.

– Kas gi jis? – klausiu.

– Ponas Džeisonas Kompsonas, – atsakė jis. – No, Denai!

Vienas ratas, rodės, tuoj tuoj nukris. Stovėjau ir žiūrėjau, ar spės jis išsukti iš gatvelės. Duok tik negrui kokią transporto priemonę. Aš ir sakau, tas senas kledaras – tikra gėda, o jūs vis dėlto laikote jį ratinėje šimtą metų vien tam, kad tas berniukas galėtų nuvažiuoti juo kartą per savaitę į kapus. Aš ir sakau: jis ne pirmas, kurį aš priversiu daryti tai, ko jis nenorės. Aš priversiu jį važiuoti mašina kaip civilizuotą žmogų arba tegu lieka namie. Ką jis nutuokia apie tai, kur važiuoja arba kuo važiuoja, o mes laikome tą karietą ir arklį tik tam, kad jis galėtų pasivažinėti sekmadienio popietę.

Džobui nė motais, nukris tas ratas ar ne, kad tik nereikėtų eiti atgal pėsčiom pernelyg toli. Kaip aš ir sakau: vienintelė jiems tinkama vieta – laukas, kur jie turėtų lenkti kuprą nuo aušros iki saulėlydžio. Gerovės ar lengvo darbo jie negali ištverti. Vos tiktai pabendravę valandžiukę su baltuoju, jie jau nebeverti net pakaruoklio virvės. Taip įsigudrina, kad gali apšauti tave tau po nosim, kaip Roskus, kurio vienintelė klaida buvo ta, kad vieną dieną neapdairiai pasielgė ir numirė. Išsisukinėja, vagia, vis įžūliau atsikalbinėja, kol vieną gražią dieną nebeištveri ir nudedi jį kokiu rąstu ar dar kuo. Ką gi, tai Erlo reikalas. Bet aš tai nepakęsčiau, jei mano verslą šitam mieste reklamuotų iškriošęs negras, važiuojantis furgonu, galinčiu subyrėti ties kiekvienu kampu.

Saulė dar buvo aukštai danguj, o viduje jau darėsi tamsu. Priėjau prie priekinių durų. Aikštė buvo tuščia. Erlas gale uždarinėjo seifą, ir tada ėmė mušti bokšto laikrodis.

– Gal užrakintum užpakalines duris? – paprašė. Nuėjau, užrakinau, grįžau. – Tai eisi vakare į spektaklį? – klausia. – Rodos, daviau tau vakar tuos leidimus?

– Taip, – atsakiau. – Ar norit, kad grąžinčiau?

– Ne, ne, – atsakė jis. – Aš tik suabejojau, ar daviau tau juos, ar ne. Kad nedingtų tuščiai.

Jis užrakino duris, pasakė „labanakt" ir išėjo. Žvirbliai vis dar čirškia medžiuose, bet aikštė jau tuščia, tik vienas kitas automobilis pravažiuoja. Priešais vaistinę stovi kažkoks fordas, tačiau aš net nepažvelgiau į jį. Žinau, kada man ko nors gana. Aš nieko prieš jai padėti, bet žinau, kada man jau gana. Ko gero, reikėtų išmokyt Lasterį vairuoti, tada jie galėtų vaikytis ją kiaurą dieną, jei nori, o aš likčiau namie ir žaisčiau su Benu.

Įėjau nusipirkti poros cigarų. Paskui pamaniau, išgersiu dėl visa pikta dar ko nors nuo galvos skausmo, tad pastovėjau ir šnektelėjau su jais valandžiukę.

– Taigi, – sako Mekas, – tikriausiai šiemet jūs statėt pinigus už „Jankius"*?

– Kurių galų? – klausiu.

– Juk jie laimėjo gairelę, – sako. – Lygoje niekas negali jų sumušti.

– Tegu juos perkūnai, – sakau. – Jiems jau galas. Negi manot, kad kuriai nors komandai gali amžinai sektis?

– Aš nevadinčiau to sėkme, – pasakė Mekas.

– Nesilažinčiau iš jokios komandos, kurioje žaidžia Rutas, – sakau. – Net jei žinočiau, kad ji laimės.

– Iš tikrųjų? – klausia Mekas.

*Garsi beisbolo komanda. Jungtinėse Valstijose didžiosios profesionalų komandos yra pasiskirsčiusios į dvi lygas, kurios varžosi tarpusavyje dėl gairelės. Babe Ruthas (1895–1948) buvo vienas geriausių, ko gero, pats žymiausias beisbolo žaidėjas.

– Galiu išvardyti po tuziną kitų vyrų abiejose lygose, daug vertesnių už jį, – sakau.

– Kodėl gi jūs taip nusistatęs prieš Rutą? – klausia Mekas.

– Ne, – sakau. – Nesu prieš jį nusistatęs. Man bjauru net į jo fotografiją pažvelgti.

Ir išėjau. Žiebėsi šviesos, žmonės jau traukė gatvėmis namo. Kartais žvirbliai nerimsta iki visiškų sutemų. Tą vakarą, kai prie teismo rūmų buvo įžiebti nauji žibintai, jie išsibudino ir skraidė kiaurą naktį, vis atsitrenkdami į juos. Ir šitaip dvi ar tris naktis, paskui vieną rytą staiga visi dingo. O po dviejų mėnesių vėl sugrįžo.

Pasukau namo. Namie šviesos dar nebuvo įžiebtos, bet, aišku, jie visi jau spokso pro langus, o Dilzė pamokslauja virtuvėje, tarsi pati turėtų mokėti už maistą, kurį jai reikia išsaugoti karštą iki man pargrįžtant. Jos paklausęs, pamanytum, kad pasaulyje yra tik viena vakarienė, ir būtent ta, kurią jai tenka suvėlinti kelias minutes dėl manęs. Ką gi, nors kartą grįžus namo nereikia matyti, kaip Benas ir tas nigeris kabo ant tvoros tarsi koks meškinas ir beždžionė vienam narve. Vos tik saulė ima artėti prie laidos, jis jau ir skuba prie tos tvoros, kaip karvė tvartan, įsikimba į ją, linksi galvą ir dejuoja tarsi pats sau. Tai lyg kokia bausmė. Jei tai, kas jam nutiko už apsikvailinimą su tais atvirais vartais, būtų nutikę man, aš niekada nebenorėčiau jų matyti, nė vienos. Dažnai klausiu save, ką jis galvoja, stovėdamas tenai prie vartų ir žiūrėdamas, kaip tos mergaitės grįžta iš mokyklos, ir stengdamasis geisti kažin ko, ko netgi nebepamena, kad nebenori ir nebegali geisti. Ir ką galvoja, kai jie jį nurengia, o jis netyčia pasižiūri į save ir pravirksta. Tik, kaip aš ir sakau, veltui jie apsiribojo tik juo. Sakau, žinau, ko tau reikia, tau reikia to, ką jie padarė Benui, tada išmoksi elgtis padoriai. O jeigu nežinai, apie ką aš kalbu, Dilzės paklausk.

Mamos lange degė šviesa. Pastačiau mašiną ir nuėjau į virtuvę. Ten buvo Lasteris su Benu.

– Kur Dilzė? – klausiu. – Dengia stalą vakarienei?

– Ji viršuj su mis Kehlaina, – atsakė Lasteris. – Jiedvi ten riejasi. Nuo tada, kai panelė Kventinė grįžo. Mamutė viršuj, stengiasi suturėti jas. Ar tie artistai jau atvažiavo, pone Džeisonai?

– Taip, – sakau.

– Regis, girdėjau orkestrą, – sako. – Labai norėčiau ten nueiti, – pridūrė. – Jei turėčiau ketvirtuką, galėčiau.

Įėjo Dilzė.

– A, vis dėlto parėjot? – sako. – Kur taip ilgai užgaišot? Juk žinot, kiek man darbo, kodėl neparėjot laiku?

– O gal aš buvau nuėjęs į tą spektaklį? – sakau. – Ar vakarienė gatava?

– Ir aš norėčiau, – sako Lasteris. – Galėčiau, jei tik turėčiau ketvirtuką.

– Nėra ko tau lakstyti po tiatrus, – sako Dilzė. – Eikit į namus ir pasėdėkit, – sako man. – Tik nelipkit viršun, kad jos vėl nepradėtų.

– Kas nutiko? – klausiu.

– Ką tik grįžo Kventinė ir sakė, kad jūs sekiojot paskui ją visą vakarą, tada mis Kehlaina šoko ant jos. Kodėl jūs neduodate jai ramybės? Negi negalite gyvent vienuos namuos su savo kraujo dukterėčia nesipykdami?

– Kaip aš galėjau su ja pyktis, – sakau, – jei nemačiau jos nuo pat ryto. Ir ką gi aš jai padariau? Nuvežiau į mokyklą? Oi kaip baisu, – pridūriau.

– Verčiau tvarkykit savo reikalus, o ją palikite ramybėj, – sako Dilzė. – Aš ja pasirūpinsiu, jei jūs ir mis Kehlaina man leisite. Eikit ir ramiai pasėdėkit, kol aš paduosiu vakarienę.

– Jei tik turėčiau ketvirtuką, – kartojo Lasteris, – galėčiau nueit į tą spiktaklį.

– O jei turėtum sparnus, galėtum pakilt į dangų, – pasakė Dilzė. – Kad daugiau nė žodžio negirdėčiau apie tą spiktaklį.

– Beje, – sakau, – man jie davė porą bilietų. – Išsitraukiau juos iš švarko kišenės.

– Ar jūs eisite? – klausia Lasteris.

– Ne, – sakau. – Neičiau ten net ir už dešimt dolerių.

– Duokit man vieną, pone Džeisonai, – prašo Lasteris.

– Aš tau parduosiu vieną, – sakau. – Tinka?

– Aš neturiu pinigų, – atsakė.

– Labai blogai, – sakau. Ir apsimečiau beišeinąs.

– Duokit man vieną, pone Džeisonai, – prašo, – juk jums dviejų nereikia?

– Užsičiaupk, – tildo jį Dilzė. – Negi nežinai, kad jis niekam nieko dykai neduoda.

– Kiek jūs norit už jį? – paklausė Lasteris.

– Penkių centų, – sakau.

– Tiek daug neturiu, – atsakė.

– O kiek turi? – klausiu.

– Nė kiek neturiu, – sako.

– Ką gi, – pasakiau. Ir nuėjau.

– Pone Džeisonai, – nenustygsta Lasteris.

– Ko tu neužsičiaupi? – klausia Dilzė. – Jis tik erzina tave. Jis pats ketina jais pasinaudoti. Eikite, Džeisonai, ir duokit jam ramybę.

– Man jų nereikia, – sakau. Ir grįžau prie krosnies. – Atėjau jų sudeginti. Bet jei tu nori nusipirkti vieną už penkis centus? – sakau ir pakėliau krosnies dangtį.

– Aš neturiu tiek, – sako jis.

– Ką gi, – tariau. Ir įmečiau vieną leidimą į krosnį.

– Ak, Džeisonai, – sako man Dilzė, – ar jums ne gėda?

– Pone Džeisonai, labai prašau, sere, – maldavo Lasteris. – Aš tvarkysiu jums padangas kiekvieną dieną visą mėnesį.

– Man reikia grynųjų, – sakau. – Gali gauti jį už penkis centus.

– Liaukis, Lasteri, – sako Dilzė. Ir trūktelėjo jį atgal. – Nagi meskit ir antrą. Greičiau. Ir baikim šitai.

– Ką gi, – sakau. Ir leidau nukristi bilietui į krosnį, o Dilzė užtraukė dangtį.

– Ir tai daro toksai suaugęs vyras kaip jūs, – pasakė. – Marš iš mano virtuvės. Nutilk, – pridūrė kreipdamasi į Lasterį. – Nepravirkdyk Bendžio. Gausiu tau šįvakar ketvirtuką iš Fronės ir galėsi nueiti rytoj vakare. O dabar nutilk.

Nuėjau į svetainę. Viršuje – nė garso. Atsiverčiau laikraštį. Po valandėlės įėjo Benas ir Lasteris. Benas nužingsniavo tiesiai prie tos tamsios vietos ant sienos, kur kitados kabojo veidrodis, trina į ją rankas ir dejuoja. Lasteris ėmė kurstyti židinyje ugnį.

– Ką darai? – klausiu. – Šiąnakt mums nereikės ugnies.

– Aš tam, kad jis nurimtų, – pasiaiškino. – Ir per Velykas visada būna šalta.

– Taip, bet šiandien dar ne Velykos, – sakau. – Palik viską.

Jis padėjo žarsteklį į vietą, paėmė nuo mamos krėslo pagalvėlę ir padavė Benui, paskui atsitūpė priešais židinį ir nurimo.

Skaitau laikraštį. Iš viršaus – jokio garso, kai įėjo Dilzė, nuvarė Beną ir Lasterį į virtuvę ir pasakė, kad vakarienė ant stalo.

– Puiku, – sakau. Ji išėjo. Aš sėdėjau ir skaičiau laikraštį. Po valandėlės girdžiu, kaip Dilzė įkišo galvą pro duris.

– Kodėl neateinat valgyt? – klausia.

– Aš laukiu vakarienės, – sakau.

– Ji ant stalo, – sako. – Aš jums jau sakiau.

– Iš tikrųjų? – sakau. – Atleisk. Negirdėjau, kad kas leistųsi laiptais.

– Jos neateis, – paaiškino. – Ateikite ir pavalgykite, kad galėčiau nunešti joms ką nors.

– Staiga susirgo? – klausiu. – Ką gi pasakė daktaras? Tikiuosi, ne raupai?

– Ateikit, Džeisonai, – paprašė. – Kad galėčiau baigti tvarkytis.

– Gerai, – sakau ir vėl pakėliau laikraštį. – Palauksiu vakarienės.

Jaučiau, kaip ji žiūri į mane pro duris. Skaitau laikraštį.

– Kodėl jūs šitaip? – klausia Dilzė. – Kad žinotumėt, kiek dar turiu rūpesčių.

– Per pietus mama buvo nusileidusi, jei dabar ji smarkiau sunegalavo, tai tiek jau to, – sakau. – Bet kol aš perku maistą, jaunesniems už mane žmonėms privalu nusileisti žemyn ir valgyti prie bendro stalo. Pranešk man, kada vakarienė bus ant stalo, – sakau ir vėl įnikau į laikraštį. Girdėjau, kaip vilkdama kojas ji užkopė laiptais, niurnėdama ir sunkiai dūsaudama, tarsi tie laiptai būtų statut stačiausi ir per tris pėdas vienas nuo kito. Girdėjau, kaip praėjo pro mamos duris, paskui išgirdau, kaip kvietė Kventinę: taip, tarsi durys būtų užrakintos, paskui grįžo prie mamos durų, ir tada išėjo mama ir nuėjo pasikalbėti su Kventine. Paskui jos nusileido laiptais. Aš skaitau laikraštį.

Dilzė vėl priėjo prie durų.

– Ateikit, kol dar nesugalvojot naujos velniavos, – paprašė. – Jūs tiesiog neriatės iš kailio šįvakar.

Nuėjau į valgomąjį. Kventinė sėdi nunarinus galvą. Jau ir vėl išsidažiusi. Nosis – kaip porcelianinis izoliatorius.

– Džiaugiuosi, kad jaučiatės gana gerai ir galėjote nusileisti vakarienės, – sakau kreipdamasis į mamą.

– Nusileisti prie stalo – mažmožis, kurį man malonu tau padaryti, – pasakė mama. – Kad ir kaip jausčiausi. Aš suprantu, kai vyras dirba kiaurą dieną, prie vakarienės stalo jis nori sėdėti drauge su visa šeima. Stengiuosi suteikti tau malonumą. Tik man labai norėtųsi, kad judu su Kventine geriau sutartumėt. Man taip būtų lengviau.

– Mes puikiai sutariame, – sakau. – Aš neprieštarauju, kad ji sėdi užsirakinusi savo kambaryje kiaurą dieną, jeigu to nori. Bet aš nepakęsiu tos įžūlios išvaizdos ir suraukytos nosies prie stalo. Žinau, kad to prašyti jos per daug, bet tokia jau tvarka mano namuose. Tai yra jūsų namuose.

– Jie tavo namai, – atsakė mama. – Dabar jų galva – tu.

Kventinė nepakėlė akių. Aš įdėjau į lėkštes troškinio, ir ji pradėjo valgyti.

– Ar gerą mėsos gabalą gavai? – klausiu. – Jei ne, surasiu geresnį.

Ji nieko neatsakė.

– Aš klausiu, ar gerą mėsos gabalą gavai? – pakartojau.

– Ką? – paklausė. – Taip, viskas gerai.

– Ar nori dar ryžių?

– Ne, – atsakė.

– Duok, įdėsiu dar truputį, – pasiūliau.

– Daugiau nenoriu, – sako.

– Nėr už ką, – sakau. – Į sveikatą.

– Ar tau migrena praėjo? – klausia mama.

– Migrena? – perklausiau.

– Bijojau, kad ji prasideda, – sako. – Kai buvai parėjęs šiandien pietų.

– O, – sakau, – ne, anaiptol. Mes buvom šitaip užsiėmę po pietų, kad aš ir pamiršau ją.

– Todėl ir pavėlavai? – klausia mama.

Matau, kad Kventinė klausosi. Žiūriu į ją. Jos peilis ir šakutė vis dar juda, bet pagavau jos skubriai į mane mestą žvilgsnį, paskui ji vėl nudūrė akis į lėkštę. Aš ir sakau:

– Ne. Apie trečią buvau paskolinęs mašiną tokiam vyrukui, tai reikėjo palaukti, kol jis pargrįš. – Ir valgau sau toliau.

– Kas tas bičiulis? – klausia mama.

– Nagi vienas iš tų aktorių, – sakau. – Regis, jo sesers vyras išrūko su kažkokia vietine, tad jis juos vaikėsi.

Kventinė sėdi nekrutėdama ir kramto.

– Tau nereikėtų skolinti mašinos tokiems žmonėms, – sako mama. – Tu pernelyg dosniai ją skolini. Aš juk niekad neprašau tavęs jos, tik tada, kai kitaip negaliu išsiversti.

– Aš ir pats jau buvau bepradedąs taip manyti, – sakau. – Tačiau jis grįžo sveikut sveikutėlis. Sakė suradęs ko ieškojęs.

– Kas buvo ta moteris? – klausia mama.

– Vėliau pasakysiu. Nedera kalbėti apie tokius dalykus prie Kventinės.

Kventinė liovėsi valgiusi. Retkarčiais gurkšteldavo vandens, paskui sėdėjo trupindama duoną, nunarinusi galvą virš lėkštės.

– Taip, – sako mama. – Moterys, kurios sėdi užsidariusios

kaip aš, neturi nė menkiausio supratimo, kokie dalykai dedasi šitam mieste.

– Taip, – pritariau. – Iš tikrųjų taip.

– Mano gyvenimas taip skyrėsi nuo tokio gyvenimo, – pradėjo mama. – Dėkui Dievui, aš nieko nežinau apie tuos ištvirkavimus. Net ir nenoriu žinoti. Ne taip kaip daugelis žmonių.

Aš nieko nebepridūriau. Kventinė sėdėjo trupindama duoną, kol aš lioviausi valgęs. Paskui paklausė į nieką nežiūrėdama:

– Ar jau galiu eiti?

– Ką? – perklausiau. – Žinoma, gali. Negi mūsų laukei?

Žiūri į mane. Jau buvo sutrupinusi visą duoną, tačiau jos pirštai vis dar maigė ją, o akys – kaip užspeisto gyvio, paskui ėmė kandžioti lūpas, lyg tas raudonas švinas ją nuodytų.

– Senele, – sako, – senele...

– Ar nori dar ko užkąsti? – klausiu.

– Kodėl jis šitaip su manimi elgiasi, senele? – klausia. – Aš juk jam nieko nepadariau.

– Aš norėčiau, kad jūs gražiai sutartumėte vienas su kitu, – sako mama. – Tik jūs man ir belikote, ir aš norėčiau, kad jūs geriau sutartumėt.

– Tai jis kaltas, – sako ji. – Jis man neduoda ramybės, aš priversta. Jei jis nenori, kad aš čia būčiau, kodėl neleidžia man grįžti pas...

– Gana, – sakau. – Daugiau nė žodžio.

– Tada kodėl jis neduoda man ramybės? – sako. – Jis... jis tiesiog...

– Jis tau beveik atstoja tėvą, – paaiškino mama. – Mudvi valgom jo duoną. Ir jis teisus tikėdamasis iš tavęs paklusnumo.

– Tai jis kaltas, – sako. Ir pašoko nuo kėdės. – Tai jis verčia mane šitaip elgtis. Jeigu jis bent... – žiūri į mus užspeisto gyvio žvilgsniu, tarsi trūkčiodama rankomis ir spausdama jas prie šonų.

– Jeigu aš bent ką? – klausiu.

– Dėl visko, ką aš darau, kaltas jūs, – sako. – Jei aš bloga, vadinasi, jūs privertėte mane tokia būti. Jūs padarėte mane tokią. Geriau jau būčiau mirusi. Geriau jau visi mes būtume mirę. – Ir nubėgo. Girdėjom jos žingsnius ant laiptų. Paskui trinktelėjo durys.

– Tai pirmas kartas, kai ji pasakė kažką protinga, – sakau.

– Šiandien ji nebuvo mokykloje, – pareiškė mama.

– Iš kur jūs žinote? – klausiu. – Ar buvote nuvykusi į miestą?

– Tiesiog žinau, – sako. – Norėčiau, kad būtum su ja švelnesnis.

– Tam man reikia matyti ją dažniau nei kartą per dieną, – sakau. – Jums reikėtų priversti ją ateiti prie stalo kiekvienąsyk, kai mes sėdame valgyti. Tada kiekvienąsyk galėčiau įdėti jai dar vieną gabalą mėsos.

– Tu gali padaryti daug smulkių dalykėlių, – sako.

– Pavyzdžiui, nepaisyti jūsų prašymo prižiūrėti, kad ji nueitų į mokyklą? – klausiu.

– Šiandien ji nenuėjo į mokyklą, – sako. – Aš tiesiog žinau, kad nenuėjo. Ji sakė, kad buvo išvažiavusi pasivažinėti mašina su vienu iš savo bičiulių, o tu sekiojai paskui ją.

– Kaip aš galėjau paskui ją sekioti, kai visą popietę buvau atidavęs savo mašiną? – sakau. – Buvo ji ar nebuvo šiandien mokykloj, tai jau praeitis, – sakau. – Jeigu jums reikia pasikrimsti dėl ko nors, krimskitės dėl kito pirmadienio.

– Aš taip norėjau, kad judu sutartumėte, – sako ji. – Bet ji paveldėjo visus užsispyrėliškus bruožus. Ir Kventino taip pat. Anksčiau pagalvodavau: prie viso to, ką ji ir taip paveldėjo, dar duoti tokį vardą. Kartais pamanau, kad ji man – bausmė už juos abu.

– Viešpatie švenčiausias, – sakau. – Na ir mintys. Nenuostabu, kad dėl jų visą laiką ir negaluojate.

– Ką? – klausia. – Nesuprantu.

– Ir dėkui Dievui, – atsakiau. – Yra tiek dalykų, kurių gerai išauklėta moteris nesupranta, ir jai tai tik į naudą.

– Juodu abu buvo tokie, – sako. – Kai tik pamėgindavau padaryti jiems kokią pastabą, jie iškart susidėdavo su tėvu prieš mane. Jis visada sakydavo, kad jų nereikia tramdyti, kad jie ir taip žiną, kas yra švarumas ir padorumas, – vieninteliai dalykai, kurių žmonės gali tikėtis būti išmokyti. Dabar tikriausiai jis patenkintas.

– Užtat jūs galit pasiguosti Benu, – sakau. – Nenusiminkite.

– Jie sąmoningai išginė mane iš savo gyvenimo, – sako. – Ir tai būdavo visada ji ir Kventinas. Jie visada slapčia susimokydavo prieš mane. Prieš tave irgi, tik tu buvai per mažas, kad tai suprastum. Jie visada laikydavo mudu, tave ir mane, pašaliniais, kaip ir dėdę Morį. Aš visada sakydavau tavo tėvui, kad jiems suteikiama per daug laisvės, per daug leidžiama būti kartu. Kai Kventinas pradėjo lankyti mokyklą, kitąmet turėjome leisti ir ją, kad galėtų būti su juo. Ji nepakęsdavo, kad kuris nors iš jūsų darytų ką nors, ko jai negalima. Buvo kupina tuštybės, tuštybės ir prasto išdidumo. O paskui, kai prasidėjo jos bėdos, žinojau, kad Kventinas pasijus privaląs neleisti jai būti pranašesnei už jį. Bet netikėjau, kad jis galėtų būti toks savanaudis, kad... aš nė nesapnavau, kad jis...

– Gal jis žinojo, kad tai bus mergaitė, – sakau. – Ir kad dar vienos tokios mergaitės jis nebeištvers.

– Jis galėjo ją sulaikyti, – sako ji. – Rodos, jis buvo vienintelis žmogus, turėjęs jai kokios nors galios. Tačiau, man regis, ir jis buvo dalis man skirtos Dievo bausmės, – pridūrė.

– Taip, – sakau. – Gaila, kad ne aš buvau jo vietoje. Šitaip jums būtų buvę daug geriau.

– Tu taip kalbi norėdamas mane įskaudinti, – sako. – Nors aš to ir nusipelniau. Kai jie pradėjo pardavinėti žemę, kad pasiųstų Kventiną į Harvardą, aš sakiau tavo tėvui, kad tokią pačią sumą jis privalo skirti ir tau. Bet paskui, kai Herbertas pasisiūlė paimti tave į savo banką, aš tariau sau: na, dabar Džeisonas jau aprūpintas, o paskui, kai ėmė kauptis visos tos skolos, ir aš buvau priversta parduoti mūsų baldus ir likusią ganyklos dalį, iš karto parašiau jai, nes, tariau sau, ji gi supras, kad juodu su Kventinu jau gavo savo dalį ir dalį Džeisono dalies ir kad dabar jos pareiga atlyginti ją. Ji padarys tai iš pagarbos tėvui, tariau sau. Tada aš tuo tikėjau. Bet aš tik vargšė sena moteris: buvau išmokyta tikėti, kad žmonės sugeba pasiaukoti savo kraujo artimųjų labui. Aš klydau. Tu buvai teisus man priekaištaudamas.

– Negi jūs manote, kad man reikia kieno nors pagalbos, kad stovėčiau ant kojų? – klausiu. – Juolab moters, kuri negali pasakyti savo vaiko tėvo vardo?

– Džeisonai!

– Gerai, – sakau. – Aš netyčia. Tikrai nenorėjau.

– Kad būčiau žinojusi, jog tai įmanoma po visų mano kančių.

– Žinoma, ne, – sakau. – Aš netyčia.

– Tikiuosi, kad bent nuo to būsiu apsaugota, – sako.

– Be jokios abejonės, – tikinu. – Ji pernelyg jau panaši į juos abu, kad būtų galima suabejoti.

– Šito aš jau nebeištverčiau, – sako.

– Tada liaukitės apie tai galvojusi, – sakau. – Ar ji vėl vargina jus prašymais išeiti naktį?

– Ne. Aš ją įtikinau, kad tai daroma jos pačios labui ir kad vieną gražią dieną ji man už tai padėkos. Ji pasiima vadovėlius ir mokosi, kai aš užrakinu duris. Kartais matau šviesą net vienuoliktą valandą.

– Iš kur jūs žinote, kad mokosi? – klausiu.

– O ką gi dar galėtų ten viena daryti, – sako. – Skaityti ji niekada nemėgo.

– Ne, – sakau. – Jūs negalite įsivaizduoti. Ir dėkokite už tai savo žvaigždei, – sakau sau. Tik kokia prasmė sakyti šitai garsiai. Ji tik vėlei ims verkti man į sterblę.

Girdėjau, kaip ji užkopė laiptais. Paskui pašaukė Kventinę, ir Kventinė atsiliepė už durų: „Ką?“ „Labanakt“, – pasakė mama. Paskui išgirdau sukant duryse raktą, ir mama grįžo į savo kambarį.

Kai baigiau rūkyti cigarą ir užlipau į viršų, šviesa vis dar degė. Rakto skylutė buvo tuščia, tačiau nesigirdėjo jokio garso. Ji mokėsi labai tyliai. Gal mokykloje to išmoko. Palinkėjau mamai labos nakties, nužingsniavau į savo kambarį, išsitraukiau dėžutę ir vėl juos perskaičiau. Girdėjau, kaip Didysis Amerikos Kastratas knarkia tarytum lentpjūvė. Kažin kur buvau skaitęs, kad vyrus taip patvarko tam, kad jie įgytų moterišką balsą. Bet gal jis net nežino, ką jie su juo padarė. Manau, tada jis nė nenutuokė, ką pats ketino padaryti ir kodėl ponas Berdžesas trenkė jam tvoros mietu. Ir jeigu jie būtų išsiuntę jį į Džeksoną, kai jis dar buvo apmarintas eteriu, jis nebūtų pajutęs jokio skirtumo. Bet Kompsonui tokia paprasta mintis niekad nešaus į galvą. Jiems reikia dvigubai sudėtingesnių idėjų. Kad šitai padarytų, reikėjo palaukti, kol jis išsiveržė į gatvę ir pamėgino jos vidury išniekinti mergaitę tėvo akivaizdoje. Taigi, kaip aš ir sakau, jie pernelyg vėlai griebėsi tos operacijos ir pernelyg anksti sustojo. Žinau bent dar dvi, kurioms reikėtų kažko panašaus, ir viena jų – ne už mylių. Nors nemanau, kad net ir tai padės. Kaip aš ir sakau, kalė ir liks kalė. Ir palikite mane parai be jokio sumauto žydo iš Niujorko, patarinėjančio, ką man daryti. Turtų susikrauti aš nenoriu; siūlykite tai žindukliams lošėjams. Aš noriu tik paprasčiausios galimybės atgauti savo pinigus. Ir jeigu man pavyks tai padaryti, tai galit čionai suvaryti visą Byl gatvės viešnamį ir visą beprotnamį, ir dvi galės miegoti mano lovoje, o trečia – sėdėti mano vietoje prie stalo.

1928, balandžio aštuntoji

Diena aušo niūri, šalta, – tokia pilkos šviesos siena, slenkanti iš šiaurės rytų; užuot ištirpusi drėgnais garais, ji, regis, skaidėsi į smulkius, nuodingus atomus, tarytum dulkes, ir kai, atvėrusi savo trobos duris, ant slenksčio išniro Dilzė, pamanė, kad jai į šonus tikrąja to žodžio prasme susmigo adatos: jos badė ne drėgme, o veikiau kažkokia lengva, į ne visiškai užšalusį aliejų panašia substancija. Užsivožusi ant turbano kietą juodą šiaudinę skrybėlę, su užmesta ant violetinio šilko suknelės kaštonine aksomo skraiste, apkraštuota nusidėvėjusiu neaiškiu kailiu, ji valandėlę pastovėjo tarpduryje, užvertusi į darganą tolydžio besikeičiantį sukritusį veidą, atkišusi sulysusią, plokščią ir glebią, kaip žuvies pilvas, ranką, paskui praskleidė skraistę ir ėmė tyrinėti savo suknelės krūtinę.

Toji karališkos ir jau atgyvenusios spalvos suknelė leidos jai nuo pečių ant sudribusių krūtų, aptempė pilvą, paskui vėl krito žemyn truputį išsipūtusi ant apatinių sijonų, kurių, prasidėjus pavasariui ir šiltoms dienoms, ji tolydžio vis mažindavo. Kitados ji buvo drūta moteriškė, tačiau dabar stambūs jos griaučiai buvo aptraukti tos laisvai drimbančios, niekuo nepamuštos odos; išsitempusi ji buvo tik ties beveik patinusiu pilvu, tarsi tie raumenys ir audiniai buvo atsargos drąsos arba tvirtybės, kurias dienos ir metai išsekino jau tiek, kad liko vien nepalenkiami griaučiai, stūksantys it griuvėsiai ar riboženklis viršum tų snūduriuojančių, vangių žarnų, o viršum viso šito – susmukęs veidas, atkištas darganai, į kurį žvelgiant pamanytum, kad jo kaulai patys išlindo lauk, jo išraiška – fatalistiška ir sykiu kupina vaikiškos nusivylimo nuostabos. Galiausiai ji pasisuko, grįžo į trobą ir uždarė duris.

Prie durų žemė buvo plika. Tarsi nuo basų kojų, kurios ją mynė iš kartos į kartą, pasidengė patina kaip senas sidabras arba plūktinės meksikiečių namų sienos. Palei trobą, apgaubdami ją vasarą šešėliu, augo trys šilkmedžiai, ir jų ką tik išsprogę lapai (vėliau ir jie taps platūs ir ramūs lyg rankų delnai) plokščiai virpėjo, banguodami tam judriame ore. Du kėkštai, atsiradę nežinia iš kur, pasisukiojo, nešami vėjo šuoro, lyg būtų įmantriai ryškios audeklo ar popieriaus skiautės, nutūpė ant šilkmedžių, pasisūpavo, šaižiai nardydami aukštyn žemyn ir spygaudami vėjyje, o jis tik draskė jų girgždžius riksmus, savo ruožtu nusviesdamas tolyn kaip popieriaus ar audeklo skiautes. Paskui prie jų prisidėjo kiti trys, ir kurį laiką jie sūpavosi, lingavo garsiai klykdami tose raizgiose šakose. Trobelės durys atsivėrė, ir vėl jose išniro Dilzė, šįkart – su vyriška fetrine skrybėle ir kariška miline, iš po kurios atspurusių palankų kyšojo nevienodai išsipūtusi mėlyna dryžuotos medvilnės suknelė: plaikstės aplink ją, kai ji žingsniavo per kiemą ir lipo laiptais prie virtuvės durų.

Po valandėlės išniro nešina išskleistu skėčiu, palenkė jį pavėjui, nutapnojo iki malkų rietuvės ir padėjo išskleistą ant žemės. Netrukus vėl sučiupo, tvirtai suspaudė ir laikė valandėlę dairydamasi. Tada suglaudė, pasidėjo šalia, suėmė glėbį malkų, prispaudė jas prie krūtinės, pakėlė skėtį, vėl jį išskleidė, sugrįžo prie laiptelių ir laikė malkas, stengdamasi išsaugoti tą netvirtą pusiausvyrą, kai sumanė suskliausti skėtį ir atremti į sieną kampe už durų. Suvertė malkas dėžėn už krosnies. Nusivilko milinę, nusiėmė skrybėlę, nusikabino nuo sienos purviną prijuostę, užsijuosė ir puolė kurti ugnies krosnyje. Jai taip betrankant groteles ir barškinant dangčius, ponia Kompson pašaukė ją nuo viršaus.

Ji vilkėjo dygsniuotu juodo atlaso chalatu ir laikė jį suėmusi ranka prie smakro. Kita laikė raudoną guminę karšto vandens šildynę ir negyvais, vienodais intervalais šaukė Dilzę nuo laiptų viršaus į jų narvą: jis leidos visiškon tamson, paskui vėl prašviesėjo ten, kur buvo įsikirtęs pilkas langas.

– Dilze, – šaukė ji be jokios intonacijos, pabrėžtinumo ar skubos, tarsi nesitikėdama atsakymo. – Dilze!

Dilzė atsakė ir liovės barškinusi rykais, stovinčiais ant krosnies, bet dar nespėjo pereit per virtuvę, kai ponia Kompson pašaukė dar kartą, o kol ji perėjo per valgomąjį ir kyštelėjo galvą į tą pilką lango šviesą, – dar vieną kartą.

– Einu, einu, – atsakė Dilzė. – Aš čia. Pripilsiu ją, kai tik vanduo sušils, – pasikaišė sijoną ir ėmė kopti laiptais, visai užstodama tą pilką šviesą. – Padėkit ją ant žemės ir grįžkite į lovą.

– Aš nesusivokiau, kas gi čia dedasi, – pasakė ponia Kompson. – Jau kone valandą guliu nubudusi, o iš virtuvės – nė garso.

– Padėkit ją ir grįžkite į lovą, – pakartojo Dilzė. Ji sunkiai kopė laiptais, tokia beformė, dūsuojanti. – Ugnį užkursiu po minutės, o dar po dviejų ir vanduo bus.

– Taip išgulėjau mažiausiai valandą, – skundėsi ponia Kompson. – Maniau, gal lauki, kol nusileisiu ir užkursiu ugnį.

Dilzė jau užkopė viršun ir paėmė šildynę.

– Viską paruošiu per minutę, – pasakė. – Lasteris šįryt pramiegojo, pusę nakties praleido tam tiatre. Pati užkursiu ugnį. O dabar eikit atsigulkit, kad kitų nepažadintut, kol aš viską suruošiu.

– Jei leidi Lasteriui daryti tai, kas trukdo jam atlikti savo pareigas, pati dėl to kentėk, – paaiškino ponia Kompson. – Džeisonui nepatiks, jei išgirs. Pati žinai, kad nepatiks.

– Ne už Džeisono pinigus jis ten nuėjo, – atsakė Dilzė. – Galite būt rami. – Ir ėmė leistis laiptais. Ponia Kompson sugrįžo į savo kambarį. Kai vėl atsigulė į lovą, girdėjo Dilzę vis dar leidžiantis žemyn, taip siaubingai, kankinamai lėtai, kad tai būtų išvarę ją iš proto, jeigu galiausiai nebūtų liovęsi, nustojus varstytis podėlio durims.

Dilzė grįžo virtuvėn, užkūrė ugnį ir puolė taisyti pusryčių. Įpusėjusi ruošą sustojo, priėjo prie lango, pažvelgė į trobelę, tada nuėjo prie durų, jas atidarė ir sušuko į darganą:

– Lasteri! – nutilo pasiklausyti, nugręžusi veidą nuo vėjo. – Ei, Lasteri! – Įdėmiai klausėsi ir kai jau buvo bešaukianti trečią kartą, iš už virtuvės kampo išlindo Lasteris.

– Me-e-mm? – prabilo nekaltai, taip nekaltai, kad Dilzė įsmeigė į jį akis ir valandėlę stovėjo nejudėdama, labiau negu nustebusi.

– Kur tu buvai? – paklausė.

– Niekur, tik rūsyje, – atsakė.

– Ką ten veikei? – paklausė. – Nestovėk po lietum, kvaiša.

– Nieko, – atsakė Lasteris. Ir užkopė laiptais.

– Nedrįsk įeiti pro šitas duris be glėbio malkų, – sudraudė Dilzė. – Ir malkas turėjau sunešti už tave, ir ugnį užkurti. Ar nesakiau tau vakar vakare, kad neišeitum į tą tiatrą, kol neprineši pilną dėžę malkų?

– Aš prinešiau, – aiškinosi Lasteris, – pilnut pilnutėlę.

– Tai kur jos dingo?

– Nežinau, aš jų neliečiau.

– Gerai, o dabar eik ir prinešk, – paliepė Dilzė. – Paskui užlipk į viršų sužiūrėti Bendžio.

Ir uždarė duris. Lasteris nupėdino prie malkų rietuvės. Tie penki kėkštai suko ratus virš namo, spygavo, paskui vėl sutūpė į šilkmedžius. Lasteris sekė juos akimis. Paskui tik čiupt akmenį ir paleido į juos.

– Ūūūū! – šūktelėjo. – Grįžkit į savo pragarą. Dar ne pirmadienis*.

Jis prisikrovė kalno didumo malkų glėbį. Nieko per jas nematė, todėl nusverdėjo iki laiptelių, užkopė jais ir prie pat durų suklupęs garsiai atsitrenkė ir išmetė kelias pliauskas. Tada priėjo Dilzė, atvėrė jam duris, ir jis nupėdino per virtuvę.

– Ramiau, Lasteri! – sušuko ji, bet jis jau buvo nusviedęs malkas dėžėn su baisiu triukšmu.

– Uuuch! – atsiduso jis.

– Ar nori prikelti visą namą? – paklausė Dilzė. Ir pliaukštelėjo delnu jam per sprandą. – O dabar lipk viršun aprengti Bendžio.

– Gerai, – linktelėjo jis. Ir nužingsniavo prie laukujų durų.

– Kurgi eini? – paklausė Dilzė.

– Pamaniau, geriau apeisiu namą iš priekio, taip nepažadinsiu mis Kehlainos ir kitų.

– Tik lipk greičiau užpakaliniais laiptais, kaip tau liepiau, aprenk Bendžį, – įsakė Dilzė. – Ir paskubėk.

*Pietinių valstijų juodaodžiai tiki, kad kėkštai yra velnio pasiuntiniai, pranešantys jam apie žmonių nuodėmes; jie gyvena pragare nuo penktadienio iki pirmadienio. Pirmadienio rytą vėl pasirodo žemėje.

– Gerai, – pasakė Lasteris. Sugrįžo ir išėjo pro valgomojo duris. Netrukus jos liovėsi sūpuotis. Dilzė įniko ruošti tešlą duonai. Monotoniškai sijodama miltus virš lentos dainavo, iš pradžių sau po nosimi, kažką be ypatingos melodijos ar žodžių, kažką atsikartojančio, liūdnai graudaus, kažin ką rimto, o tuo tarpu lengvučiai miltai vis snigo ant lentos, taip monotoniškai. Krosnis užliejo kambarį šiluma, minoriniu ugnies šnabždėjimu, ir dabar ji dainavo jau garsiau, tarsi jos balsas irgi būtų atitirpęs nuo tos vis stiprėjančios šilumos, o tada ponia Kompson vėl pašaukė ją iš viršaus. Dilzė užvertė galvą ir įsispitrijo, tarsi jos akys galėtų prasiskverbti pro sienas bei lubas, ir išvydo tą seną moterį dygsniuotu chalatu laiptų viršuj, monotoniškai lyg automatas šaukiančią ją vardu.

– O Viešpatie! – atsiduso Dilzė. Padėjo sietą, nusišluostė rankas į prijuostės palanką ir čiupo šildynę nuo kėdės, kur buvo ją padėjusi, apvyniojo prijuoste jau palengva garuojančio virdulio rankeną. – Lukterkit truputį, – šūktelėjo. – Vanduo ką tik sušilo.

Bet dabar poniai Kompson reikėjo ne šildynės, ir, laikydama ją už kaklelio lyg pastipusią vištą, Dilzė nubidzeno prie laiptų ir pažvelgė viršun:

– Argi Lasteris dar ne pas jį?

– Lasteris dar nesirodė namuose. Aš visą laiką gulėjau ir klausiausi. Žinojau, kad pavėluos, tačiau tikėjaus, kad suspės ateit laiku ir neleis Bendžaminui varginti Džeisono vienintelę dieną per savaitę, kai jis gali iš ryto ilgiau pamiegoti.

– Nežinau, kaip jūs galit tikėtis, kad kas nors miegos, kai stovite koridoriuje ir šaukiat žmones, vos spėjus išaušti, – pasakė Dilzė. Ir ėmė sunkiai kopti laiptais. – Aš pasiunčiau tąjį berniūkštį ten prieš pusvalandį.

Ponia Kompson žiūrėjo į ją, gniauždama po kaklu chalatą.

– Ką gi dabar darysi? – paklausė.

– Aprengsiu Bendžį ir nusivesiu jį į virtuvę, ten jis nepažadins Džeisono ir Kventinės, – atsakė Dilzė.

– Tai tu dar nepradėjai taisyti pusryčių?

– Ir pusryčiais pasirūpinsiu, – pasakė Dilzė. – O jūs verčiau grįžkit lovon, kol Lasteris užkurs jums ugnį. Šįryt šalta.

– Žinau, – atsakė ponia Kompson. – Mano kojos ledu pavirto. Taip sušalo, kad nubudau. – Ji žiūrėjo, kaip Dilzė kopia laiptais. Tai truko gerą valandėlę. – Juk tu žinai, kaip Džeisonas susierzina, kai pusryčiai vėluoja, – pridūrė.

– Aš negaliu daryt kelių darbų iš karto, – teisinosi Dilzė. – O jūs grįžkit į lovą, nes dar ir jumis man reikia rūpintis.

– Jei jau tau reikia mesti viską, kad aprengtum Bendžaminą, verčiau pati nueisiu žemyn ir pataisysiu pusryčius. Juk žinai puikiai kaip ir aš, kas darosi su Džeisonu, kai pusryčiai vėluoja.

– O kas gi valgys tą jūsų viralą? – paklausė Dilzė. – Pasakykit man. Nagi, nagi, – ir toliau sunkiai kopė aukštyn.

Ponia Kompson stovėjo ir žiūrėjo, kaip ji lipa, viena ranka remdamasi į sieną, kita prilaikydama pakeltus sijonus.

– Tai tu jį ketini prikelti tik tam, kad aprengtum?

Dilzė sustojo. Buvo bestatanti koją ant kito laiptelio, tačiau sustojo kaip įbesta – viena ranka įsirėmė į sieną, – už nugaros boluoja pilka lango dėmė, o ji dunkso, tokia sustingusi, beformė.

– Tai jis dar nenubudo? – paklausė.

– Kai buvau įkišusi galvą, dar miegojo, – pasakė ponia Kompson. – Bet jam seniai laikas nubusti. Jis niekada nemiega ilgiau nei iki pusės aštuonių. Juk tu žinai.

Dilzė tylėjo. Nekrustelėjo, bet nors tematė neryškų jos kontūrą, be jokio iškilumo, ponia Kompson žinojo, kad ji nuleido galvą mažumėlę ir taip stovėjo, kaip stovi karvės lietuje, laikydama tuščią šildynę už kaklelio.

– Ne tu turi ištverti visus padarinius, – ėmė skųstis ponia Kompson. – Ne tau krinta visa atsakomybė. Tu bet kada gali išeiti. Tau nereikia nešti to kryžiaus diena dienon. Tau jie – nė motais, tau nė motais ir pono Kompsono atminimas. Žinau, kad niekada nemėgai Džeisono. Tu niekada ir nesistengei to paslėpti.

Dilzė tylėjo. Tik pasisuko, lėtai, lėtai ir ėmė leistis, laiptelis po laiptelio, remdamasi ranka į sieną, kaip daro maži vaikai.

– Palikit jį ramybėj, – pasakė ji. – Nebeikit ten. Pasiųsiu Lasterį iškart, kai tik surasiu. O kolei kas palikit jį ramybėj.

Ji grįžo į virtuvę. Patikrino, kas daros krosnyje, paskui nusitraukė per galvą prijuostę, apsivilko milinę, atidarė laukujes duris ir nužvelgė kiemą. Kandi smulki dulksna nutvilkė veidą, bet kieme niekas nejudėjo. Ji atsargiai nulipo laiptais, tarsi bijodama sukelti triukšmą, ir nužingsniavo už virtuvės kampo. Kaip tik tuomet paskubomis ir nekaltai iš rūsio durų išniro Lasteris.

Dilzė sustojo.

– Ką čia veiki? – paklausė.

– Nieko, – atsakė Lasteris. – Ponas Džeisonas pasiuntė pažiūrėti, iš kur rūsyje sunkias tas vanduo.

– Kada gi jis tau liepė tai padaryti? – kamantinėjo Dilzė. – Regis, per Naujuosius metus, ar ne?

– Maniau, geriau bus, jei pažiūrėsiu, kai jie miega. – Dilzė priėjo prie rūsio durų. Lasteris pasitraukė, o ji nužvelgė tamsą, atsiduodančią drėgna žeme, pelėsiais ir guma.

– Hm, – ištarė Dilzė. Ir vėl pažiūrėjo į Lasterį. Jis atlaikė jos žvilgsnį ramiai, nekalta ir naivia veido išraiška. – Nežinau, ką tu čia rezgi, bet tau čia nėr kas veikti. Tiesiog stengiesi šįryt mane suerzint, kaip ir visi kiti, taip? Lipk viršun ir pasirūpink Bendžiu, girdi?

– Gerai, – atsakė Lasteris. Ir skubiai nubidzeno prie virtuvės laiptų.

– Ei! – sušuko Dilzė. – Kol nedingai, atnešk dar glėbį malkų.

– Gerai, – atsakė. Jis aplenkė ją prie laiptelių ir nužingsniavo prie rietuvės. Kai graibėsi apie duris po valandėlės, vėl nieko nematydamas ir pats nematomas už to medinio savo persikūnijimo, Dilzė atidarė duris ir, tvirtai prilaikydama ranka, nuvedė jį per virtuvę.

– Tik pamėgink vėl jas numesti į tą dėžę, – sudraudė. – Tik pamėgink.

– O ką daryti, kitaip man niekaip neišeis, – atsakė Lasteris sunkiai dūsuodamas.

– Tai pastovėk ir palaikyk jas, – pasakė Dilzė. Ir nukrovė jo naštą pliauska po pliauskos. – Kas tau šįryt nutiko? Kai pasiųsdavau malkų, niekada neatnešdavai daugiau kaip šešių pliauskų per kartą, nors užmušk. Ko gi vėlek ruošies prašyti? Ar tas tiatras dar neišvažiavo?

– Taip, mem. Jau išvažiavo.

Ji numetė į dėžę paskutinę pliauską.

– O dabar lipk viršun pas Bendžį, kaip liepiau, – pasakė. – Ir nenoriu, kad mane kas šauktų nuo laiptų, kol paskambinsiu varpeliu. Ar girdi?

– Taip, mem, – atsakė Lasteris. Ir išnyko pro siūbuojančias durų varčias. Dilzė įmetė krosnin dar kelias pliauskas, paskui grįžo prie duonos minkymo lentos. Ir vėl uždainavo.

Patalpa įšilo. Dilzė vaikštinėjo po virtuvę, į vieną daiktą dėdama maistą pusryčiams, grupuodama jį, o jos oda tapo gaivesnė, blizgesnė, palyginti su ta pažirusių pelenų spalva, kokia ji buvo prieš tai ir jos, ir Lasterio. Ant sienos virš indaujos tiksėjo laikrodis, matomas tik vakare, lempos šviesoje, ir net tada be galo paslaptingas, nes turėjo tik vieną rodyklę; paskui, iš pradžių išleidęs garsą, tarsi norėtų prasivalyti gerklę, išmušė penkis kartus.

– Aštuonios valandos, – tarė Dilzė. Ji liovėsi darbavusis, pakėlė galvą, įsiklausė. Tačiau jokių kitų garsų, išskyrus laikrodžio tiksėjimą ir ugnies traškesį, nesigirdėjo. Atvėrė orkaitę ir pažvelgė į skardą su bandelėmis, paskui sulinkusi sustingo, nes kažkas leidosi laiptais. Dilzė išgirdo žingsnius valgomajame, paskui siūbuojančios durų varčios prasiskyrė, ir virtuvėn įžengė Lasteris, lydimas stambaus vyro: jis atrodė sudarytas iš kažkokios substancijos, kurios molekulės nenorėjo ar negalėjo sukibti viena su kita arba su jas palaikančiais griaučiais. Veido oda buvo numirėliškai pasmėlusi, be šerių; išpurtęs, jis nerangiai kėblino tarsi kokia dresuota meška. Blyškūs ploni plaukai buvo lygiai sušukuoti ant kaktos, kaip senoviškose vaikų nuotraukose. Akys – šviesios, blyškaus rugiagėlių mėlynumo, storos seilėtos lūpos praviros.

– Ar jis nesušalo? – paklausė Dilzė. Nusišluostė rankas į prijuostę ir palietė jo ranką.

– Nežinau, kaip jis, bet aš sušalau, – pasakė Lasteris. – Per Velykas visada būna šalta. Dar niekad nebuvo kitaip. Mis Kehlaina sako, kad jeigu jūs neturit laiko pripildyti jos šildynę, tai nieko tokio.

– O Viešpatie, – ištarė Dilzė. Ji pastūmė kėdę į kampą tarp

malkų dėžės ir krosnies. Vyras paklusniai priėjo ir atsisėdo. – Pažiūrėk valgomajame, paieškok, kur ją padėjau, – paliepė Dilzė. Lasteris atnešė iš valgomojo šildynę, Dilzė pripylė vandens ir padavė Lasteriui. – Greitai nešk, – paliepė. – Ir pažiūrėk, ar Džeisonas nubudo. Pasakyk jiems, kad pusryčiai jau gatavi.

Lasteris išėjo. Benas sėdėjo prie krosnies. Sėdėjo atsipalaidavęs, visiškai nekrutėdamas, tik galva nesiliovė tarsi linksėjusi, kai jis žiūrėjo tuo savo švelniu ir tuščiu žvilgsniu į pirmyn atgal zujančią Dilzę. Sugrįžo Lasteris.

– Jau atsikėlė, – pasakė. – Mis Kehlaina liepė dengti stalą. – Lasteris priėjo prie krosnies ir laikė pakėlęs virš ugnies delnus. – Taip, jis jau atsikėlė, – pakartojo. – Ir išlipo ne ta koja.

– Kas gi nutiko? – paklausė Dilzė. – Eik iš ten. Kaip aš galiu ką nors daryti, kai tu stovi prie krosnies?

– Man šalta, – pasakė Lasteris.

– Reikėjo apie tai pagalvoti, kai buvai rūsy, – pasakė Dilzė. – Kas nutiko Džeisonui?

– Jis sako, kad aš ir Bendžis išmušėme jo kambario langą.

– Ar ten sudužo kuris langas? – paklausė Dilzė.

– Jis taip sako, – aiškino Lasteris. – Sako, kad aš jį išmušiau.

– Kaip tu galėjai tai padaryt, kai jis laiko tą kambarį užrakintą dieną naktį?

– Sako, kad išmušiau jį svaidydamas akmenis, – paaiškino Lasteris.

– Ir tu tai padarei?

– Neee, – atsakė Lasteris.

– Nemeluok man, berniuk, – pasakė Dilzė.

– Aš jo neišmušiau, – pasakė Lasteris. – Paklauskit Bendžio. Aš niekuo dėtas.

– Tai kas galėjo jį išmušti? – paklausė Dilzė. – Jis taip elgiasi norėdamas pažadinti Kventinę, – pasakė traukdama iš orkaitės skardą su bandelėmis.

– Aš irgi taip manau, – sutiko su ja Lasteris. – Keisti žmonės. Gerai, kad nesu vienas iš jų.

– Vienas iš ko? – paklausė Dilzė. – Aš tau pasakysiu šį bei tą, negriuk, velnystės turi nė truputėlio ne mažiau kaip bet kuris iš Kompsonų. Ar esi tikras, kad neišdaužei to lango?

– O kam man jį daužyt?

– O kam kreti visas tas šunybes? – paklausė Dilzė. – Pažiūrėk, kad jis nenusidegintų rankos, kol aš padengsiu stalą.

Ji nuėjo į valgomąjį, juodu girdėjo, kaip ji ten vaikšto, paskui ji grįžo virtuvėn, padėjo ant stalo lėkštę, įdėjo maisto. Benas stebėjo ją seilėdamasis, tyliai ir nekantraudamas čepsėjo.

– Štai, mielasis, tavo pusryčiai, – pasakė Dilzė. – Atnešk jam kėdę, Lasteri. Lasteris atnešė kėdę, ir Benas, virkaudamas ir seilėdamasis, atsisėdo. Dilzė aprišo jam aplink kaklą audeklą ir jo galu nušluostė lūpas. – Ir pasistenk bent kartą nesutepti jam drabužių, – paliepė paduodama Lasteriui šaukštą.

Benas liovėsi virkavęs. Stebėjo šaukštą, kai jis pakildavo jam prie burnos. Rodės, net tas jo nekantrumas irgi buvo paralyžiuotas, o patsai alkis neartikuliuotas, nežinantis, kad yra alkis. Lasteris nerūpestingai maitino jį įgudusia ranka. Retkarčiais vis dėlto susikaupdavo ir apsimesdavo ištiesiąs šaukštą: taip priversdavo Beną apžioti tuštumą, tačiau buvo akivaizdu, kad jo mintys klaidžioja kažkur kitur. Kita Lasterio ranka gulėjo ant kėdės atkaltės ir nedrąsiai, švelniai judėjo tuo negyvu paviršiumi, tarsi norėtų išgauti kažkokią negirdimą melodiją iš tos negyvos tuštumos, kartą, kai jo pirštai erzino tą negyvą medį, norėdami išspausti begarsį ir painų *arpeggio*, jis net pamiršo paerzinti šaukštu Beną, kol šis jam priminė apie save atsinaujinusiu virkavimu.

Valgomajame Dilzė zujo pirmyn atgal. Paskui paskambino skambiu negarsiu varpeliu, ir Lasteris virtuvėje išgirdo, kad ponia Kompson ir Džeisonas leidžiasi žemyn, pasigirdo Džeisono balsas, ir Lasteris ėmė klausytis, užvertęs akių baltymus.

– Na kurgi, žinoma, jie jo neišdaužė, – kalbėjo Džeisonas. – Žinoma. Tikriausiai jis sudužo nuo oro permainos.

– Neįsivaizduoju, kaip tai galėjo atsitikti, – aiškino ponia Kompson. – Tavo kambarys būna užrakintas kiaurą dieną, kaip tu jį palieki išvažiuodamas į miestą. Niekas iš mūsų nekelia ten kojos, išskyrus sekmadienį, kai jis valomas. Nenoriu, kad manytum, jog aš vaikštau ten, kur nepageidaujama, arba leidžiu kam nors kitam tai daryti.

– Aš juk nesakiau, kad jį sudaužėt jūs, tiesa? – pasakė Džeisonas.

– Man nėra reikalo vaikščioti į tavo kambarį, – teisinosi ponia Kompson. – Aš gerbiu kiekvieno asmeninius reikalus. Neperžengčiau jo slenksčio net tada, jeigu turėčiau raktą.

– Taip, – tarė Džeisonas, – žinau, kad jūsų raktai netinka. Tuo tikslu ir pakeičiau užraktą. Aš tiktai noriu sužinoti, kaip tas langas išdužo.

– Lasteris tikina, kad jo neišdaužė, – pasakė Dilzė.

– Aš tai žinau net ir neklausęs, – tarė Džeisonas. – Kur Kventinė?

– Ten, kur ir kiekvieną sekmadienio rytą, – atšovė Dilzė. – Kas jums užėjo šitomis dienomis?

– Na, reikia visai šitai tvarkai padaryti galą, – pasakė Džeisonas. – Užlipk pas ją viršun ir pasakyk, kad pusryčiai ant stalo.

– Palikit ją ramybėje, Džeisonai, – tarė Dilzė. – Ji keliasi pusryčiauti visus savaitės rytus, o sekmadieniais mis Kehlaina leidžia jai pasilepinti lovoje. Jūs tai žinote.

– O pilna negrų virtuvė lauks, kad patenkintų jos užgaidas. Kad ir kaip to norėčiau, negaliu sau to leisti, – pasakė Džeisonas. – Eik ir pasakyk jai, kad nusileistų pusryčiauti.

– Niekam nereikia jai patarnauti, – aiškino Dilzė. – Aš palieku jos pusryčius šiltai, ir ji...

– Ar girdėjai, ką pasakiau? – tarė Džeisonas.

– Aš jus girdžiu, – atsakė Dilzė. – Kai jūs namie, tik jus ir tegirdi. Jeigu ne Kventinę ar savo mamą, tai Lasterį su Bendžiu graužiate. Kodėl jūs leidžiat jam taip elgtis, mis Kehlaina?

– Verčiau daryk, kaip jis sako, – patarė ponia Kompson. – Dabar jis mūsų namų galva. Jis turi teisę reikalauti, kad gerbtume jo norus. Aš stengiuos tai daryti, ir jeigu aš galiu, vadinasi, gali ir tu.

– Bet kodėl turiu versti Kventinę keltis iš lovos vien tam, kad jam įtikčiau, jeigu jis turi tokį bjaurų būdą? – klausė Dilzė. – Gal manote, kad ji tą langą išdaužė.

– Ji tai padarytų, jei tik jai šautų į galvą, – pasakė Džeisonas. – O dabar eik ir daryk, ką sakau.

– Ir aš nesmerkčiau jos, jei ji tai padarytų, – atrėžė Dilzė. – Kai jūs namie, tai neatstojate nuo jos su priekabėmis.

– Ša, Dilze, – tildė ją ponia Kompson. – Ne tavo ir ne mano reikalas mokyti Džeisoną, kaip elgtis. Kartais ir aš manau, kad jis nėra teisus, tačiau stengiuosi paklust jo norams jūsų visų labui. Jei man užtenka jėgų nusileisti prie stalo, Kventinė irgi gali tai padaryti.

Dilzė išėjo. Jie girdėjo, kaip ilgai ji kopia laiptais.

– Nuostabūs tie jūsų tarnai! – pasakė Džeisonas. Įdėjo maisto motinai, paskui įsidėjo sau. – Ar kada nors bent turėjot tokį, kuris būtų bent šio to vertas? Kiek pamenu, tokio nebuvo.

– Privalau su jais taikstytis, – aiškino ponia Kompson. – Juk aš visiškai nuo jų priklausau. O, kad turėčiau jėgų. Norėčiau jų turėti. Norėčiau pati atlikti visą namų ruošą. Taip bent galėčiau palengvint tavo naštą.

– Ir mes gyventume nuostabioje kiaulidėje, – išgiežė Džeisonas. – Paskubėk, Dilze, – šūktelėjo.

– Žinau, kad tu mane smerki už tai, kad leidžiu jiems šiandien nueiti į bažnyčią, – kalbėjo ponia Kompson.

– Kur? – perklausė Džeisonas. – Ar tas prakeiktas teatras dar neišvažiavo?

– Į bažnyčią, – pakartojo ponia Kompson. – Juodukams šiandien ypatingos velykinės pamaldos. Aš pažadėjau Dilzei dar prieš dvi savaites, kad ji galės nueiti.

– Vadinasi, mes valgysime šaltus pietus, – pareiškė Džeisonas, – arba liksim išvis be pietų.

– Žinau, kad esu kalta, – tarė ponia Kompson. – Žinau, kad tu mane smerki.

– Už ką? – paklausė Džeisonas. – Juk, kaip man žinoma, ne jūs prikėlėt Kristų iš numirusiųjų?

Jie girdėjo, kaip Dilzė užkopė paskutinį laiptelį, paskui lėtus jos žingsnius sau virš galvos.

– Kventine, – pašaukė Dilzė.

Kai ji pašaukė pirmą kartą, Džeisonas padėjo peilį ir šakutę, ir juodu su motina tarsi sustingo abipus stalo vienas priešais kitą vienodomis pozomis: vienas šaltas ir gudrus, su tankiais rudais plaukais, krentančiais dviem užsispyrėliškom sruogom ant kaktos, tarsi jis būtų kokia baro savininko karikatūra, ir su šviesiai rudomis akių rainelėmis juodais kraštais, tarsi jos būtų stiklo rutuliukai, kita – šalta, niurzgi, plaukai – baltut baltutėlaičiai, pabrinkusiomis ir suglumusiomis akimis, tokiomis tamsiomis, kad rodės, jog tai vieni vyzdžiai ar vien rainelės.

– Kventine, – pakartojo Dilzė. – Kelkis, širdele. Jie laukia tavęs pusryčiauti.

– Nesuprantu, kaip tas langas išdužo, – pasakė ponia Kompson. – Ar esi tikras, kad tai įvyko vakar? Tai galėjo nutikti jau seniai ir likti nepastebėta: oras buvo toks šiltas. Be to, viršutinis rėmas, už naktinės užuolaidos.

– Kartoju jums paskutinį kartą, kad tai įvyko vakar, – pyktelėjo Džeisonas. – Jums neatrodo, kad aš puikiai pažįstu kambarį, kuriame gyvenu? Ar manot, kad galėjau išgyventi jame savaitę su skyle lange, pro kurią galėtum prakišti ranką... – jo balsas staiga nuščiuvo, ir valandėlę jis spitrijo į motiną visai tuščiomis akimis. Regis, jo akys užgniaužė kvapą, o motina žvelgė į jį – veidas sudribęs, niurzgus – tokiu beribiu, aiškiaregiu, tačiau buku žvilgsniu. Jiems taip besėdint Dilzė pakartojo:

– Kventine. Nežaisk su manimi, širdele. Nusileisk pusryčiauti, brangute. Jie tavęs laukia.

– Nesuprantu, – vėl prabilo ponia Kompson. – Lyg kas būtų norėjęs įsilaužti... – Džeisonas pašoko. Kėdė apvirto jam už nugaros. – Ką... – pasakė ponia Kompson, kai jis žaibu pro ją pranėrė, šuoliais užkopė laiptais, susitiko su Dilze. Jo veidas buvo šešėlyje, ir Dilzė tarė:

– Ji tenai šiaušiasi. Jūsų mama dar neatrakino... – Bet Džeisonas pro ją prabėgo ir nurūko koridoriumi prie durų. Nepašaukė Kventinės vardu. Tik griebė durų rankeną, papurtė, paskui stovėjo, suspaudęs rankeną ir kiek palenkęs galvą, tarsi įsiklausytų į kažką daug tolesnį nei tasai kambarys už durų, į kažką, ką jau girdėjo. Jo povyza buvo povyza žmogaus, kuris klausosi vien tam, kad išgirdęs nebetikėtų tuo, ką girdi. O ponia Kompson jam už nugaros jau kopė laiptais, šaukdama jį vardu. Paskui pamatė Dilzę ir ėmė šaukti ją.

– Aš gi sakiau jums, kad ji dar neatrakino tų durų, – pakartojo Dilzė.

Jai tai besakant jis pasisuko, pribėgo prie jos, tačiau jo balsas buvo ramus, dalykiškas. – Ji nešiojasi raktą? – paklausė. – Na, ar ji turi jį, ar jai reikės...

– Dilze, – pašaukė nuo laiptų ponia Kompson.

– Ką? – nesuprato Dilzė. – Kodėl jūs neleidžiate jai...

– Raktą! – paliepė Džeisonas. – Nuo šito kambario. Ar ji nešiojasi jį visą laiką? Mama. – Paskui pamatė ponią Kompson ir nubėgo laiptais žemyn jos pasitikti. – Duokit man raktą, – pareikalavo. Ir ėmė grabinėti jos palaikio juodo peniuaro kišenes. Ji pasipriešino.

– Džeisonai, – sušuko. – Džeisonai! Ar judu su Dilze norit vėl paguldyt mane į lovą? – priekaištavo stengdamasi jį nustumti. – Net sekmadienį negalite duoti man ramybės?

– Raktą, – pakartojo Džeisonas ją grabinėdamas. – Duokit man jį tuoj pat. – Atsigręžė į duris, tarsi tikėtųsi, kad jos plačiai atsivers, kol jis suspės jas atrakinti raktu, kurio dar neturėjo.

– Dilze! – sušuko ponia Kompson, spausdama prie savęs peniuarą.

– Duokit man raktą, sena kvaiša! – staiga suriko Džeisonas. Ištraukė jai iš kišenės didžiulį ryšelį surūdijusių raktų, suvertų ant geležinio žiedo, primenančio viduramžių kalėjimo sargo raktų vėrinį, ir nubėgo atgal koridoriumi, o abi moteriškės nusekė jam įkandin.

– Džeisonai! – šaukė ponia Kompson. – Jis niekad neras to, kurio reikia, – pridūrė. – Dilze, juk tu žinai, kad aš niekam neleidžiu imti mano raktų. – Ir ėmė aimanuoti.

– Ša, – pasakė Dilzė. – Jis nieko jai nepadarys. Aš jam neleisiu...

– Bet sekmadienio rytą, mano namuose, – nesiliovė ponia Kompson. – Kai aš šitaip stengiausi išauklėti juos krikščionimis. Duok, surasiu tą raktą, Džeisonai, – pasakė. Suėmė delnu jo ranką. Paskui pamėgino grumtis su juo, bet jis ją nustūmė šalin alkūne ir valandėlę žiūrėjo šaltomis, klausiančiomis akimis, paskui vėl susitelkė į duris ir į gremėzdiškus raktus.

– Ša, – kartojo Dilzė. – Ak, Džeisonai!

– Nutiko kažkas siaubinga, – vėl sudejavo ponia Kompson. – Aš žinau. Džeisonai, – vėl įsikibo jam į ranką. – Jis net neleidžia man surasti raktą nuo mano pačios namų!

– Na jau, na jau, kas gi galėjo nutikti, – ramino Dilzė. – Aš čia. Aš neleisiu jam jos nuskriausti. Kventine, – pašaukė garsiau, – nebijok, širdele, aš čia.

Durys atsivėrė vidun. Džeisonas valandėlę pastovėjo užstodamas įėjimą, paskui žingtelėjo į šalį.

– Prašom, įeikite, – pasakė storu, atlėgusiu balsu. Jos įėjo. Tai nebuvo merginos kambarys. Tai buvo niekieno kambarys, ir silpnas pigios kosmetikos kvapas, ir tie keli moteriški daikčiukai, ir kiti žiaurių ir beviltiškų pastangų padaryti jį moterišką pėdsakai tik dar labiau pabrėžė to kambario anonimiškumą, suteikdami jam negyvo ir stereotipiško pasimatymų namų kambario laikinumo. Lova buvo nepaliesta. Ant grindų mėtėsi nešvarūs pigaus šilko apatiniai, kiek perdėtai rausvi, iš pusiau ištraukto komodos stalčiaus kyšojo nukarusi kojinė. Langas – atidarytas. Palei pat namą augo kriaušė. Buvo pats jos žydėjimas, šakos brūžinosi ir džirinosi į namo sieną, o mirgantis takus oras brovės vidun pro langą, skleisdamas kambaryje liūdną žiedų aromatą.

– Na matot, – pasakė Dilzė. – Ar nesakiau jums, kad jai nieko nenutiko?

– Nieko nenutiko? – paklausė ponia Kompson. Dilzė nusekė jai iš paskos kambarin ir palietė jos ranką.

– O dabar eikite ir atsigulkite, – pasakė. – Aš ją surasiu per dešimtį minučių.

Ponia Kompson papurtė galvą.

– Surask tą laišką, – pasakė. – Kventinas paliko laišką, kai taip padarė.

– Gerai, – pasakė Dilzė. – Aš jį surasiu. O dabar eikit į savo kambarį.

– Žinojau, kad šitaip atsitiks nuo tos pačios minutės, kai jie ją pavadino Kventine, – pasakė ponia Kompson. Priėjo prie komodos ir pradėjo vartyti ant jos išmėtytus daiktus – kvepalų buteliukus, pudros dėžutes, apgraužtą pieštuką, žirkles nulaužtais ašmenimis, gulinčias ant suadyto šaliko, apibarstyto pudra ir sutepto raudonais dažais. – Surask tą laišką, – paprašė.

– Gerai, – pasakė Dilzė. – Jūs eikite. Mudu su Džeisonu surasim jį. O jūs eikit į savo kambarį.

– Džeisonai, – ištarė ponia Kompson. – Kur Džeisonas? – Ir patraukė prie durų. Dilzė nusekė jai iš paskos koridoriumi iki kitų durų. Jos buvo uždarytos. – Džeisonai, – pašaukė prie jų ponia Kompson. Atsakymo nebuvo. Ji pamėgino pasukti rankeną, paskui ir vėl jį pašaukė. Tačiau atsakymo vis dar nebuvo, nes Džeisonas svaidė per petį daiktus iš drabužinės: drabužius, batus, lagaminą. Paskui išniro iš jos nešinas nupjautu gabalu lentos su įlaida, padėjo ją ant grindų ir vėl įėjo į drabužinę, tada išniro iš jos su metaline dėže. Padėjo ją ant lovos ir stovėjo žiūrėdamas į sulaužytą užraktą, traukdamas iš kišenės žiedą su raktais. Išsirinko vieną ir laikė jį rankoje, žiūrėdamas į išlaužtą užraktą. Paskui vėl įsidėjo raktus į kišenę ir kruopščiai išbėrė dėžutės turinį ant lovos. Taip pat rūpestingai surūšiavo popierius, imdamas juos po vieną ir papurtydamas. Paskui apvertė dėžutę dugnu į viršų ir pakratė, tada iš lėto vėl sudėjo į ją popierius ir vėl stovėjo nulenkęs galvą – dėžutė rankose, žiūri į išlaužtą užraktą. Girdėjo, kaip už lango tolyn nunėrė spygaudami kėkštai, o vėjas išblaškė jų klyksmą; kažkur pravažiavo automobilis, irgi nutilo. Motina pakartojo už durų jo vardą, bet jis nekrustelėjo. Girdėjo, kaip Dilzė nusivedė ją koridoriumi, paskui – kaip užsivėrė durys. Tada vėl padėjo dėžutę į drabužinę, sumetė drabužius ir nusileido laiptais paskambinti telefonu. Jam taip stovint su rageliu, prispaustu prie ausies, ir laukiant, kol sujungs, laiptais nusileido Dilzė. Ji pažvelgė į jį nesustojusi ir nužingsniavo sau.

Kai jį sujungė, jis ištarė:

– Čia Džeisonas Kompsonas, – tokiu šaižiu ir storu balsu, kad teko pakartoti: – Džeisonas Kompsonas, – pakartojo, kontroliuodamas balsą. – Turėkite paruošę automobilį, po dešimties minučių vykstu su jūsų pavaduotoju, jei negalite vykti pats. Atvažiuoju... Ką?.. Apiplėšimas. Mano namuose. Aš žinau, kas... Sakau jums, apiplėšimas. Turėkite paruoštą mašiną... Ką? Ar mes nemokame jums už teisėtvarkos priežiūrą... Taip, būsiu pas jus po penkių minučių. Turėkite paruoštą mašiną, kad galėtume iškart važiuoti. Jei ne, pasiskųsiu gubernatoriui.

Jis garsiai pliaukštelėjo ragelį į vietą, perėjo per valgomąjį, kur lėkštėse ant stalo gulėjo jau atšalęs vos pradėtas maistas, ir nuėjo į virtuvę. Dilzė pylė vandenį į šildynę. Benas sėdėjo ramus, bejausmis. Lasteris šalia jo priminė budrų sarginį šunį. Jis kažin ką žiaumojo. Džeisonas patraukė per virtuvę lauk.

– Ar nepapusryčiausit? – paklausė Dilzė. Jis nereagavo. – Sėskite ir pavalgykite, Džeisonai. – Jis sau žengė kaip žengęs. Laukujės durys trinktelėjo paskui jį. Lasteris atsistojo, priėjo prie lango ir nulydėjo Džeisoną akimis.

– Oho! – pasakė. – Kas gi nutiko ten viršuj? Jis mušė panelę Kventinę?

– Užčiaupk srėbtuvę, – pasakė Dilzė. – Jei pravirkdysi Bendžį, nusuksiu sprandą. Žiūrėk, kad jis būtų tylut tylutėlis, kol sugrįšiu. – Užsuko šildynės dangtelį ir išėjo. Jie girdėjo ją lipant laiptais, paskui girdėjo, kaip pravažiavo Džeisono mašina. Tada virtuvėje viskas nuščiuvo, girdėjosi tik vandens murmesys katiliuke ir laikrodžio tiksėjimas.

– Žinai, iš ko kertu lažybų? – paklausė Lasteris. – Neabejoju, kad jis ją mušė. Kertu lažybų, kad jis trenkė jai per galvą ir dabar nuvažiavo daktaro. Aš tuo neabejoju.

Laikrodis tiksėjo, rimtai, giliai. Galėjai pamanyti jį esant paties to dūlančio namo pulsu. Netrukus jis birbtelėjo, prasivalė gerklę ir išmušė šešis kartus. Benas žvilgtelėjo į jį, paskui į kulką primenantį Lasterio galvos kontūrą lango fone ir seilėdamasis vėl ėmė linksėti galvą. Unkščiojo.

– Nutilk, gluše, – rėžė Lasteris neatsigręždamas. – Regis, šiandien nebus mums jokios bažnyčios. – Tačiau Benas sėdėjo ant kėdės, didelės glebios jo rankos buvo nukarusios tarp kojų, jis tyliai vaitojo. Staiga pravirko, – toks lėtas pratisas baubimas, bereikšmis ir nepertraukiamas. – Ša, – tildė jį Lasteris. Pasisuko ir užsimojo ranka. – Ar nori, kad išperčiau? – Tačiau Benas tiktai žiūrėjo į jį, patyliukais subaubdamas sulig kiekvienu iškvėpimu. Lasteris priėjo ir jį papurtė. – Tuoj pat nutilk! – sušuko. – Varom, – nutraukė Beną nuo kėdės, nuvilko ją prie krosnies, pastatė priešais, atvėrė krosnies dureles ir vėl užsodino Beną ant jos. Atrodė, lyg vilkikas stumtų griozdišką tanklaivį į siaurą doką. Benas vėl atsisėdo – priešais tas rausvas dureles. Nutilo. Tada jie vėl išgirdo tiksint laikrodį ir lėtus Dilzės žingsnius ant laiptų. Kai ji įėjo, Benas ir vėl pradėjo unkščioti. Paskui kaskart garsiau.

– Ką tu jam padarei? – paklausė Dilzė. – Kodėl gi negali palikti jo ramybėj, juolab šįryt.

– Aš nieko jam nedarau, – teisinosi Lasteris. – Tai ponas Džeisonas jį išgąsdino. Juk jis neprimušė panelės Kventinės mirtinai, ką?

– Ša, Bendži, – pasakė Dilzė. Jis nutilo. Ji nuėjo prie lango, pažvelgė laukan. – Jau nebelyja? – paklausė.

– Ne, mem, – atsakė Lasteris. – Seniai jau liovėsi.

– Tada išeikit truputį į lauką, – pasakė. – Aš ką tik nuraminau mis Kehlainą.

– Ar eisim į bažnyčią? – paklausė Lasteris.

– Bus laikas, sužinosi. Neleisk jam artintis prie namų, kol pašauksiu.

– Ar galim eiti ganyklon? – paklausė Lasteris.

– Gerai. Tik neleisk jo artyn namų. Man šiam rytui jau visko per akis.

– Gerai, mem, – pasakė Lasteris, – o kur ponas Džeisonas išvažiavo, mamut?

– Tai irgi tavo reikalas, ar ne? – suirzo Dilzė. Ir ėmė rinkti nuo stalo indus. – Nutilk, Bendži. Lasteris nusives tave pažaisti.

– Ką jis padarė panelei Kventinei, mamut? – paklausė Lasteris.

– Nieko. Ar nedingsit iš čia?

– Kertu lažybų, kad jos čia nėra, – pasakė Lasteris.

Dilzė pažiūrėjo į jį:

– Iš kur tu žinai, kad jos čia nėr?

– Mudu su Bendžiu matėm, kaip ji išlipo pro langą aną naktį. Ar ne, Bendži?

– Iš tikrųjų? – paklausė Dilzė, nenuleisdama nuo jo akių.

– Ji tai daro kiekvieną naktį, – pasakė Lasteris. – Nulipa tąja kriauše.

– Ar tu man nemeluoji, negriuk?

– Nemeluoju. Paklauskit Bendžio.

– Tai kodėl niekad nesakei?

– Tai ne mano reikalas, – atsakė Lasteris. – Aš nesikišu į baltųjų reikalus. Eikš, Bendži, eisime laukan.

Juodu išėjo. Dilzė pastovėjo valandėlę prie stalo, paskui išnešė iš valgomojo pusryčių likučius, pati papusryčiavo virtuvėje ir ją sutvarkė. Tada nusijuosė prijuostę, pakabino ją, priėjo prie laiptų ir valandėlę pasiklausė. Iš viršaus – nė garso. Tada apsivilko milinę, užsidėjo skrybėlę ir nužingsniavo per kiemą iki savo trobos.

Lietus liovėsi. Vėjas dabar pūtė iš pietryčių, debesys sudraskė mėlynę lopais. Už miesto medžių, stogų ir smailių saulės spinduliai užklojo kalvos keterą it blyški audeklo skiautė, paskui išblėso. Atvilnijo varpo dūžio atgarsiai, tada, lyg tai būtų signalas, tą garsą pasigavo ir atkartojo kiti varpai.

Trobos durys atsivėrė, ir pro jas išniro Dilzė, vėl su kaštoninės spalvos apsiaustu ir violetine suknia, su purvinomis baltomis pirštinėmis iki alkūnių, tačiau turbano ant galvos jau neturėjo. Ji išėjo į kiemą, pašaukė Lasterį. Valandėlę palaukė, paskui patraukė prie namo, apėjo jį, tykindama palei sieną, prisiartino prie rūsio durų ir žvilgtelėjo vidun. Benas sėdėjo ant laiptelių. Priešais jį ant drėgnų grindų tupėjo Lasteris. Kaire ranka laikė pjūklą, jo ašmenys buvo kiek išlinkę nuo spaudimo iš viršaus delnu, ir kaip tik tuomet Lasteris sudaužė per ašmenis nuzulintu mediniu grūstuvu, kuriuo ji jau daugiau kaip trisdešimtį metų naudojosi kepdama duoną. Pjūklas tingiai skimbtelėjo ir kaipmat nuščiuvo be jokio gyvybės ženklo, ašmenys nubrėžė ploną ryškią kreivę tarp Lasterio rankos ir grindų, paskui pūpsojo sustingę, neperprantami.

– Jis darė lygiai taip, – aiškino Lasteris. – Tik aš dar neradau, kuo jį daužyti.

– Tai štai ką tu čia veiki? – tarė Dilzė. – Duokš man tą grūstuvą.

– Aš jo nesugadinsiu.

– Duokš jį čionai, – paliepė Dilzė. – Ir padėk pjūklą, iš kur paėmei.

Jis padėjo pjūklą ir padavė jai grūstuvą. Tada Benas vėl suvaitojo, taip sielvartingai, pratisai. Tai buvo tik garsas, nieko daugiau. Tačiau atrodė, kad, planetoms susijungus, visas laikas, visa neteisybė ir liūdesys akimirką pavirto balsu.

– Paklausykit, – pasakė Lasteris, – jis visąlaik va šitaip, nuo pat tada, kai jūs mus išsiuntėt laukan. Nesuprantu, kas su juo šįryt dedasi.

– Atvesk čionai, – paliepė Dilzė.

– Eikš, Bendži, – pašaukė Lasteris. Jis vėl nusileido laipteliais ir paėmė Bendžį už rankos. Šis ėjo paklusniai, vaitodamas, – toks lėtas kimus garsas, panašus į laivo sireną: ji lyg prasideda dar prieš suskambus garsui ir baigiasi prieš jam nuščiūvant.

– Nubėk atnešti jo kepurės, – paliepė Dilzė. – Tik žiūrėk, kad mis Kehlaina nieko neišgirstų. Paskubėk. Mes jau vėluojam.

– Ji vis tiek jį išgirs, jei jūs jo nenutildysit, – pasakė Lasteris.

– Kai tik išeisime iš kiemo, jis ir liausis, – paaiškino Dilzė. – Jis tai užuodžia. Dėl to ir yra toks.

– Ką užuodžia, mamut? – paklausė Lasteris.

– Eik gi, atnešk kepurę, – paliepė Dilzė. Lasteris nuėjo. Juodu stovėjo prie rūsio durų, Benas vienu laipteliu žemiau. Dabar dangus buvo suraižytas tų skriejančių lopų, jie vilko paskui save skubrius šešėlius virš apleisto sodo, per aplūžusią tvorą, per kiemą. Dilzė iš lėto, nesustodama glostė Beno galvą, glotnino ant kaktos nukritusią garbaną. – Ša, – kartojo. – Nutilk. Netrukus eisim. O dabar nutilk.

Jis aimanavo tyliai, be pertrūkių.

Grįžo Lasteris, nešinas medžiagine kepure, ant galvos buvo užsivožęs kietą naują šiaudinę skrybėlę, apryštą spalvotu kaspinu. Ji tarsi koks prožektorius išryškino Lasterio kaukolės kontūrus su visais individualiais jos planais ir kampais. Jos forma buvo tokia savotiška, kad iš pirmo žvilgsnio atrodė, jog skrybėlė uždėta ne ant Lasterio galvos, o užvožta kažkam, kas stovi jam už nugaros. Dilzė pažvelgė į skrybėlę.

– Kodėl neužsidėjai senosios? – paklausė.

– Neradau, – atsakė Lasteris.

– Kurgi ne. Kertu lažybų, kad vakar vakare padėjai ją taip, kad nesurastum. Sutrinsi šitą.

– Oi, mamut, juk tikrai nelis, – pasakė Lasteris.

– Iš kur žinai? Eik susirask senąją skrybėlę, o šitą palik.

– Oi, mamut.

– Tada pasiimk skėtį.

– Oi, mamut.

– Pasirink, – paragino Dilzė. – Pasiimk arba senąją skrybėlę, arba skėtį. Man nesvarbu ką.

Lasteris nužingsniavo į trobą. Benas tyliai dejavo.

– Eime, – pasakė Dilzė. – Jie pasivys mus. Pasiklausysime giesmių. – Jie apėjo namą ir pasuko prie vartų. – Ša, – retkarčiais tarsteldavo Dilzė, kai jie ėjo alėja. Priėjo vartus. Dilzė atvėrė juos. Paskui juos alėja žingsniavo skėčiu nešinas Lasteris. Jį lydėjo kažkokia moteris. – Na va ir jie, – pasakė Dilzė. Visi išėjo pro vartus. – Liaukis, – pridūrė. Benas liovės dejavęs. Lasteris ir jo mama juos prisivijo. Fronė vilkėjo ryškiai raudono šilko suknelę ir buvo užsidėjusi gėlėmis puoštą skrybėlę. Ji buvo smulkutė plokščio ir malonaus veido moteriškė.

– Šita suknelė – šešios savaitės tavo darbo, – pasakė Dilzė. – Ką darysi, jeigu užlis?

– Sušlapsiu, – atsakė Fronė. – Sustabdyti lietaus man dar niekada nepavyko.

– Mamutė visada kalba apie tai, kad pradės lyti, – įkišo trigrašį Lasteris.

– Jei aš nepasirūpinčiau jumis visais, nežinau, kas tai padarytų, – pasakė Dilzė. – Eime, mes jau vėluojam.

– Šiandien pamokslą sakys pastorius Šegogas, – pranešė Fronė.

– Iš tikrųjų? – nustebo Dilzė. – O kas jis toks?

– Jis iš Sent Luiso, – paaiškino Fronė. – Labai garsus pamokslininkas.

– Hm, – tarė Dilzė. – Iš tikro reikia tokio žmogaus, kurs sugebėtų įvaryti Dievo baimę tiems netikšoms jaunėliams negrams.

– Pastorius Šegogas tai sugeba, – užtikrino Fronė. – Taip žmonės sako.

Jie žingsniavo gatve. Per visą ramų jos ilgį, gaudžiant vėjo blaškomiems varpų dūžiams, driekėsi ryškios bažnyčion traukiančių baltųjų voros, retkarčiais jie įžengdavo į nedrąsiai saulės apšviestus plotelius. Vėjas pūtė šuorais iš šiaurės rytų, toks šaltas, drėgnas po tų praėjusių šiltų dienų.

– Geriau jau jūs nesivestumėte jo bažnyčion, mama, – pasakė Fronė. – Žmonės vis šneka ir šneka.

– Kokie žmonės? – paklausė Dilzė.

– Turiu nuolat klausytis jų, – atsakė Fronė.

– O, žinau aš, kas tai per žmonės, – tarė Dilzė. – Baltaodžiai pašlemėkai. Va kas jie tokie. Jie mano, kad baltųjų bažnyčiai jis per prastas, o negrų bažnyčia per prasta jam.

– Bet tai nekliudo jiems plakti liežuviais, – pridūrė Fronė.

– Tada atsiųsk juos pas mane, – pasakė Dilzė. – Pasakyk jiems, kad Dievuliui nerūpi, ar jis protingas, ar ne. Tai rūpi tik baltaodžiams pašlemėkams.

Skersinė gatvė driekėsi žemyn, galiausiai virto gruntkeliu. Abiejose jo pusėse žemė leidosi stačiai žemyn: apačioje – erdvi žemuma, nutaškuota mažų trobelių, apšepę jų stogai lygiavosi su kelio viršumi. Jos stypsojo nedidukuose ploteliuose be žolės, užterštuose visokiomis nuolaužomis, plytomis, lentomis, indų šukėmis – kitados naudotų daiktų atliekomis. Čia vešėjo tik piktžolės, augo tik šilkmedžiai, akacijos ir jovarai – medžiai irgi buvo dalis to bjauraus skurdo, būdingo šitoms troboms, jų ką tik pradėję skleistis pumpurai atrodė kaip liūdna ir užsispyrėliška rugsėjo liekana, tarytum net pavasaris pamiršo juos, palikęs misti tuo tirštu, su niekuo nesupainiojamu negrų, tarp kurių jie augo, kvapu.

Jiems einant pro šalį, Dilzę kaskart užkalbindavo tarpduriuose stovintys negrai:

– Sis* Gibson! Kaip sekasi iš pačio ryto?

– Gerai. O jums?

– Ačiū, labai gerai.

Negrai išnirdavo iš tų trobelių ir sunkiai kopė nuožulniu pylimu į kelią – vyrai, vilkintys oriais rudais arba juodais kostiumais, su nukarusiomis auksinėmis laikrodžių grandinėlėmis, vienas kitas su lazda; jaunuoliai – su pigiais ryškiai mėlynais arba dryžuotais drabužiais ir prašmatniomis skrybėlėmis; moterys, šiugždančios standokomis suknelėmis, ir vaikai – su dėvėtais iš baltųjų pirktais drabužiais, vogčia, kaip naktiniai žvėriukai, žiūrintys į Beną.

– Kertu lažybų, kad tu jo nepaliesi.

– Dar ko?

– Kertu lažybų, kad nepaliesi. Tu bijai.

– Žmonių jis nepuola. Jis tik pakvaišęs, ir tiek.

– Kaipgi pakvaišęs gali nepult žmonių?

– Šitas nepuola. Aš buvau jį palietęs.

– Kertu lažybų, kad dabar nepaliesi.

– Taigi mis Dilzė žiūri.

– Vis tiek nepaliestum, jei ir nežiūrėtų.

– Jis nepuola žmonių. Jis tik pakvaišęs.

Sis vietoj *sister* (sesuo). Kreipiniai „broli" ir „sese" dažnai vartojami juodaodžių, ypač jeigu jie priklauso tai pačiai parapijai.

Ir visąlaik tie pagyvenę žmonės kalbino Dilzę, o Dilzė, jei tik jie nebuvo senukai, leisdavo atsakyti Fronei.

– Mamutė šįryt nekaip jaučiasi.

– Negerai. Bet pastorius Šegogas sugebės jai padėti. Jis ją paguos ir palengvins jos būklę.

Kelias vėl kilo, ir vaizdas priekyje panėšėjo į teatro dekoraciją. Įsirėžęs į ąžuolų apvainikuotą raudono molio spragą, kelias staiga nutrūko, tarsi nukirptas kaspinas. Aptriušusi bažnyčia greta jo kėlė aukštyn savo beprotišką smailę, atrodė, lyg būtų nutapyta, ir visas reginys buvo toks plokščias ir be jokios perspektyvos, kaip tapytas kartonas, įtaisytas toliausiame tos plokščios žemės taške, priešais vėjuotus saulės apšviestus plotus, balandyje, vėlų, varpų pritvinkusį rytą. Į tą bažnyčią jie visi ir plūdo, kupini lėto sekmadienio orumo, moterys ir vaikai ėjo vidun, vyrai sustojo lauke ir ramiai šnekučiavosi grupelėmis, kol varpai liovėsi gaudę. Tada įėjo ir jie.

Bažnyčia buvo negausiai išpuošta gėlėmis iš darželių bei gyvatvorių ir spalvotais krepino kaspinais. Virš sakyklos kabojo aplamdytas Kalėdų varpas, iš tų, kur susilanksto kaip armonika. Sakykla buvo tuščia, tačiau choristai jau stovėjo susirinkę ir vėdavosi, nors karšta anaiptol nebuvo.

Dauguma moterų, susibūrusios vienoje pusėje, šnekučiavosi. Paskui nuaidėjo varpo dūžis, jos išsiskirstė į savas vietas ir parapijiečiai valandėlę laukė sėdėdami. Suskambo dar vienas varpo dūžis. Choristai sustojo, užgiedojo, o parapijiečiai visi kaip vienas pasuko galvas, kai šeši vaikučiai – keturios mergytės kietai supintomis kasytėmis, surištomis mažais drugelio pavidalo kaspinėliais, ir du berniukai kone visai nuskustomis galvomis – įėjo vidun ir nužingsniavo perėjimu, sujungti draugėn baltais kaspinais ir gėlių girliandomis, o paskui juos žengė du vyrai. Antrasis buvo milžiniškas, šviesios kavos spalvos, impozantiškas su savo durtiniu ir baltu kaklaraiščiu. Jo galva atrodė didingai ir giliamintiškai, kaklas riebiomis klostėmis išvirtęs ant apykaklės. Tačiau jis buvo pažįstamas parapijiečiams, todėl jų galvos vis dar buvo atgręžtos, kai jis pro juos praėjo, ir tik baigus giedoti chorui jie suprato, kad kviestinis pamokslininkas jau įėjo, o kai pamatė, kad vyras, žengęs priešais jų pastorių, pirmasis įžengė ir į sakyklą, per bažnyčią nuvilnijo nenusakomas garsas – atodūsis, nuostabos ir nusivylimo murmesys.

Svečias buvo mažesnis nei vidutinio ūgio, vilkėjo palaikiu alpakos švarku. Jo veidas buvo juodas ir raukšlėtas, kaip nedidukės senos beždžionės. Ir visą laiką, kol choras giedojo naują giesmę, o tie šeši vaikeliai sustojo ir giedojo plonu, išgąsdintu, bebalsiu šnabždesiu, nustėrę parapijiečiai žiūrėjo į tą neišvaizdų vyrą, prisiglaudusį kaip koks kaimietis nykštukas greta impozantiškai masyvaus pastoriaus. Jie vis dar žvelgė į jį nustėrę ir netikėdami, kai pastorius atsistojo ir jį pristatė sodriu, skardingu balsu: kiekviena lipšni jo balso intonacija tik dar labiau pabrėždavo svečio menkumą.

– Ir jie net iki Sent Luiso nukako, kad atvežtų mums šitą, – sušnibždėjo Fronė.

– Aš mačiau Dievą naudojantis dar keistesnėmis priemonėmis, – pasakė Dilzė. – O dabar ša, – paliepė Benui. – Jie tuojau vėlek užgiedos.

Kai svečias atsistojo kalbėti, atrodė, kad tai kalba baltasis. Toksai vienodas, šaltas balsas. Jis skambėjo pernelyg skardžiai tam kūnui, ir iš pradžių parapijiečiai klausėsi tik iš smalsumo, kaip klausytųsi kalbančios beždžionės. Stebėjo jį, tarsi stebėtų ištemptu lynu einantį akrobatą. Jie net pamiršo menką jo povyzą, pakerėti to, kaip virtuoziškai jis bėgo, sustodavo, vėl staigiai nerdavo į priekį ant to šalto, beaistrio lyno – savo balso, ir galiausiai, kai jis, sklandžiai viską užbaigęs, vėl atsirėmė į pastovą, padėjęs ant jo ranką pečių aukštyje, o visas jo beždžioniškas kūnas sustingo taip, tarsi jis būtų mumija ar tuščias indas, parapijiečiai atsiduso lyg nubudę iš kolektyvinio sapno ir krustelėjo suoluose. Už sakyklos nesiliovė vėdavęsis choras. Dilzė sušnabždėjo:

– Ša. Po minutės jie užgiedos.

Ir tada tasai balsas ištarė:

– Mielieji broliai.

Pats pamokslininkas nekrustelėjo. Jo ranka vis dar gulėjo ant pastovo, ir jis nepakeitė pozos, kol jo balsas, atkartotas skardingo aido, nuščiuvo tarp bažnyčios sienų. Nuo pradinio jo balso tono jis skyrėsi kaip diena nuo nakties, – toks liūdnas tembras, primenantis alto ragą, nugrimzdęs į jų širdis ir vis dar bylojantis jose, nors patsai balsas jau liovėsi skambėjęs, nuščiuvo kartu su bendru aidu.

– Mielieji broliai ir sesės, – vėl prabilo pamokslininkas, nukėlė ranką ir ėmė vaikščioti pirmyn atgal prieš pastovą, susidėjęs rankas už nugaros, toks liesas, sulinkęs siluetas, kaip žmogaus, jau nuo seno užsisklendusio kovoje su nenumaldoma žeme, – manyje gyvi prisiminimas ir Avinėlio pralietas kraujas!*

Susikūprinęs, susidėjęs už nugaros rankas, jis nesustodamas trepeno pirmyn atgal po tomis popierinėmis girliandomis ir Kalėdų varpu. Sakytum kokia sudūlėjusi nedidelė uola, nepaliaujamai užliejama savo balso bangų. Sakytum jis maitino savo

*Žr. *Apr* 7, 14.

kūnu tą balsą, o šis nelyginant piktoji dvasia įsisiurbė į jį dantimis. Parapijiečiai, rodės, nenuleido nuo jo akių, kol tasai balsas ryte jį rijo, kol iš jo nieko nebeliko ir iš jų irgi nieko nebeliko, ir nebeliko net to balso, tiktai jų širdys kalbėjo progiesmiu viena kitai, be žodžių, nes jų ir nereikėjo, ir kada jis priėjo, atsirėmė į pastovą ir užvertė aukštyn savo beždžionišką veidą, lyg nukryžiuotasis, kenčiantis giedrą kančią, pranokusią jo skurdų menkumą ir pavertusią jį bereikšmiu, parapijiečiams išsprūdo ilga aimana–atodūsis, ir vienui vienas moteriškas sopranas ištarė: „Taip, Jėzau!"

Kai virš galvų jiems plaukė bėkšti dienos šviesa, apmusiję langai čia sutviskėdavo, čia vėl išblykšdavo, it būtų kokios atžagareiviškos šmėklos. Lauke keliu pravažiavo mašina, sunkiai buksuodama per smėlį, paskui nuščiuvo. Dilzė sėdėjo tiesi kaip styga, ranką uždėjusi Benui ant kelio. Dvi ašaros nuriedėjo įdubusiais jos skruostais, išvagotais gausybės raukšlių, kurias paliko aukojimasis, išsižadėjimai ir laikas.

– Mielieji broliai, – kreipėsi pastorius šaižiu šnabždesiu, nejudėdamas.

– Taip, Jėzau! – atsakė moters balsas, vis dar pritykęs.

– Mielieji broliai ir sesės! – Vėl nuringavo jo balsas, toks liūdnas ragas. Jis patraukė ranką, atsitiesė, paskui iškėlė abi rankas aukštyn. – Manyje gyvi prisiminimas ir Avinėlio pralietas kraujas! – Jie net nepastebėjo, kada jo intonacija, tartis tapo būdinga negrams, jie tik sėdėjo ant suolų šiek tiek linguodami, o jo balsas juos traukė savin.

– Kada ilgi, šalti... O, broliai, sakau jums, kada ilgi, šalti... Aš, vargšas nusidėjėlis, regiu šviesą ir regiu žodį!* Jos pavirto į

*Žr. Jn 1, 1–5.

dulkes Egipte, tos siūbuojančios vežėčios; kartų kartos praėjo ir išnyko*. Tasai buvo turčius: o kurgi jis dabar, broliai? Anas buvo bėdžius: o kurgi jis dabar, sesės?** O, aš sakau jums, jei neturėsite senojo išpirkimo pieno ir rasos, kai ilgi, šalti metai prabėgs!

– Taip, Jėzau!

– Aš sakau jums, mielieji broliai, aš sakau jums, mielosios sesės, ateis laikas. Vargšas nusidėjėlis tars: leiskite man atsigulti prie Dievo, leiskite man padėti savo naštą. Ką tada pasakys Jėzus, o, mano broliai? O, mano sesės? Ar gyvi jumyse prisiminimas ir Avinėlio pralietas kraujas? Nes nevalia man apkrauti dangų per didele našta!

Jis pasikniausė kišenėje, išsitraukė nosinę ir nusišluostė veidą. Skardėjo pratisas draugingas parapijiečių murmesys: „Mmmmmmmmmmm!" Moters balsas ištarė: „Taip, Jėzau! Jėzau!"

– Mielieji broliai! Pažvelkite į tuos ten sėdinčius mažylius. Kitados ir Jėzus toks buvo. Jo mamytė iškentė šlovę ir kančias. Gal ji kartais migdydavo jį ant rankų vakarėjant, o angelai dainuodavo jam lopšinę; gal, pažvelgusi pro duris, išvysdavo praeinant pro šalį romėnų policininkus. – Jis trepeno pirmyn atgal šluostydamasis veidą. – Paklausykit, mielieji broliai! Aš regiu tą dieną. Marija sėdi tarpduryje su Jėzumi skreite, su kūdikėliu Jėzumi. Kaip tie mažyliai ana ten, tasai mažasis Jėzus. Girdžiu, kaip gieda angelai taikias giesmes ir šlovę; regiu, kaip kūdikėlio akys užsimerkia, regiu, kaip Marija pašoka, regiu kareivių veidus: Mes nužudysime! Mes nužudysime! Mes nužudysime

*Žr. Pr 50, 22–26.
**Žr. Lk 16, 19–24.

mažąjį Jėzų! Girdžiu dejones ir raudas vargšės mamytės, nete-
kusios išganymo ir Dievo žodžio!*

– Mmmmmmmmmmmmmmmmmmm! Jėzau! Mažasis Jėzau! –
ir dar balsas, kaskart aukštėjantis: – Aš regiu, o Jėzau! O, aš
regiu! – o paskui jį dar kitas, be žodžių, kaip burbulai, kylantys
vandenyje.

– Aš regiu tai, mielieji broliai! Aš regiu! Regiu tą pragaištingą,
akinantį reginį! Regiu Golgotą ir jos šventuosius kryžių medžius,
regiu žudiką ir vagį, ir tą trečiąjį regiu; girdžiu gyrimąsi ir iššūkius:
Jei tu Jėzus, pakelk gi savo kryžių ir keliauk!** Girdžiu moterų
raudas ir vakarines aimanas: girdžiu nugręžusio veidą Dievo verks-
mą ir šauksmą: Jie nužudė Jėzų; jie nužudė mano Sūnų!

– Mmmmmmmmmmmmmmmmmmmm! Jėzau! Aš regiu, o Jėzau!

– O, aklas nusidėjėli! Mielieji broliai, aš sakau jums, mielo-
sios sesės, aš sakau jums, Dievas nugręžė didingą savo veidą,
pasakęs: Man nevalia apkrauti dangų per didele našta! Aš re-
giu našlaitį Dievą, uždarantį duris; aš regiu, kaip kyla tvanas;
aš regiu tamsybes, mirtį, amžiams užplūstančias kartų kartas!
Bet ką gi aš regiu! Mielieji broliai! Taip, mielieji broliai! Ką aš
regiu? Ką aš regiu, o nusidėjėli? Aš regiu prisikėlimą ir šviesą;
regiu romųjį Jėzų sakant: Jie nužudė mane, kad jūs galėtumėt
atgimti; aš miriau tam, kad tie, kurie regi ir tiki, niekad nemir-
tų***. Mielieji broliai, o, mielieji broliai! Aš regiu Paskutinio
teismo dieną ir girdžiu aukso trimitus, skelbiančius šlovę,****
ir regiu, kaip prisikelia mirusieji, kuriuose gyvas pralietas Avi-
nėlio kraujas ir prisiminimas!

*Žr. *Mt* 2, 16.
**Žr. *Mt* 27, 39–44; *Mk* 2, 9.
***Žr. *Jn* 11, 25–26; *Rom* 5, 8; *1 Kor* 15, 22.
****Žr. *Apr* 8.

William Faulkner

Tarp tų balsų ir rankų Benas sėdėjo kaip pakerėtas, pasiklydęs savo švelnaus žydro žvilgsnio migloj. Dilzė sėdėjo tiesi kaip styga šalia ir verkė nekrutėdama, persmelkta prisiminto Avinėlio karščio ir kraujo.

Kai jie visi žingsniavo skaisčią popietę tuo smėlėtu keliu, ir parapijiečiai, išsibarstę paskiromis grupelėmis, jau pamažėle ėmė šnekučiuotis, ji vis dar verkė, užsimiršusi, negirdėdama tų šnekų.

– Va jis tai pamokslininkas! Iš pradžių atrodė toks menkas, o paskui – tik laikykis!

– Jis regėjo galią ir šlovę.

– Žinoma. Jis jas regėjo. Visai sau prieš akis regėjo.

Dilzė neišleido nė garso, jos veidas nė nevirptelėjo, o ašaros riedėjo giliomis, lenktomis vagomis. Ji ėjo iškėlusi galvą, nė nemėgindama jų šluostyti.

– Gal liautumėtės, mamyt? – paprašė Fronė. – Visi žiūri. Netrukus eisim pro baltuosius.

– Aš regėjau pirmuosius ir paskutiniuosius, – atsakė Dilzė. – Tu jau į mane nežiūrėk*.

– Ką pirmuosius ir paskutinius? – paklausė Fronė.

– Nesvarbu, – pasakė Dilzė. – Aš regėjau pradžią, o dabar regiu pabaigą.

Dar nepriėjusi gatvės, ji vis dėlto sustojo, pakėlė viršutinį sijoną ir nusišluostė akis palanka. Paskui visi nužingsniavo toliau. Benas kėblino šalia Dilzės, žiūrėdamas į Lasterį, o šis darkėsi priekyje, nutviekstas saulės su skėčiu rankoje ir savo nauja, ant šono nusmaukta šiaudine skrybėle, atrodė, tarsi didelis ir kvailas šuo stebėtų mažą ir protingą. Jie priėjo vartus ir įžen-

*Žr. *Apr* 22, 13.

gė vidun. Benas iškart ir vėl pradėjo unkščioti, ir valandėlę visi sužiuro į alėjos galą, į tą kvadratinį, apsilaupiusį namą su jo sutrešusiomis kolonomis.

– Kas ten pas juos šiandieną dedasi? – paklausė Fronė. – Aiškiai kažkas nutiko.

– Nieko, – atsakė Dilzė. – Rūpinkis savo reikalais, o baltieji tegu rūpinasi savaisiais.

– Kažkas nutiko, – nesiliovė Fronė. – Girdėjau, kaip jis šaukė iš pačio ryto. Nors tai ir ne mano reikalas.

– O aš žinau, kas nutiko, – pasakė Lasteris.

– Tu žinai daugiau, negu tau reikia žinoti, – tarė Dilzė. – Ar negirdėjai, kaip Fronė ką tik pasakė, kad tai ne tavo reikalas? Veskis Bendžį už namo ir žiūrėk, kad jis nekeltų triukšmo, kol pataisysiu valgyt.

– Aš žinau, kur panelė Kventinė, – nenustygo Lasteris.

– Tai ir žinok sau, – atšovė Dilzė. – Kai tik Kventinei prireiks tavo patarimo, pranešiu. O dabar eikite abudu žaisti į užpakalinį kiemą.

– Jūs juk žinote, kas nutiks, kai tik anie pradės ten žaisti su savo kamuoliukais, – pasakė Lasteris.

– Kolei kas nepradės. O paskui ateis Ti Pi ir pasiims jį pasivažinėti. Duokš man tą naują skrybėlę.

Lasteris padavė jai skrybėlę, ir juodu su Benu nužingsniavo į užpakalinį kiemą. Benas vis dar unkščiojo, nors ir negarsiai. Dilzė ir Fronė nuėjo trobon. Netrukus Dilzė vėl išniro, apsivilkusi išblukusią kartūno suknelę, ir nužingsniavo į virtuvę. Ugnis jau buvo užgesusi. Namuose nesigirdėjo nė garso. Ji pasirišo prijuostę ir ėmė kopti laiptais. Visur – mirtina tyla. Kventinės kambarys buvo toks, kokį jie paliko iš ryto. Ji įėjo vidun, surinko nuo žemės apatinius, sukišo kojines atgal į stalčių ir jį uždarė. Ponios Kompson durys buvo uždarytos. Dilzė pastovėjo prie jų valandėlę įsiklausydama. Paskui jas atidarė ir įžengė vidun, – į tirštą kamparo kvapą. Žaliuzės buvo nuleistos, kambarys ir lova skendėjo prietemoje, tad iš pradžių ji pamanė, kad ponia Kompson miega, ir buvo beuždaranti duris, bet ši prabilo:

– Na kas gi čia?

– Tai aš, – atsakė Dilzė. – Jums nieko nereikia?

Ponia Kompson nieko neatsakė. Po valandėlės nepakrutinusi galvos paklausė:

– Kur Džeisonas?

– Dar negrįžo, – paaiškino Dilzė. – Ar jums ko reikia?

Ponia Kompson nieko neatsakė. Kaip daugelis kietaširdžių, silpnų žmonių, ji, galiausiai susidūrusi akis į akį su nepataisoma katastrofa, nežinia iš kur iškapstydavo savotiškos tvirtybės ir jėgų. Dabar ją palaikė nepalaužiamas įsitikinimas dėl to, kas įvyko ryte ir dar neaišku kuo grėsė.

– Na, – galiausiai ištarė. – Ar radai jį?

– Ką? Apie ką jūs čia kalbate?

– Raštelį. Bent jau tiek pagarbos, tikiuosi, ji dar jautė, kad paliktų raštelį. Net Kventinas tai padarė.

– Apie ką jūs čia kalbate? – paklausė Dilzė. – Negi nežinote, kad jai viskas gerai? Kertu lažybų, kad ji pargrįš dar prieš sutemstant.

– Nesąmonės, – nutraukė ponia Kompson. – Tai jos kraujyje susitvenkę. Koks dėdė, tokia ir dukterėčia. Arba kokia mama. Nežinau, kas būtų blogiau. Regis, man jau ir neberūpi.

– Kodėl jūs nesiliaujat taip kalbėjusi? – paklausė Dilzė. – Kam jai reikėtų taip daryti?

– Aš nežinau. O kam Kventinui reikėjo taip daryti? Kokių, dėl Dievo meilės, jis tam turėjo priežasčių? Juk negalėjo tai padaryti vien tik norėdamas parodyti, kad manęs nepaiso, ir įskaudinti. Kad ir koks Dievas būtų, jis to neleistų. Aš juk dama. Žiūrėdamas į mano atžalas nepasakytum to, bet aš tokia esu.

– Jūs tik palaukit ir pamatysit, – ramino Dilzė. – Ji atsiras dar nesutemus, va čia, savo lovoj.

Ponia Kompson tylėjo. Kamparu suvilgytas audeklas pūpsojo jai ant kaktos. Juodas chalatas buvo numestas kojūgalyje. Dilzė stovėjo uždėjusi delną ant durų rankenos.

– Na, – pasakė ponia Kompson. – Ko tau reikia? Ar eisi taisyti vakarienės Džeisonui ir Bendžaminui?

– Džeisonas dar negrįžo, – pasiteisino Dilzė. – Einu sutaisysiu ką nors. Jūs tikra, kad jums nieko nereikia? Ar jūsų šildynė dar pakankamai karšta?

– Gali paduoti mano bibliją.

– Aš jums ją padaviau šįryt, dar prieš išeidama.

– Padėjai ją ant lovos krašto. Kiek ji gali tenai gulėti, kaip tau atrodo?

Dilzė nužingsniavo prie lovos, pagraibė patamsy lovos kraštą, surado apverstą bibliją. Išlygino sulankstytus puslapius ir vėl padėjo knygą ant lovos. Ponia Kompson neatsimerkė. Jos plaukai ir pagalvė buvo tos pačios spalvos, po klostėmis sudėtu vaistuose išmirkytu audeklu ji buvo panaši į seną besimeldžiančią vienuolę.

– Nebedėk jos tenai, – pasakė neatsimerkusi. – Tu jau padėjai ją ten ryte. Ar nori, kad man reikėtų atsikelti ją paimti?

Dilzė persilenkė per šeimininkę, pasiekė knygą ir padėjo ją šalia, ant plataus lovos krašto.

– Vis tiek jūs nieko nematysite. Gal kilstelti žaliuzes?

– Ne, palik jas. Eik ir pataisyk Džeisonui valgyti.

Dilzė išėjo. Uždarė duris ir nukėblino į virtuvę. Krosnis buvo beveik šalta. Prie jos bestovint sieninis laikrodis išmušė dešimt kartų.

– Pirma valanda, – ištarė ji garsiai. – O Džeisono vis dar nėra. Aš regėjau pirmuosius ir paskutiniuosius, – ištarė žiūrėdama į atvėsusią krosnį. – Aš regėjau pirmuosius ir paskutiniuosius. – Išdėliojo ant stalo šaltą maistą. Vaikštinėdama pirmyn ir atgal traukė bažnytinę giesmę. Vis traukė ir traukė pirmąsias dvi eilutes, užpildydama jomis visą melodiją. Sustumdė maistą į vietas, nuėjo prie durų, pašaukė Lasterį, ir netrukus Lasteris su Benu įėjo vidun. Benas vis dar truputį dejavo, tarytum pats sau.

– Jis taip ir nesiliovė, – pasakė Lasteris.

– Eikšekit ir valgykit, – paliepė Dilzė. – Džeisonas neateis pietauti.

Juodu susėdo prie stalo. Kietą maistą Benas neblogai valgė ir pats vienas, bet net dabar, kai jis valgė tą šaltą maistą, Dilzė parišo jam po kaklu servetėlę. Benas su Lasteriu valgė, o Dilzė zujo po virtuvę, vis traukdama tas dvi giesmės eilutes, jas teprisiminė.

– Valgykite, – ragino. – Džeisonas kol kas nepareis.

Džeisonas tuo metu buvo už dvidešimties mylių. Išėjęs iš namų, jis skubinai nurūko miestan, pravažiavo pro lėtai žingsniuojančias sekmadienines miestelėnų grupeles ir įsakmius varpus, raižančius debesėliais nuklotą dangų. Perkirto tuščią aikštę ir įsuko į siaurą gatvelę, netikėtai nustebinusią savo tyla, tada sustojo priešais medinį namą ir nužingsniavo gėlėmis apsodintu takeliu prie verandos.

Už metalinių pinučių durų girdėjosi žmonių šneka. Pakėlė

ranką, kad pasibelstų į duris, tačiau išgirdo artėjančius žingsnius, tada nuleido ją ir palaukė, kol stambus vyras juodos plonos gelumbės kelnėmis ir standintu baltu antkrūtiniu be apykaklės atidarė duris. Jo plaukai buvo vešlūs, nepaklusnūs, švininio atspalvio, akys pilkos, apskritos ir švytinčios kaip mažo berniuko. Jis suglėbė Džeisono ranką ir, vis dar ją kratydamas, įsivedė svečią vidun.

– Prašom, – pasakė. – Prašom vidun.

– Ar jūs jau pasiruošęs vykti? – paklausė Džeisonas.

– Užeikite, – neatlyžo anas, traukdamas jį už alkūnės į kambarį, kur sėdėjo vyras ir moteris. – Jūs pažįstami su Mirtlės vyru, tiesa? Čia Džeisonas Kompsonas, Vernonai.

– Taip, – atsakė Džeisonas. Jis net nepažvelgė į tą vyrą, o kai šerifas patraukė kėdę, anas ir tarė:

– Mes išeisim, ir judu galėsite pasikalbėti. Eime, Mirtle.

– Ne, ne, – paprieštaravo šerifas. – Sėdėkite, bičiuliai. Tikiuosi, tai nieko rimta, tiesa, Džeisonai? Sėskitės.

– Aš viską papasakosiu pakeliui, – patikslino Džeisonas. – Pasiimkite skrybėlę ir švarką.

– Mes jus paliksime, – pasakė vyras stodamasis.

– Sėdėkit, – paprieštaravo šerifas. – Mudu su Džeisonu išeisim į verandą.

– Pasiimkite skrybėlę ir švarką, – pakartojo Džeisonas. – Jie jau ir taip išlošė dvylika valandų.

Šerifas nusivedė jį į verandą. Pro šalį einantys vyras ir moteris pasisveikino. Jis atsakė širdingu plačiu mostu. Varpai vis dar aidėjo nuo kvartalo, vadinamo Negrų žemuma.

– Pasiimkite skrybėlę, šerife, – įsakmiai tarė Džeisonas. Šerifas prisitraukė dvi kėdes.

– Sėskitės ir pasakykit man, kas nutiko.

– Aš pasakiau jums telefonu, – atrėžė Džeisonas stovėdamas. – Pasakiau taupydamas laiką. Negi turėsiu kreiptis į įstatymą, kad priverščiau jus atlikti pareigą, kurią vykdyti prisiekėte?

– Atsisėskite ir viską man išklokite, – paprašė šerifas. – Aš jumis pasirūpinsiu.

– Nieko sau rūpinimasis, – atšovė Džeisonas. – Tai šitai jūs vadinate rūpinimusi?

– Tai jūs mus gaišinate, – patikslino šerifas. – Sėskitės ir viską išdėstykite.

Džeisonas išklojo jam visą reikalą, taip aitrindamas savo pasipiktinimą ir bejėgiškumą, kad netrukus, jam šitaip nirtulingai teisinantis ir piktinantis, buvo visai pamiršta toji skuba. Šerifas nenuleido nuo jo šaltų švytinčių akių.

– Bet jūs nežinote, kad tai padarė jie, – tarė jis. – Jūs tik taip manote.

– Nežinau? – pakartojo Džeisonas. – Kai dvi sumautas dienas vaikiausi ją gatvelėmis, kad ji su juo nesusitiktų po to, kai pasakiau, ką padarysiu, jeigu nutversiu ją su juo, ir jūs man sakote, kad aš nežinau, jog ta maža kek...

– Nurimkite, – pasakė šerifas. – Gana. Pakanka. – Susikišęs rankas į kišenes žiūrėjo per gatvę.

– Ir kai aš kreipiuosi į jus, įstatymo įgaliotąjį asmenį, – nenustygo Džeisonas.

– Tas teatras bus šią savaitę Motsone, – pasakė šerifas.

– Taip, – patvirtino Džeisonas. – Ir jeigu aš galėčiau rasti įstatymo pareigūną, kuriam bent kiek rūpėtų ginti žmones, kurie išrinko jį į tas pareigas, aš jau dabar ten būčiau. – Jis pakartojo savo istoriją, kandžiai viską susumuodamas, tarsi jam būtų buvę malonu reikšti tą pasipiktinimą ir bejėgiškumą. Šerifas, regis, išvis jo nesiklausė.

– Džeisonai, – kreipėsi jis. – Kodėl jūs slėpėte tuos tris tūkstančius dolerių namie?

– Ką? – paklausė Džeisonas. – Tai mano reikalas, kur laikau savo pinigus. Jūsų reikalas padėti man juos susigrąžinti.

– Ar jūsų mama žinojo, kad turite tiek pinigų namie?

– Klausykite, – pasakė Džeisonas. – Mano namai apiplėšti. Aš žinau, kas tai padarė, ir žinau, kur jie. Aš atvykau pas jus kaip pas įstatymus vykdantį pareigūną ir dar kartą klausiu jūsų, ar jūs bent kiek pasistengsite padėti man atgauti mano turtą ar ne?

– Ką jūs padarysite tai mergaičiukei, jei juos pagausite?

– Nieko, – atsakė Džeisonas. – Ničnieko. Pirštu jos nepaliesiu. Ta kalė, kuri kainavo man mano padėtį, vienintelę galimybę ką nors pasiekti, kuri nuvarė į kapus mano tėvą ir kasdien trumpina gyvenimą mano motinai, kuri pavertė mano vardą pajuokos objektu visame mieste. Aš nieko jai nepadarysiu, – pridūrė. – Ničnieko.

– Jūs privertėte ją pabėgti, Džeisonai, – pasakė šerifas.

– Ne jūsų reikalas, kaip aš tvarkausi savo šeimoje, – atrėžė Džeisonas. – Tai jūs padėsit man ar ne?

– Jūs ją tiesiog išvarėt iš namų, – pasakė šerifas. – Ir aš turiu šiokių tokių įtarimų dėl to, kam priklauso tie pinigai, nors vargiai man pavyktų sužinoti visą tiesą.

Džeisonas stovėjo ir lėtai lamdė pirštais skrybėlės kraštą. Paskui ramiai paklausė:

– Vadinasi, jūs neketinat man padėti juos sugauti?

– Tai ne mano reikalas, Džeisonai. Jei jūs turėtumėte kokių

faktinių įrodymų, aš privalėčiau veikti. O be jų, manau, tai ne mano reikalas.

– Tai toks jūsų galutinis atsakymas? – paklausė Džeisonas. – Gerai pamąstykite.

– Tai mano galutinis atsakymas, Džeisonai.

– Gerai, – pasakė Džeisonas. Ir užsidėjo skrybėlę. – Jūs dar pasigailėsite. Aš rasiu, kas mane apgins. Čia jums ne Rusija, kur žmogus, užsikabinęs metalinį ženkliuką, jau nepavaldus įstatymui. – Jis nulipo laipteliais, įsėdo į mašiną ir užvedė variklį. Šerifas žvelgė, kaip jis išjuda iš vietos, apsisuka ir nurūksta pro namą miesto link.

Varpai skambėjo vėl aukštai saulės nutviekstose padangėse, užliedami jas ryškiu, palaidu klegesiu. Jis sustojo degalinėje, patikrino padangas ir prisipylė benzino baką.

– Išsirengėte į kelionę? – paklausė negras. Džeisonas nieko neatsakė. – Regis, nusimato giedras oras, – pridūrė negras.

– Velnio čia bus giedra, – atsakė Džeisonas. – Vidurdienį pasipils kaip iš kibiro. – Jis nužvelgė dangų, galvodamas apie lietų, įsivaizduodamas slidžius molingus kelius ir kaip įstrigs kur nors toli nuo miesto. Piktdžiugiškai triumfuodamas galvojo, kaip liks nepietavęs, kaip išvykdamas dabar ir tenkindamas savo skubos poreikį atsidurs kuo toliausiai nuo abiejų miestų patį vidurdienį. Jam atrodė, kad šitaip aplinkybės suteiks jam šiokį tokį šansą, ir jis rėžė negrui:

– Kiek dar krapštysies? Ar tau kas sumokėjo, kad užlaikytum mane čia kuo ilgiau?

– Regis, nuleido jūsų padangą, – pasakė negras.

– Tada traukis, po velnių, šalin ir duokš man tą pompą, – pyktelėjo Džeisonas.

– Aš jau pripūčiau, – pasakė negras stodamasis. – Jau galite važiuoti.

Džeisonas įlipo į mašiną, užvedė variklį ir nuvažiavo. Įjungus antrą pavarą, variklis springčiojo ir žiopčiojo, ir jis jį spaudė, mynė droselį kiek įmanydamas ir įnirtingai spūsčiojo starterį. „Prapliups lietus, – garsiai mąstė. – Tik nuvažiuosiu pusę kelio ir prapliups." Išniro iš varpų gausmo, iš miesto, regėdamas save jau liumpsintį per purvą, ieškantį mulų kinkinio. „O visi tie slunkiai bus bažnyčioje." Galiausiai jis suras bažnyčią, pasiims kinkinį, savininkas, išėjęs lauk, šauks ant jo, o jis parvers jį kumščio smūgiu. „Aš – Džeisonas Kompsonas. Tik pamėginkit mane sustabdyti. Išsirinkot šerifą ir manot, kad jis sustabdys mane, – tarė įsivaizduodamas, kaip įeina į teismo rūmus su kareiviais ir ištraukia šerifą lauk. – Jis mano, kad gali sėdėti susidėjęs rankas ir spoksoti, kaip aš prarandu padėtį. Aš jam parodysiu, kas yra padėtis." Nei apie dukterėčią, nei apie tuos tūkstančius išvis negalvojo. Jau dešimt metų nei ji, nei tie pinigai neegzistavo jam patys savaime: jie tik simbolizavo jam tą padėtį banke, kurią jis prarado, nespėjęs įgyti.

Dangus giedrėjo, tos bėgančios šešėlių dėmės sklaidėsi, ir jam atrodė, kad tai, jog diena šviesėjo, buvo nauja jo priešo vingrybė ir kad jo laukė naujas mūšis, į kurį jis skubėjo aitrinamas senų žaizdų. Retkarčiais pravažiuodavo bažnyčias – nedažytus medinius pastatus su metalinėmis smailėmis, su aplink priripištais mulų kinkiniais ir nudrengtomis mašinomis, ir jam atrodė, kad visi jie buvo sargybos postai, kur Aplinkybių ariergardai atsigręždavo ir vogčia svaidydavo į jį skubrius žvilgsnius. „Ir Tave velniai rautų, – pasakė. – Manai, kad mane sustabdysi", – įsivaizdavo, kaip jis eis, o paskui jį – kareivių būrys, vedinas šerifu su uždėtais antrankiais, – ir nutemps nuo sosto ir Visagalį, jeigu reikės; įsivaizdavo, kaip prasiverš pro išrikiuotus pragaro ir dangaus legionus ir galiausiai sučiups savo bėglę dukterėčią.

Vėjas papūtė iš pietryčių. Ir nepaliaujamai gairino jam skruostą. Jis tartum jautė, kaip tas vėjas vis smelkiasi jam į kaukolę, ir staiga, užplūdus senai nuojautai, stipriai užmynė ant stabdžio, sustabdė mašiną ir sėdėjo nekrutėdamas. Paskui pakėlė ranką prie sprando ir ėmė keiktis, ir taip sėdėjo, keikdamasis šaižiu šnabždesiu.

Kai jam reikėdavo važiuoti kur nors toliau, jis pasistiprindavo nosine, sumirkyta kampare: vos išvažiavęs iš miesto apsirišdavo ją aplink kaklą ir kvėpuodavo kamparo garais. Jis išlipo iš mašinos, pakėlė sėdynės pagalvę tikėdamasis, kad ras ten kokią užsimetusią. Patikrino po abiem sėdynėm, vėl pastovėjo valandėlę keikdamasis, suvokdamas, kokį pokštą jam iškrėtė pergalinga jo nuotaika. Paskui užsimerkė ir palinko prie durelių. Reikėjo arba grįžti tos pamirštos nosinės, arba važiuoti toliau. Ir vienu, ir kitu atveju galva vis tiek jam plyš iš skausmo, bet namie jis tikrai ras kamparo, tuo tarpu kelyje, ir dar sekmadienį, negali būti dėl to tikras. Bet jeigu grįš, Motsone atsiras pusantros valandos vėliau. „Gal man lėčiau važiuoti, – tarė. – Gal galėčiau važiuoti lėčiau ir galvoti apie ką kita...“

Įlipo į mašiną ir nuvažiavo. „Galvosiu apie ką kita“, – tarė ir ėmė galvoti apie Lorenę. Įsivaizdavo, kaip guli su ja lovoje, tik guli šalia jos ir maldauja, kad jam padėtų, paskui vėl prisiminė savo pinigus, ir kad buvo apmautas moters, piemenės. Kad bent galėtų patikėti, jog buvo apvogtas vyro. Bet kad jam pavogtų pinigus, kurie turėjo atlyginti prarastą padėtį, pinigus, kuriuos jis susikaupė taip sunkiai ir rizikuodamas, kad juos pavogtų kas – ogi pats prarastos jo padėties simbolis ir, kas užvis blogiausia, piemenė kalė. Jis važiavo toliau, prisidengęs veidą nuo įkyraus vėjo švarko skvernu.

Dabar jis jau regėjo, kaip tos priešingos jėgos – jo likimas ir jo valia – greitai artėja viena prie kitos ir tuoj neišvengiamai susilies; jis mėgino gudrauti. Negaliu leisti sau suklysti, tarė. Teisingas ėjimas čia tik vienas, pasirinkimo nėra, ir jis privalėjo jį padaryti. Abu jie iš karto atpažins jį, pamanė, jam reikia tikėtis, kad jis pamatys pirmiausia ją, nebent tas vyras vis dar būtų pasirišęs raudoną kaklaraištį. Ir tas faktas, kad jis priklauso nuo to raudono kaklaraiščio, jam pasirodė visos artėjančios katastrofos esmė; jis beveik užuodė tą katastrofą, jautė ją virš savo tvinksinčios galvos.

Jis užvažiavo ant paskutinės kalvos viršūnės. Dūmai buvo nukloję visą lygumą, kyšojo tik stogai ir viena kita smailė virš medžių. Mašina jau riedėjo žemyn, jis įvažiavo į miestą, lėtino greitį, vis kartodamas sau, kad privalo būti atsargus, kad pirmiausia privalo surasti tą artistų palapinę. Dabar jam jau drumstėsi akyse, bet jis žinojo, kad bėda vis kartojo jam, esą pirmiausia reikia važiuoti susirasti vaistų nuo galvos skausmo. Degalinėje jam pasakė, kad toji palapinė dar neištempta, tačiau teatro vežimai stovi ant atsarginio kelio stotyje. Jis nuvažiavo ten.

Du prašmatniai išdažyti pulmanai stovėjo atsarginiame kelyje. Jis išvalgė juos neišlipęs iš mašinos. Stengėsi kvėpuoti negiliai, kad kraujas taip netvinksėtų į pakaušį. Išlipo iš mašinos ir nužingsniavo palei stoties sieną, tyrinėdamas vagonėlius. Keletas drabužių karojo languose, suglebę ir susiraukšlėję, tarytum būtų ką tik išskalbti. Ant žemės priešais vieno vagonėlio laiptelius stovėjo trys audeklu aptrauktos kėdės. Bet jis nematė jokio gyvybės ženklo, kol kažkoks vyras su nešvaria prijuoste išniro tarpduryje ir plačiu mostu šliūkštelėjo iš puodo pamazgas. Saulė sušvito ant metalinio puodo iškilumo, paskui vyras grįžo vidun.

O dabar privalau užklupti jį iš netyčių, kol jis nesuskubo jų įspėti, pamanė. Jam nė nešovė į galvą, kad gal jų nėra tam vagonėlyje. Kad gal jų ten nėra, kad viskas gal ir nepriklauso nuo to, ar jis pirmas juos pamatys, ar jie bus tie pirmieji, – tai prieštarautų gamtos dėsniams ir visam įvykių ritmui. Ne jau, būtent jis privalo pamatyti juos pirmas, atgauti pinigus, ir tada tegu jie sau daro, ką nori; antraip visi sužinos, kad jį, Džeisoną Kompsoną, apvogė Kventinė, jo dukterėčia, kalė.

Jis vėl ėmė įdėmiai žvalgytis. Paskui priėjo prie vagono, užkopė laiptais, greitai, tyliai, ir stabtelėjo prie durų. Virtuvėje buvo tamsu ir dvokė pašvinkusiu maistu. Tas vyras tik baltavo kaip dėmė ir dainavo gergždžiančiu, virpančiu tenoru. Senis, pamanė Džeisonas, ir smulkesnis už mane. Jis įėjo vidun kaip tik tuo metu, kai vyras pakėlė akis.

– Na? – burbtelėjo jis liovęsis dainuoti.

– Kur jie? – paklausė Džeisonas. – Greičiau. Miegamajame vagonėlyje?

– Kas kur? – perklausė vyras.

– Tik nemeluok man, – pasakė Džeisonas. Ir ėjo apgraibomis užgriozdintoje tamsoje.

– Ką-ą? – užsirūstino anas. – Ką tu vadini melagiu? – ir kai Džeisonas čiupo jį už peties, suriko: – Saugokis, vaikine!

– Tik jau nemeluok, – pagrasino Džeisonas. – Kur jie?

– Ak tu, šunsnuki, – suriko vyriškis. Džeisono gniaužtuose jo ranka buvo gležna, plonytė. Jis bergždžiai pamėgino išsilaisvinti, paskui pasisuko ir ėmė kažką grabalioti ant prišniaukšto stalo už nugaros.

– Nagi, – nenustygo Džeisonas. – Kur jie?

– Aš tau pasakysiu, kur jie, – suriko vyras. – Tik leisk pasiimsiu kapoklę.

– Klausykit, – tarė Džeisonas, stengdamasis jį sulaikyti. – Aš tiktai klausiu jūsų.

– Šunsnuki neraliuotas, – rėkė anas grabaliodamas ranka po stalą.

Džeisonas stengėsi sučiupti jį abiem rankom, mėgino surakinti tą geibų jo įtūžį. Vyro kūnas atrodė toks senas, trapus, bet buvo taip fatališkai sutelkęs jėgas, kad Džeisonas pirmąsyk aiškiai ir be menkiausio šešėlio išvydo bėdą, į kurią nėrė strimagalviais.

– Liaukis, – pasakė jis. – Paklausyk! Aš išeisiu. Duok man laiko išsinešdinti.

– Pavadinti mane melagiu! – šaukė anas. – Paleisk mane. Paleisk mane, ir aš tau parodysiu.

Džeisonas pašėlusiai dairėsi, nepaleisdamas vyro iš savo gniaužtų. Lauke dabar buvo šviesu, spindėjo saulė, skubri, ryški, tuščia, ir jis pagalvojo, kaip žmonės netrukus ramiai patrauks namo ir susės prie sekmadieninio stalo, šventadieniškai apsitaisę ir orūs, o jis štai stengiasi sulaikyti tą fatališką, įtūžusį seną žmogeliuką, kurio nedrįso paleisti sekundei ir apsisukęs pabėgti.

– Ar tu nurimsi ir leisi man išeiti? – paklausė. – Ar leisi? – Bet anas vis dar grūmėsi, tada Džeisonas, išlaisvinęs vieną ranką, trenkė jam per galvą. Toks nevykęs, skubotas ir menkas smūgis, bet vyriškis iškart susmuko ir išsipleikė ant grindų, tarp

tarškančių puodų ir kibirų. Džeisonas pastovėjo virš jo, dūsuo-
damas, klausydamasis. Paskui pasisuko ir išbėgo iš vagono. Prie
durų stabtelėjo ir nusileido jau lėčiau, paskui vėl sustojo. Sunkiai
alsavo och och och ir stovėjo stengdamasis užgniaužti tą garsą,
dirsčiodamas į vieną ir į kitą pusę, kai staiga išgirdo šlepsint už
nugaros ir vos spėjo atsisukti, kad pamatytų, kaip tas mažas
senukas nerangiai iššoko iš koridoriaus įtūžęs ir užsimojęs su-
rūdijusiu kirviu.

Jis pamėgino sugriebti kirvį, bet suvokė, kad krinta, nors
smūgio nepajuto, galvojo Tai štai kaip viskas baigsis, ir jau
vaizdavosi mirštąs, bet kažkas trenkė jam į sprandą ir šmėste-
lėjo mintis Kaip jis pataikė tiesiai į tą vietą? Tikriausiai jis
man smogė jau seniai, pamanė, o aš tiktai dabar tai pajutau ir
dar pagalvojo Greičiau. Greičiau. Tebūnie viskas baigta, bet
tada pašėlęs noras nemirti užvaldė jį, ir jis vis kepurnėjosi,
girdėdamas, kaip tas senis dejuoja ir keikiasi gergždžiančiu
balsu.

Jis vis dar kepurnėjosi, kai jie mėgino jį pakelti, bet jie pasta-
tė jį ant kojų, ir jis nurimo.

– Ar smarkiai kraujuoju? – paklausė jis. – Mano sprandas. Ar
aš kraujuoju? – Jis vis dar kalbėjo, jausdamas, kad kažkas sku-
binai stumia jį į šalin, ir girdėjo, kaip plonas, įtūžęs senuko
balsas sčiūva kažkur už jo. – Pažiūrėkit, kaip ten mano galva, –
paprašė. – Palaukit, aš...

– Laukti, po perkūnais, – pasakė jį laikantis vyras. – Kol tas
prakeiktas išsigimėlis seniūkštis jus nudės. Eikite. Jūs nesu-
žeistas.

– Jis man smogė, – pasakė Džeisonas. – Ar aš kraujuoju?

– Eikite, – paliepė anas. Jis nuvedė Džeisoną kitapus stoties, į tuščią platformą, kur stovėjo prekinis sunkvežimis, kur pašiušusi žolė augo žemės plotelyje su pašiušusiomis gėlėmis ir kabojo švytintis elektros lempučių užrašas: Nenuleiskite nuo Motsono, tarpas tarp žodžių buvo užpildytas akies su elektrinės lemputės vyzdžiu. Tasai žmogus paleido Džeisoną.

– O dabar, – tarė jis, – dinkite iš čia ir laikykitės atokiau. Ką jūs ketinot padaryti? Nusižudyti?

– Aš ieškojau dviejų žmonių, – pasakė Džeisonas. – Aš tik paklausiau, kur jie.

– Ko jūs ieškote?

– Merginos, – atsakė Džeisonas. – Ir vaikino. Jis buvo pasirišęs raudoną kaklaraištį vakar Džefersone. Jis iš tos trupės. Jie mane apvogė.

– A, – nutęsė vyriškis, – vadinasi, tai jūs. Ką gi, jų čia nėra.

– Aš taip ir pamaniau, – atsakė Džeisonas. Jis atsirėmė į sieną, uždėjo ranką sau ant sprando, paskui pažvelgė į ją. – O aš maniau, kad kraujuoju, – pridūrė. – Maniau, kad jis man smogė tuo kirviu.

– Jūs trenkėtės galva į turėklą, – paaiškino vyriškis. – Verčiau keliaukite iš čia. Jų čia nėra.

– Taip. Jis sakė, kad jų čia nėra. O aš maniau, kad jis meluoja.

– Ar manot, kad ir aš meluoju?

– Ne, – atsakė Džeisonas. – Žinau, kad jų čia nėra.

– Aš liepiau jam nešdintis iš čia, jiems abiem, – paaiškino vyriškis. – Man nereikia tokių dalykų mano teatre. Aš vadovauju padoriam teatrui, su padoria trupe.

– Taip? – perklausė Džeisonas. – Jūs nežinote, kur jie išvyko?

– Ne. Ir nenoriu žinoti. Niekam iš mano trupės nevalia krėsti tokius triukus. Jūs jos... brolis?

– Ne, – atsakė Džeisonas. – Tai visai nesvarbu. Aš tik norėjau juodu pamatyti. Jūs tikras, kad jis manęs nesužeidė? Kitaip tariant, kraujas nebėga?

– Būtų buvę kraujo, jei nebūčiau suspėjęs. O dabar keliaukit iš čia. Tas mažas šunsnukis jus nudės. Tai jūsų mašina, ana tenai?

– Taip.

– Tai sėskite į ją ir grįžkite į Džefersoną. Jeigu ir rasit juos, tai tik ne mano teatre. Mano trupė padori. Sakėte, kad jie jus apvogė?

– Ne, – atsakė Džeisonas. – Tai visai nesvarbu. – Jis nužingsniavo prie mašinos, įsėdo. Ką man dar reikia padaryti? – pagalvojo. Paskui prisiminė. Užvedė mašiną ir iš lėto važiavo gatve, kol rado vaistinę. Jos durys buvo užrakintos. Jis valandėlę pastovėjo, uždėjęs ranką ant rankenos ir nunarinęs galvą. Paskui pasigręžė ir kai netrukus pro šalį ėjo kažkoks vyriškis, paklausė, ar rastų kur atidarytą vaistinę, tačiau tokios nebuvo. Tada paklausė, kada važiuos šiaurinis traukinys, ir vyriškis pasakė, kad pusę trijų. Perėjo per šaligatvį, vėl įsėdo į mašiną ir sėdėjo joje. Po valandėlės pro šalį praėjo du juodaodžiai vaikinukai. Jis pašaukė juos.

– Ar kuris nors iš jūsų mokate vairuoti mašiną?

– Taip, sere.

– Už kiek nuvežtumėt mane į Džefersoną tuojau pat?

Juodu susižvalgė, šnabždėdamiesi.

– Sumokėsiu dolerį.

Jie vėl pasišnabždėjo.

– Už tiek neišeis, – pasakė vienas.

– Už kiek nuvežtumėt?

– Ar pavežtum? – paklausė vienas.

– Aš negaliu išvažiuoti, – atsakė kitas. – Kodėl tau nepavežus jo. Juk tau nėra kas veikti.

– Yra.

– Ir ką gi tu veiksi?

Juodu vėl pasišnabždėjo, juokdamiesi.

– Duosiu jums du dolerius, – pasiūlė Džeisonas. – Tam, kuris paveš.

– Aš irgi negaliu išvažiuoti.

– Gerai, – pasakė Džeisonas. – Keliaukit sau.

Jis kurį laiką pasėdėjo mašinoje. Girdėjo, kaip laikrodis išmušė pusę valandos, paskui pasirodė žmonės, vilkintys sekmadieniniais, velykiniais drabužiais. Kai kurie jų pažvelgdavo į jį praeidami, į tą vyrą, ramiai sau sėdintį prie vairo mažytėje mašinoje, – nematomas jo gyvenimas apraizgė jį it nudėvėta kojinė. Po kurio laiko priėjo negras, vilkintis kombinezonu.

– Ar tai jūs norite važiuoti į Džefersoną? – paklausė.

– Taip, – atsakė Džeisonas. – Už kiek nuvežtum?

– Už keturis dolerius.

– Duosiu tau du.

– Mažiau nei už keturis negaliu. – Vyriškis mašinoje sėdėjo nejudėdamas. Net nepažvelgė į jį. Negras pasakė:

– Tai norite ar ne?

– Gerai, – sutiko Džeisonas. – Lipk vidun.

Jis pasitraukė, ir negras atsisėdo prie vairo. Džeisonas užsimerkė. Tik iki Džefersono pakentėti, tarė sau atsipalaidavęs, kad mažiau kratytų, ten juk rasiu ko nors. Jie pasuko gatvėmis, kur žmonės romiai ėjo namo valgyti sekmadienio pietų, ir išvažiavo iš miesto. Džeisonas galvojo apie juos. Jis negalvojo apie namus, kur Benas ir Lasteris valgė šaltus pietus prie virtuvės stalo. Kažkas – baisios nelaimės, grėsmės stoka, būdinga nuolatiniam blogiui – suteikė jam galimybę pamiršti Džefersoną (kaip ir bet kurį miestą, kurį jis buvo prieš tai matęs), kur jo gyvenimas vėl tekės įprasta vaga.

Kai Benas ir Lasteris baigė valgyti, Dilzė liepė jiems eiti į kiemą.

– Ir pabūk su juo ramiai iki keturių. Kol ateis Ti Pi.

– Gerai, – atsakė Lasteris.

Juodu išėjo. Dilzė pavakarieniavo, sutvarkė virtuvę. Paskui priėjo prie laiptų ir pasiklausė, bet viršuje buvo tylu. Perėjo per virtuvę, išėjo lauk ir sustojo ant laiptelių. Beno ir Lasterio nesimatė, tačiau tenai stovėdama ji vėl išgirdo vangų brunzgimą, sklindantį nuo rūsio durų. Nutipeno prie jų ir pažvelgusi žemyn išvydo kažką panašaus į rytinę sceną.

– Jis darė lygiai taip, – paaiškino Lasteris. Žiūrėjo nusiminęs į sustingusį pjūklą su savotiška viltim. – Tik aš dar neradau, su kuo jį brūžinti.

– Ir nerasi čia, – pasakė Dilzė. – Vesk jį greičiau į saulę. Kol abudu nepasigavot plaučių uždegimo ant tų drėgnų grindų.

Ji palaukė, žiūrėdama, kaip jie perėjo per kiemą ir nužingsniavo prie kedrų guoto, augančio palei tvorą. Paskui nubindzino į savo trobą.

– Tik žiūrėk nepradėk iš naujo, – sudraudė Lasteris. – Jau prisivarginau su tavim šiandien. – Ten buvo hamakas, sukurtas iš statinių šulų, pervytų viela. Lasteris atsigulė į jį, o Benas nužingsniavo akipločiu, be jokio tikslo. Jis vėl pradėjo unkščioti. – Užsičiaupk gi, – pasakė Lasteris. – Nes prikulsiu. – Ir vėl atsigulė į hamaką. Benas nebejudėjo, bet Lasteris girdėjo jį unkščiojant. – Nutilsi ar ne? – užriko Lasteris. Atsistojo ir priėjo prie Beno, tupinčio ties nedideliu žemės kauburėliu. Abiejose to kauburėlio pusėse buvo įbesta po tuščią mėlyno stiklo buteliuką, kuriuose kitados buvo nuodai. Iš vieno kyšojo apvytęs durnaropės stiebas. Benas tupėjo priešais jį ir dejavo, leido kažkokį lėtą, neartikuliuotą garsą. Nesiliaudamas dejuoti grabinėjo aplinkui, kol surado šakelę ir įkišo ją į kitą buteliuką. – Kodėl tu neužsičiaupi? – paklausė Lasteris. – Ar nori, kad surasčiau tau dėl ko dejuoti? Galiu. – Jis atsiklaupė, staigiai ištraukė buteliuką ir paslėpė sau už nugaros. Benas nutilo. Tupėjo ir žiūrėjo į duobutę, kur ankščiau buvo buteliukas, paskui, kai jau pritraukė pilnus plaučius oro, Lasteris vėl parodė jam buteliuką. – Ša! – sušvokštė. – Ar nesiliausi bliovęs? Ar nesiliausi? Va jis. Matai? Štai. Na, tu ir vėl pradėsi, jei čia pasiliksim. Eime pažiūrėsim, ar jie dar nepradėjo daužyti kamuoliuko. – Paėmė Beną už rankos, trūktelėjo aukštyn, ir jie nuėjo prie tvoros, sustojo vienas greta kito, stebeilydami pro susivijusias dar nepražydusio sausmedžio šakas.

– Ana, – parodė Lasteris. – Ana, ateina. Matai juos?

Jie stebėjo, kaip ketvertas žaidėjų įvarė kamuoliuką į duobutę, paskui nusviedė jį tolyn. Benas žiūrėjo unkščiodamas, seilėdamasis. Kai tas ketvertas tolinosi nuo jų, jis sekė palei tvorą jiems įkandin, mataruodamas galva ir dejuodamas. Vienas žaidėjų pasakė:

– Ei, kedi. Paduok lazdas.

– Ša, Bendži, – sudraudė Lasteris, bet šis toliau risnojo, kabindamasis į tvorą ir dejuodamas šaižiu, beviltišku balsu. Vyras sukirto per kamuoliuką ir nuėjo toliau, o Benas lydėjo jį iki tvoros kampo, paskui prie jos prigludo, nenuleisdamas akių nuo žaidėjų, kai jie tolo ir buvo jau bedingstą iš akių.

– Ar dabar nutilsi? – paklausė Lasteris. – Ar nutilsi dabar? – Jis

papurtė Beną už rankos. Benas įsikibo į tvorą ir dejavo be persto-
gės šiurkščiu balsu. – Ar nesiliausi vaitojęs? – paklausė Lasteris. –
Taip ar ne? – Benas spoksojo pro tvorą. – Na gerai, – pasakė
Lasteris. – Ar nori, kad suteikčiau tau progą padejuoti? – Atsi-
grįžė ir pažiūrėjo į namą. Paskui sušnibždėjo: – Kedė! O dabar
bliauk. Kedė! Kedė! Kedė!

Netrukus per tarpus tarp Beno aikčiojimų išgirdo, kad juos
šaukia Dilzė. Paėmė Beną už rankos, ir jie nukėblino prie jos
per kiemą.

– Aš juk sakiau, kad jis ten nenurims, – pasakė Lasteris.

– Niekadėjau! – riktelėjo Dilzė. – Ką tu jam padarei?

– Aš nieko nedariau. Juk sakiau jums, kai tik tie žmonės pra-
deda žaisti, jis – į dūdas.

– Eikit čionai, – pasakė Dilzė. – Ša, Bendži. Ša, nurimk. – Bet
šis nenurimo. Jie perėjo skubinai per kiemą, įėjo į trobą. – Bėk
surask tą batelį, – paliepė Dilzė. – Ir žiūrėk nesunervink mis Keh-
lainos. Jei ji paklaus ko, sakyk, kad jis su manimi. O dabar eik,
jau šitai, manau, mokėsi padaryti. – Lasteris išėjo. Dilzė nusive-
dė Beną prie lovos, pasisodino šalia savęs ir apkabino, sūpuoda-
ma, valydama sijono palanka ištekėjusias seiles. – O dabar nu-
rimk, – prašė glostydama jam galvą. – Nurimk. Tu su Dilze. –
Bet Benas riaumojo, lėtai, nuolankiai, be ašarų, – toks rimtas ir
beviltiškas visų begarsių vargų balsas po saule. Grįžo Lasteris,
nešinas baltu atlaso bateliu. Dabar jis buvo jau geltonas ir sutrū-
kinėjęs, purvinas, ir kai jie įdėjo jį Benui į ranką, šis valandėlę
nutilo. Bet vis dar unkščiojo ir netrukus užbaubė garsiau.

– Gal galėtum surasti Ti Pi? – paprašė Dilzė.

– Vakar jis sakė, kad važiuos į Šventą Joną. Sakė, kad grįš
ketvirtą.

Dilzė tolydžio lingavo į priekį ir atgal glostydama Bendžio galvą.

– Kaip ilgai laukti, o Viešpatie, – tarė. – Kaip ilgai laukti.

– Aš jau galiu vadelioti tą brikelę, mamut, – pasakė Lasteris.

– Jūs abu užsimušite, – pasakė Dilzė. – Sugalvosi dar kokią velniavą. Žinau, kad tu labai protingas. Bet pasitikėti tavim negaliu. Nagi nurimk, – pridūrė. – Nurimk. Nurimk.

– Dievaž ne, – patikino Lasteris. – Aš juk vadelioju su Ti Pi. – Dilzė lingavo į priekį ir atgal, apsikabinusi Beną. – Mis Kehlaina sakė, jeigu jau jūs negalite jo nutildyti, tai ji pati nusileis.

– Nurimk, širdele, – guodė Dilzė, glostydama Benui galvą. – Lasteri, širdele, ar pagalvosi apie savo seną mamutę ir atsargiai važiuosi su ta brikele?

– Taip, mem, – pasakė Lasteris. – Aš važiuosiu visai taip kaip Ti Pi.

Dilzė tik glostė Benui galvą, linguodama į priekį ir atgal.

– Aš darau viską, ką galiu, – pasakė. – Dievas mato. Nagi nueik jos atvaryti, – pridūrė stodamasi. Lasteris išskuodė lauk. Benas laikė batelį ir verkė. – O dabar nurimk. Lasteris nuėjo atsivaryti brikelės ir nuveš tave į kapines. Nerizikuosim eiti ieškoti tavo kepurės, – pridūrė. Nužingsniavo prie spintos, sukurptos iš kartūninės užuolaidos, užkabintos per kambario kampą, ir ištraukė veltinę kepurę, kurią pati nešiojo. – Mes dar ir žemiau puolėm, jei žmonės tai žinotų, – pasakė. – Tu vis tiek Dievo kūdikis. Ir mane jis irgi netrukus pasiims, tebūnie Jis pagarbintas. Nagi. – Ji uždėjo Benui kepurę ir susagstė paltą. O jis dejavo nepaliaudamas. Dilzė paėmė jam iš rankų batelį, padėjo į šalį ir juodu išėjo lauk. Lasteris privažiavo su senu baltu arkliu, įkinkytu į nudrengtą, šonan pakrypusią brikelę.

– Ar būsi atsargus, Lasteri? – paklausė Dilzė.

– Taip, mem, – atsakė Lasteris. Ji padėjo Benui įlipti ant užpakalinės sėdynės. Šis liovėsi verkęs, bet pradėjo vėl unkščioti.

– Jam gėlės reikia, – paaiškino Lasteris. – Palaukit, tuoj surasiu.

– Sėdėk, kur sėdi, – paliepė Dilzė. Priėjo ir paėmė už kamanų. – O dabar bėk ir surask kokią nors.

Lasteris nubėgo už namo, prie darželio. Grįžo su narcizu.

– Jis nulūžęs, – pasakė Dilzė. – Kodėl nenuskynei gero?

– Tik jį vieną radau, – atsakė Lasteris. – Jūs nuskynėt visus penktadienį bažnyčiai puošti. Tuoj pataisysiu. – Kol Dilzė laikė arklį, Lasteris sutvirtino narcizo stiebą šakele, aprišo dviem virvelėm ir padavė jį Benui. Paskui užlipo ir paėmė vadeles. Dilzė vis dar laikė kamanas.

– Žinai kelią? – paklausė. – Važiuosi gatve, aplink aikštę, paskui į kapines ir tada tiesiai namo.

– Taip, mem, – atsakė Lasteris. – No, Kvine.

– Ar būsi atsargus?

– Taip, mem. – Dilzė paleido kamanas.

– Varyk, Kvine, – sušuko Lasteris.

– Palauk, – pasakė Dilzė. – Duokš man botagą.

– Oi, mamut, – prašė Lasteris.

– Duokš, – pakartojo Dilzė, artindamasi prie rato. Lasteris nenoromis padavė jai botagą.

– Dabar Kvinė neišjudės iš vietos.

– Nesirūpink, – pasakė Dilzė. – Kvinė geriau už tave žino, ką jai daryti. Tau tereikia sėdėti ir laikyti vadeles. Tai žinai kelią?

– Taip, mem. Tas pats, kuriuo Ti Pi važiuoja kiekvieną sekmadienį.

– Tai ir tu taip važiuok šiandien.

– Žinoma. Argi aš nevadeliojau su Ti Pi jau šimtus kartų?

– Tai ir daryk taip, – paragino Dilzė. – O dabar važiuok. Ir jeigu Bendžiui kas nors nutiks, negriuk, nežinau, ką tau padarysiu. Tada tavęs laukia pataisos darbų grandinės, ir aš pasiųsiu tave tenai dar prieš laiką.

– Taip, mem, – atsakė Lasteris. – No, Kvine.

Jis suplakė vadelėmis Kvinei per plačią nugarą, ir brikelė pajudėjo.

– Lasteri! – sušuko Dilzė.

– No, no, judinkis! – šaukė Lasteris. Jis vėl sušėrė vadelėmis. Kupina tylaus nepasitenkinimo Kvinė lėtai nurisnojo alėja, išsuko į gatvę ir Lasteris pavarė ją risčia, panašia į ištęstą ir suturėtą virtimą priekin.

Benas liovėsi unkščiojęs. Sėdėjo vidury sėdynės ir laikė sugniaužęs kumštyje stačią gėlę, jo akys buvo giedros ir nenusakomos. Priešais jį apvali Lasterio galva vis gręžiojosi, kol namai dingo iš akių, tada jis patraukė į šalikelę ir, Benui nenuleidžiant nuo jo akių, išlipo iš brikelės ir nulaužė iš gyvatvorės rykštę. Kvinė nuleido galvą ir ėmė rupšnoti žolę, Lasteris užsiropštė atgal, trūktelėjo vadelėmis Kvinės galvą ir vėl paleido ją risčia, tada atkišo alkūnes ir, aukštai iškėlęs rykštę ir vadeles, laikėsi išdidžia poza, visai nederančia prie ramaus Kvinės kanopų kaukšėjimo ir vargoniško vidurių gurgėjimo. Juos lenkė mašinos ir praeiviai, kartą praėjo būrelis jaunų negrų:

– Žiūrėkit, Lasteris. Kurgi tu trauki, Lasteri? Į kaulinyčią?

– Aha, – atsakė Lasteris. – Bet ne į tą, į kurią traukiat jūs visi. Varyk, drambliene.

Jie privažiavo aikštę, kur konfederatų kareivis stebeilijo tuščiomis akimis, prisidengęs marmurine ranka, į vėją ir darganą.

Lasteris dar labiau pasitempė, apsidairė aplinkui ir šmaukštelėjo vangiai Kvinei rykšte.

– Ana pono Džeisono mašina, – pasakė jis, paskui pamatė kitą grupelę negrų. – Parodykime tiems negrams, kaip važiuojama karieta, Bendži. Ką pasakysi? – Jis atsigręžė. Bendžis sėdėjo spausdamas kumštyje gėlę, jo žvilgsnis buvo tuščias ir giedras. Lasteris dar kartą sušėrė Kvinei ir pasuko ją į kairę nuo paminklo.

Akimirką Benas sėdėjo nustėręs. Paskui užbliovė. Paskui dar kartą, bliovimas garsėjo, liejosi be jokio atokvėpio. Jame buvo daugiau nei nuostaba, – tai buvo gyvas siaubas, sukrėtimas, akla ir nebyli kančia, tiesiog triukšmas, ir Lasterio akys akimirkai užvirto baltais obuoliais.

– Didysis Dieve, – sušuko jis. – Nutilk! Nutilk! Didysis Dieve! – Žaibiškai pasisuko į arklį ir vėl sušėrė Kvinei rykšte. Rykštė nulūžo, jis nusviedė ją šalin, – Beno balsas artėjo prie nenusakomo *crescendo*, – Lasteris stvėrė vadelių galus ir pasilenkė priekin kaip tik tuomet, kai Džeisonas, peršokęs aikštę vienu šuoliu, užšoko ant laiptelio.

Jis nubloškė Lasterį atgalia ranka, čiupo vadžias, įrėžė jas Kvinei į nasrus ir, sulenkęs jas, ėmė talžyti arklio pasturgalį. Talžė be atvangos, kol Kvinė pasileido galopu, – šaiži Beno kančia liejosi aplink juos riaumojimu, – ir privertė apsukti paminklą iš dešinės. Tada vožė kumščiu per galvą Lasteriui.

– Ar neturi proto sukti ją iš kairės? – užriko. Siektelėjo atgal ir smogė Benui, gėlė ir vėl nulūžo. – Užsičiaupk! – suriko. – Užsičiaupk! – Sustabdė Kvinę ir nušoko žemėn. – Vežk, po velnių, jį namo. Jei dar kada išvažiuosi su juo už vartų, užmušiu!

– Taip, sere, – pralemeno Lasteris. Paėmė vadeles ir sušėrė jų galais Kvinei. – No! No! Bendži, dėl Dievo meilės!

Beno balsas skardėte skardėjo. Kvinė vėl pajudėjo, kanopos vėl ėmė monotoniškai kaukšėti, ir Benas iškart nutilo. Lasteris skubiai žvilgtelėjo per petį ir patraukė tolyn. Nulaužta gėlė nusviro Beno kumštyje, jo akys buvo tuščios, žydros ir vėlei giedros, o karnizai ir fasadai vėl ramiai plaukė iš kairės į dešinę, stulpai ir medžiai, langai ir durys, ir iškabos – viskas buvo jiems skirtoje vietoje.

Niujorkas, Niujorko valstija

1928, spalis

Faulkner, William
Fa519
Triukšmas ir įniršis: romanas / William Faulkner;
iš anglų kalbos vertė Violeta Tauragienė. – Vilnius:
Lietuvos rašytojų s-gos leidykla, 2003. – 341 p.
ISBN 9986-39-265-9
*„Triukšmas ir įniršis" (1929) laikomas geriausiu bei
įdomiausiu rašytojo romanu. Analizuodamas sudėtingą žmogaus
prigimtį, Faulkneris šiame kūrinyje atkuria asmenybės sąmonės
bei pasąmonės turinį, atskleidžia instinktų poveikį žmogaus psichikai,
realizuoja savitą laiko teoriją.*
UDK 820(73)-3

William **Faulkner**
Triukšmas ir įniršis
Romanas

Vertėja Violeta Tauragienė
Redaktorė Audrė Kubiliūtė
Leidyklos redaktorius Saulius Repečka
Dailininkas Romas Orantas
Korektorė Danguolė Tunkevičienė
Maketavo Dalia Kavaliūnaitė
2003 01 27. 13 leidyb. apsk. l.
Užsakymas 117. 399-oji leidyklos knyga.
Išleido Lietuvos rašytojų s-gos leidykla,
K. Sirvydo 6, 2000 Vilnius.
www. rsleidykla.lt / rsleidykla@is.lt
Spausdino AB „Vilspa",
Viršuliškių skg. 80, 2600 Vilnius.